임수현의
친절한
사회과학

고전 20권 쉽게 읽기

임수현의
친절한
사회과학

고전 20권 쉽게 읽기

사회과학 편

임수현

ⓘ 인간사랑

플랑드르의 화가 얀 코시에르(Jan Cossiers, 1600~1671)의 작품
「나르시스(Narcissus)」(1636~1638)

산업혁명(Industrial Revolution)은 18세기 중반 영국을 중심으로 시작되어 19세기 초반 무렵까지 유럽과 북미로 확산된 기술 혁신과 새로운 제조 공정(manufacturing process)으로의 전환, 그리고 이로 인해 촉발된 사회·경제적 변화를 의미한다.

프랑스 대혁명을 주도한 후 무자비한 공포정치를 자행한 로베스피에르(Maximilien de Robespi-
erre, 1758~1794)가 1794년 테르미도르 반동(Convention thermidorienne)으로 반대파에 의해처
형당하는 장면을 그린 그림

바리케이드를 세운 파리 코뮌(Paris Commune, 1871)의 모습

얼굴 및 신체에 도식(塗飾)을 한
카두베오(Caduveo)족의 여인

미국-스페인 전쟁(Spanish-American War, 1898) 중
산후안 고지에서의 전투 모습

1918년 12월 25일 뉴욕타임스(New York Times)에 게재된 국제연맹 홍보 기사

대공황기 무료 급식소에 줄을 선 시카고의 실업자들(1931년)

뉴딜 정책의 일환으로 실시된 테네시강 유역 개발공사

나치 독일에 의한 유대인 대학살이 자행된 아우슈비츠(Auschwitz) 강제 수용소

칠레의 수도 산티아고에 세워진 살바도르 아옌데
(Salvador Guillermo Allende Gossens, 1908~1973)의 동상

2011년 독일 '안정적인 에너지공급을 위한 윤리위원회
(Die Ethikkommission für eine sichere Energieversorgung)'
공개토론 장면(제공=FAZ, Frankfurter Allgemeine Zeitung)

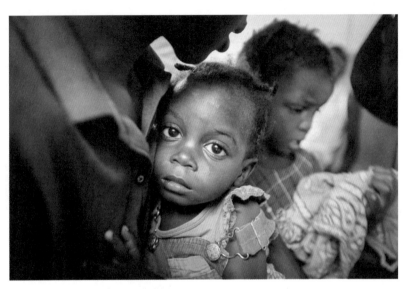

호주의 사진작가 알렉스 프로이모스(Alex Proimos)의 작품
「기아의 눈(Eyes of Hunger)」(2012)

차 례

"인간은 사회적 동물(zoon politikon)이다."

고대 그리스의 철학자 아리스토텔레스의 명언이죠. 이 문장 속에는 인간이 사람들과의 관계를 통해 공동체를 이루고 서로 영향을 주고받으며 살아가는 존재라는 의미가 내포되어 있습니다. 그가 인간을 여타 동물과 차별화하는 요소로 지목하고 있는 것은 바로 발달된 언어 능력, 그리고 선악 및 옳고 그름을 판단할 수 있는 인식 능력이죠. 인간이 이러한 고유의 능력을 통해 가정, 도시, 국가 등의 공동체를 이루어 타인과 소통하고, 연대하고, 협업하며 진화해 온 존재라는 아리스토텔레스의 선언은 현대인들에게도 꾸준히 인용되고 있습니다.

우리는 사회적 동물답게 우리를 둘러싼 수많은 사회적 현상에 관심을 기울이며 살아가고 있습니다. 정치, 경제, 문화, 법, 언론 등 사회를 구성하는 다양한 영역에서 일어나는 일들이 실제 우리 삶의 지평에 크고 작은 영향을 미치기 때문입니다. 따라서 원하는 방향으로 삶을 꾸려가기 위해서는 과거와 현재를 정확히 분석하고 미래를 현실에 가깝게 예측하는 능력이 반드시 필요하죠. 사회는 끊임없이 변화하며 진보해 가기에, 시대의 흐름이 추동하는 새로운 사회 현상에 대한 이해와 대응력을 갖추는 것은 무척이나 중요합니다.

사회를 읽어내는 눈을 키우는 데 있어 경험의 중요성은 아무리 강조해도 지나치지 않습니다. 사람들과 부대끼며 사회의 부조리를 발견하고, 문제의식과 해결책을 강구하는 가운데 사회인으로서의 통찰력과 실천적 지혜가 비약적으로 성장하죠. 다만 세상에 일어나는 모든 일들을 직접 경험하기란 불가능에 가깝기에, 간접 경험을 통해 사회 다방면의 쟁점과 이슈들을 접하는 작업이 반드시 병행되어야 합니다. 시공간을 초월한 인간사의 보편 법칙을 이해하고, 특수한 사안들을 분석하는 방법론을 훈련하기 위한 가장 좋은 방법은 바로 간접 경험의 가장 좋은 도구인 양질의 저작들을 골라 제대로 읽는 것입니다.

이러한 견지에서 우리 반드시 읽어야 할 사회과학 분야별 필독서 20권을 엄선해 보았습니다. 정치학, 경제학, 사회학, 인류학, 심리학, 지리학, 커뮤니케이션학 등 사회과학의 여러 분과에서 널리 읽히며 연구되어 오고 있는 저작들의 핵심을 담았습니다. 누구에게나 제목은 익숙하지만 실제로 원전을 펼쳐 읽어 본 사람은 극히 드물, 난해하지만 꼭 알아야 할 상식과 법칙을 담고 있는 주옥 같은 책들이지요.

이 저작들을 읽으며 다음의 세 가지 포인트를 염두에 두면 도움이 될 것입니다.

첫째, 사회 현상을 분석하는 나만의 관점과 법칙을 정립해야 합니다.

사회과학 서적을 읽는 것은 저자의 가설과 주장을 그대로 받아들이기 위해서가 아닙니다. 책을 읽는 것은 저자의 가설 검증 과정을 면밀히 살피는 과정을 통해 '나의 관점'을 바로세우기 위함이죠. 사회과학은 자연 법칙과 달리 규칙성과 필연성이 존재하지 않는 혼돈의 영역입니다. 수학이나 과학과 달리 문제 해결을 위한 객관적인 법칙 또한 존재하지 않죠. 사회과학 영역이 요구하는 핵심 역량은 합당한 법칙을 도출해 내는 해석력과 비판력입니다. 이러한 능력을 배양하기 위해서 저자가 책에서 내세우는 주장의 타당성과 근거의 신뢰성을 면밀히 검토하고, 적극적인 사례 분석과 가설 검증을 통하여 핵심 이슈에 대한 고유의 견해와 분석틀을 갖추는 것은 반드시 필요한 작업이 아닐 수 없습니다.

둘째, 이론을 뒷받침하거나 반증할 수 있는 실제 사례들을 적극적으로 찾아보며 읽어야 합니다. 특정한 사회과학 이론은 유일한 해답이나 진리가 아니라 하나의 의견이기 때문에 보완 및 발전의 여지가 얼마든지 열려있습니다. 또한 고전의 특성상 각 이론은 당대 기준으로도 과거의 사례와 통계에 기반하여 도출된 법칙이기 때문에 최신의 사례 분석을 통해 이론이 수정되거나 뒤집힐 가능성 역시도 무궁무진합니다. 오늘날에도 이론이 적용 가능하도록 발전시키는 역할은 오늘을 살아가는 독자의 것입니다.

셋째, 융합적 견지에서 사회과학의 다양한 분과를 넘나들며 유연하게 사고해야 합니다. 편의상 정치학, 경제학, 사회학, 심리학, 지리학 등의 분과 구분이 이루어져 있지만, 사회 현상을 분석할 때에는 이러한 구분을 무시하고 접근하는 것이 훨씬 도움이 됩니다. 실제 사회 현상은 다양한 원인 및 변수들의 상호작용에 따른 결과인데, 어느 하나의 방법론을 통해서만 분석하려 하면 결국 문제의 일면밖에는 보지 못하게 되기 때문이죠. 총체적 접근을 통해 시야를 넓혀야 합니다. 동태적인 과정을 정확히 분석하고 예측하기 위해서는 가능한 모든 분석 도구를 동원해야 합니다. 지정학, 지경학, 정치경제학, 사회심리학, 정치심리학 등의 학제간 연구가 더욱 흥미롭고 와닿는 까닭은 분석 도구의 증강을 통해 현실 설명력을 높였기 때문이죠. 역으로 현실을 제대로 읽기 위해서 다양한 도구를 활용하는 능력이 필요하다는 것은 너무나도 당연합니다.

독일의 철학자 니체는 "함께 침묵하는 것은 멋진 일이다. 하지만 그보다 더 멋진 일은 함께 웃는 것이다."라고 말한 바 있습니다. 사회적 동물인 인간이 함께 머리를 맞대어 당면한 문제를 해결함으로써 더 나은 미래로 향한다는 지향점을 가진 학문이 바로 사회과학이죠. 모두 함께 웃기 위해서 우리는 사회과학과 친숙해져야 합니다. 궁극적으로 모두가 함께 행복해지기 위해서 우리는 사회과학적으로 사고하고, 비판하고, 예측하는 능력을 체화시켜야 하는 것이죠. 사회과학이 결코 어렵거나 고루한 학문이 아니며, 그 어떤 학문보다도 우리 곁에 가까이 있고, 또 행복한 삶을 위해 꼭 필요한 학문이라는 것을 여러분이 이 책을 통해 깨달으셨으면 합니다.

임수현

1. 애덤 스미스, 『국부론』(1776)

여러분, 평소에 배달 애플리케이션 자주 사용하시나요? '배달의 민족'이라는 거창한 표현이 무색하지 않을 정도로, 우리가 원할 때 원하는 음식을 빠르고 정확하게 배달 받아 먹을 수 있는, 참 살기 편한 세상이죠?

자, 그런데 여러분, 좀 새삼스럽지만 이렇게 한번 생각해 보세요. 우리가 이렇게 편리하게 맛있는 음식을 원하는 장소에서 먹고 싶을 때 먹을 수 있는 건 과연 무엇 때문일까요? 좀 생뚱맞을 수 있지만 그 이유에 대해서 한번 생각해 보세요.

배달 음식점 주인장들이 언제 음식을 주문할지 모르는 우리를 위해서 가게 간판을 달아놓고 영업을 하고 있는 건, 그들이 선량하거나 자비로워서일까요? 아니면 국가에서 그들에게 강제력을 발휘해서 억지로 영업하게 만들고 있는 걸까요? 결코 그렇지 않죠. 그건 바로 음식을 팔아서 돈을 벌겠다는 가게 주인들 마음속 '이기심' 내지 '자기애' 때문이에요. 그들은 고객들을 사랑하는 게 아니라 스스로를 사랑하기 때문에 그렇게 고생하면서 영업을 하고 있는 거예요. 각자가 이윤을 남기겠다는 일념으로 가게 문을 열고 배달 주문을 기다리고 있는 거고, 그렇기 때문에 우리는 폭넓은 옵션을 누리며 원하는 걸 골라 먹을 수 있는 거죠.

배달 라이더들도 마찬가지예요. 그 누가 시키거나 강제했기 때문에 음식을 픽업해서 우리에게 가져다 주는 게 아니라, 배달을 완수해서 페이를 받겠다는 이해관계를 바탕으로 움직이고 있는 거고요.

이렇게 아무도 누군가에게 강요당하지 않는 상황에서 각자의 이익을 고려하는 '이기심'과 '자기애'를 바탕으로 서로 우호적으로 조화롭게 행위하여, 결과적으로 모두가 원하는 것을 얻고 윈윈(win-win)하게 되는 거죠. 이게 바로 우리가 공기처럼 누리고 있는 자유주의와 자본주의를 아주 심플하게 보여주는 단면이라고 볼 수 있어요.

개개인의 이기심이 곧 모두의 이익이다

지금의 우리에겐 너무나도 당연해 보이는 사회의 모습이지만 과거엔 그렇지 않았죠. 영국 산업혁명의 발발로 자본주의 체제가 공고화되던 18세기, 이러한 새로운 경제 질서의 본질과 가치를 포착하고 이를 옹호한 경제학자가 있어요. 바로 『국부론(An Inquiry into the Nature

애덤 스미스(Adam Smith, 1723~1790)

and Causes of the Wealth of Nations)』(1776)의 저자 애덤 스미스(Adam Smith, 1723~1790)예요. 영국 스코틀랜드 출신의 철학자이자 경제학자인 그는 자신의 저작『국부론』에서 "시장을 구성하는 각 행위자의 '이기심' 내지 '자기애'가 결과적으로 모두에게 이득을 가져다 주며, 시장을 굴러가게 하는 원동력으로 작용한다."라는 점을 다음과 같이 주장하고 있어요.

인간은 거의 항상 동료들의 도움을 필요로 하며, 그러한 도움을 동료들의 자비심에만 기대한다면 그것은 헛수고다. 자신에게 유리한 방향으로 그들의 자기애를 움직이고, 자신이 원하는 것을 그들이 자신을 위해 해주는 것이 그들 자신에게도 이익이 된다는 것을 그들에게 보여 주는 것이 효과적이다.

타인에게 어떤 교역을 제안하는 자는 누구라도 그렇게 하려고 한다. "내가 원하는 그것을 나에게 주시오, 그러면 당신이 원하는 이것을 드리겠소." 하는 것이 바로 그런 모든 제안의 의미이고, 우리는 그런 식으로 해서, 자신들이 필요로 하는 호의의 압도적 대부분을 서로 손에 넣고 있다. 우리가 저녁 식사를 기대할 수 있는 것은, 푸줏간·술집·빵집 주인의 자비심 때문이 아니라, 그들 자신의 이해(利害)에 대한 배려 때문이다. 우리가 호소하는 것은 그들의 인류애가 아니라 자기애이며, 우리가 그들에게 말하는 것은 결코 우리 자신의 필요가 아니라 그들의 이익이다. 거지가 아니고서는 그 누구도 동료 시민의 자비심에만 의존하려고 하지는 않는다.

이처럼 애덤 스미스는 사람들이 자신의 이익과 이해를 추구하는 가운데서도 모두가 윈윈하면서 상업사회를 번영시킬 수 있는 원리에 대해 탐구하고 있죠. 이 책의 제목인 『국부론』의 원제를 그대로 풀어 번역하면 『국부의 형성과 그 본질에 관한 연구(An Inquiry into the Nature and Causes of the Wealth of Nations)』예요. 즉 "무엇이 국가의 부를 증진시키는가?"에 대해 고찰해 보자는 거죠. 이러한 문제의식에 대한 애덤 스미스 고유의 분석과 결론이 수록되어 있는 방대한 양의 저작이 바로 『국부론』이에요.

중상주의(重商主義, mercantilism) 비판

애덤 스미스가 저격하고 있는 건 당대 중상주의자들의 잘못된 생각이었어요. 중상주의란 무역 통제를 기반으로 자국의 산업 보호를 꾀하는 사조를 의미하죠. 스미스가 보기에 당시 중상주의자들은 정부와 결탁해 억압적인 보호무역 기조를 꾀하며 상업사회의 자연적인 발전을 왜곡하고 있었어요. 중상주의 정책은 완성품 수출에 주력하고 해외로부터의 완성품 수입은 최대한 억제하면서 국내 산업 육성과 독점적 대외무역을 도모했어요. 또한 생산비를 줄이기 위해 노동자에 대해 저임금 기조를 유지하고, 대외적으로는 공격적으로 식민지 확장 정책을 취하여 국가가 전쟁에 휘말리게 부추기기도 했습니다.

애덤 스미스가 비판의 칼날을 겨누고 있는 중상주의자들의 논리는 크게 다음의 두 가지예요.

첫째, 국가의 부의 척도가 국고에 축적된 화폐와 귀금속의 양이라는 논리,

둘째, 국가의 부를 증진시키려면 특정한 산업을 국가 차원에서 보호하고 육성해야 한다는 논리죠.

애덤 스미스가 위의 두 논리에 대해 어떻게 반박하고 있는지, 지금부터 살펴볼게요.

국부란 축적된 화폐가 아닌 재화의 생산력이다

먼저 "수출을 많이 하고 수입을 적게 하면 그만큼 무역 수지 흑자가 발생해서 화폐와 금은이 국고에 쌓일 테니 국가가 부유해질 수 있다. 즉 수입보다 수출을 더 많이 하면 돈이 많이 들어오므로 부자가 될 수 있다."라는 중상주의자들의 논리부터 살펴보죠. 이러한 논리는 무역 차액에 집착하면서 화폐나 금은 자체를 신성시하는 자세로 이어질 수밖에 없어요. 화폐나 금은을 많이 쌓아두는 것이 곧 부의 척도가 되니까요.

그런데 여러분, 정말 그럴까요? 돈이 많으면 부자인 건 맞죠. 하지만 중요한 건, '그 돈이 쓸 수 있는 돈이냐', 그리고 '실제로 쓰여서 실질적인 효용을 증진시켜 줄 수 있느냐'의 여부죠. 쉬운 예로, 암호화폐 지갑에 비트코인이 들어있는데 지갑 비밀번호를 분실해 버려서 지갑을 열 수가 없다면 코인은 휴지조각이나 다름 없겠죠? 이처럼 화폐의 존재 그 자체로는 인간의 어떠한 욕망이나 필요를 충족시켜 줄 수가 없어요. 돈으로 실제 필요한 물건을 구입해서 실제적인 효용을 얻어야 비로소 돈을 갖는 것의 의미가 생기는 거죠. 역으로, 내가 지금 당장 돈이나 비트코인이 없더라도 노동생산력을 갖고 있다면 얼마든지 노동을 통해 돈을 벌거나 비트코인을 살 수 있죠. 당장 화폐의 축적 그 자체에 집착할 하등의 이유가 없는 거예요.

애덤 스미스가 중상주의자를 비판한 지점이 바로 이거였어요. 중상주의자들이 그토록 신성시하는 돈, 최대한 많이 긁어모아 국고에 쌓아둬야 한다고 부르짖는 그 귀금속이란 것이 그 자체만으로는 가치가 없다는 거죠. 그는 돈이나 귀금속으로 식료품이나 의복 등 우리가 필요로 하는 생활 필수품이나 편의품을 구입해야 비로소 그 효용가치를 발휘할 수 있음을 지적하면서 부(富) 개념에 있어서 발상의 전환을 이뤄냈어요.

> 불필요한 금은을 국내에 도입하거나 붙들어 놓음으로써 그 나라의 부를 증가시키려고 하는 시도는 가정에 불필요한 주방도구를 보유케 함으로써 가정의 기쁨을 증가시키려는 시도만큼이나 어리석다. 불필요한 주방도구를 구입하는 비용은 가정의 식료품의 양과 질을 증가시키기는커녕 감소시킬 것이다. 마찬가지로, 불필요한 금은을 구매하는 비용은 어느 나라에서나 국민에게 의식주를 제공하고 국민을 고용하는 데 사용될 부를 필연적으로 감소시킬 수밖에 없다.

현재 갖고 있는 노동생산력을 언제든지 금은과 교환할 수 있다면, 상품 생산에 주력하는 게 옳은 선택이지, 향후 금은이 부족해질까봐 미리 걱정하며 비축하려는 것은 도리어 국부를 줄이는 행동이라는 거죠.

이러한 견지에서 애덤 스미스는 참된 의미의 부란 바로 노동생산물이라고 주장했어요. 어떤 사회에 노동생산물이 계속해서 풍부하게 생산된다면 그 사회는 부유하다고 볼 수 있다는 거죠.

분업을 통한 생산력 증대가 핵심이다

그는 나아가 노동생산물을 같은 시간 안에 더 많이 만들어 낼 수 있는 힘, 즉 노동생산력의 개량은 바로 '분업'에 의해서 가능해진다는 핵심적인 주장을 폅니다.

분업과 관련하여, 스미스는 한 사람의 직공이 핀 제조의 모든 공정을 혼자서 담당하는 경우에는 하루에 한 개의 핀을 만드는 것도 어렵지만, 열 명의 직공이 분업 체제로 작업을 하는 경우에는 한 사람당 하루에 4,800개나 되는 핀을 만들 수가 있다며 분업의 가치를 강조했죠.

그는 분업이 노동 생산력을 끌어 올리는 이유로 다음의 세 가지를 들고 있어요. 첫째, 분업이 일을 단순 반복 작업으로 만듦으로써 노동자의 기능을 향상시키기 때문이고, 둘째, 작업 사이를 오갈 때 드는 비용이나 시간을 절약하도록 돕기 때문이고, 셋째, 단순 반복 작업을 통해 보다 능률적인 방법을 찾도록 하여 도구 개량이나 기계 발명을 촉진시키기 때문이죠.

이러한 메커니즘으로 노동 생산력이 비약적으로 발전해서 노동 생산물이 소비를 훨씬 웃돌아 남아돌 때, 즉 잉여가 발생할 때, 사람들은 타인의 노동생산물 중에서 자신이 필요로 하는 부분과 이러한 잉여를 교환하여 자기 욕망을 채우게 된다고 애덤 스미스는 설명해요. 혼자 모든 것을 다 했다면 결코 누릴 수 없었을 다양한 효용이 분업에 의해 비로소 현실화된다는 거죠. 이 과정에서 만들어진 것이 바로 화폐입니다. 스미스에 따르면 화폐는 물물교환의 불편을 해소하기 위해 사회 구성원 간의 합의를 통해 만들어진 사회적 발명품이라고 볼 수 있죠. 즉 스미스에게 있어서 화폐란 목적이 아니라 수단에 가까운 것입니다.

개개인에게 자유를 허(許)하라

자, 그럼 스미스가 비판한 두 번째 중상주의적 논리로 넘어가 볼 게요.

"특정 산업을 보호하고 육성해야 한다."라는 중상주의자들의 논리에는 과연 어떤 오류가 있을까요?

중상주의자들은 제조업을 특히 사랑했죠. 당시 중상주의자들이 봤을 때, 원자재를 가공해서 수출하는 제조업은 무려 열 배에서 스무 배에 달하는 무역차액을 창출함으로써 화폐를 축적하는 데 큰 도움을 주는 산업이었기 때문이에요. 자연히 중상주의자들은 "제조상품 수출은 이득이고, 제조상품 수입은 손실이다. 국내의 제조업자들을 위한 원자재 수입은 이롭고, 외국의 제조업자들을 위한 원자재 수출은 해롭다."라는 생각을 공유하게 되었죠. 그리고 인위적으로라도 '국내에서 제조 생산을 일으키는 것(manufacturing should be produced in the home market)'을 주요 목적으로 제반 정책을 추진하게 된 거고요. 이러한 그들의 의도와 관련해 애덤 스미스는 이렇게 분석하고 있어요.

> 부(富)는 금은으로 구성된다는 원칙과, 그런 금속은 광산이 없는 나라에서는 오직 무역차액에 의해, 또는 수입하는 것보다 큰 가치를 수출함으로써 얻을 수 있다는 원칙이 확립되었기 때문에, 국내소비를 위한 외국재화의 수입을 가능한 한 줄이고 국내산업의 생산물의 수출을 가능한 한 증가시키는 것이 경제정책의 필연적이고 주된 목적이 된 것이다.

이러한 중상주의자들의 제조업 편애에 대해 애덤 스미스는 어떻게 생각했을까요? 그는 무역차액 가설이 불합리하다고 평가했으며, 제조업을 우위에 두지도 않았어요. 그는 개개인이 '자연적 자유(natural liberty)'에 따라 행동한다면, 개인과 공공의 이익은 일치하게 된다고 생각했던 거죠.

'보이지 않는 손(invisible hand)'

여기서 바로 애덤 스미스의 그 유명한 개념인 '보이지 않는 손'이 등장합니다. '보이지 않는 손'이란, 경제 행위자들을 정부가 터치하지 않아도 결국 국부를 최대로 증진시키는 방향으로 행위의 결과가 흘러갈 것이라는 주장을 내포하고 있어요. 괜히 정부가 손을 뻗어 행위자들을 제약하고 통제하려 들면 오히려 역효과가 날 수 있다는 거죠. 국가가 부유해지고 싶다면 무역을 규제하기보다 '무역을 할 자유(freedom to trade)'를 상인들에게 부여해야 한다고 그는 주장해요.

국내에서 생산할 수 있는 재화의 수입을 높은 관세나 절대적 금지에 의해 제한함으로써 이 재화를 생산하는 국내산업은 국내시장에서 다소간 독점권을 보장받는다. 국내시장의 이와 같은 독점권은 그런 권리를 누리는 특정 산업을 종종 크게 장려할 뿐만 아니라, 독점이 없었을 경우 그것으로 향했을 것보다 더 큰 노동·자본을 그 산업으로 향하게 한다는 사실에는 의심의 여지가 없다. 그러나 그런 독점권이 사회의 총노동을 증가시키거나 그것을 가장 유리한 방향으로 이끄는 경향이 있는가는 결코 그렇게 분명하지 않다.

각 개인은 그가 지배할 수 있는 자본이 가장 유리하게 사용될 수 있는 방법을 찾으려고 부단히 노력한다. 사실 그가 고려하는 것은 자기 자신의 이익이지 사회의 이익은 아니다. 그러나 자기 자신의 이익을 추구하는 것이 자연스럽게, 또는 오히려 필연적으로, 그로 하여금 사회에 가장 유익한 사용 방법을 채택하도록 한다.

사실 그는 공공의 이익(public interest)을 증진시키려고 의도하지도 않고, 공공의 이익을 그가 얼마나 촉진하는지도 모른다. 외국 노동보다 본국 노동의 유지를 선호하는 것은 오로지 자기 자신의 안전(security)을 위해서고, 노동생산물이 최대의 가치를 갖도록 그 노동을 이끈 것은 오로지 자기 자신의 이익(gain)이다.

이 경우 그는, 다른 많은 경우에서처럼, '보이지 않는 손(invisible hand)'에 이끌려서 그가 전혀 의도하지 않았던 목적을 달성하게 된다. 그가 의도하지 않았던 것이라고 해서 반드시 사회에 좋지 않은 것은 아니다. 그가 자기 자신의 이익을 추구함으로써 흔히, 그 자신이 진실로 사회의 이익을 증진시키려고 의도하는 경우보다, 더욱 효과적으로 그것을 증진시킨다.

이처럼 애덤 스미스는 개인의 이기심이 결과적으로 사회의 이익을 이끌어낼 수 있다는 전제 하에, 각 행위자에게 행동의 자유가 보장된 '완전히 자유롭고 공정한 자연적 체계(natural system of perfect liberty and justice)'의 필요성을 역설하고 있죠.

'건전한 이기심'이라는 철학적 전제

유의해야 할 점은, 이러한 자유주의 사상의 기초를 이루는 애덤 스미스의 철학적 전제에 대해 정확히 이해해야 한다는 거예요. 국가에서 굳이 경제 행위자들에게 간섭하지 않고 그들이 자유롭게 행동하게 놔둬도 '보이지 않는 손'에 의해 결국 최상의 국부를 창출하는 방향으로 경제가 흘러갈 거라는 낙관적 전망을 가능케 하는 것은 과연 무엇일까요? 도입부에서 살짝 귀띔을 드렸듯이, 배달음식을 판매하는 식당, 배달 애플리케이션으로 음식을 주문하는 고객, 배달 음식을 픽업해서 가져다주는 라이더 각자가 마음속에 품고 있는 '이기심' 내지 '자기애' 때문에 모두가 원하는 것을 얻을 수 있죠. 그런데 여기서의 '이기심'이라는 것이, 무제한으로 자기 이익만을 추구하고 남의 이익은 안중에도 없는 비정한 독단주의를 의미하는 걸까요? 내가 잘되기 위해서 남의 이익을 갈취하거나 타인을 밟고 올라서도 괜찮다는 제로섬(zero-sum)적 이기주의를 부추기는 걸까요? 결코 그렇지 않아요.

애덤 스미스가 말하는 '이기심' 앞에는 '건전한'이라는 형용사가 붙는다는 점에 유념해야 해요. '건전한 이기심'- 이건 엄밀히 따지면 '자기밖에 모른다'라는 의미의 이기주의라기보다는, '스스로의 이익을 건강하게 추구할 줄 아는 자기애'라는 능력에 더 가깝죠. 그는 인간이 이기적이지만 본능적으로 타인의 행복이나 불행에도 관심을 갖고 타인에게 우호적으로 행위하는 존재라는 인식을 갖고 있었어요.

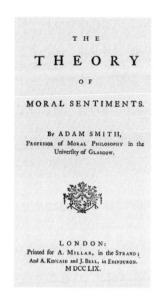

애덤 스미스, 『도덕 감정론(The Theory of Moral Sentiments)』(1759) 초판

애덤 스미스는 경제학자이기도 했지만 그 이전에 도덕철학자였죠. 그의 도덕철학에 대하여 우선 파악해야만 『국부론』의 '보이지 않는 손'이 무엇을 뜻하는지를 제대로 이해할 수 있어요. 그는 자신의 저작 『도덕 감정론(The Theory of Moral Sentiments)』(1759)에서 인간의 본성에 대해 다음과 같이 규정하고 있죠.

인간이 아무리 이기적인 존재로 보인다 해도, 인간의 본성에는 분명 몇 가지 원리가 존재한다. 이 원리는 인간이 타인의 운이나 불운에 관심을 가지도록 해 주며, 타인의 행복을 원하게 해준다. 사실 인간은 타인의 행복으로부터 '그것을 보는 기쁨' 밖에는 얻지 못한다. 그런데도 인간은 그것을 필요로 한다. 무엇이 인간을 이렇게 만드는가? 바로 동정심이나 연민이다. 이것은 우리가 타인의 비극을 직접 보거나 매우 생생하게 느꼈을 때, 그에 대해 느끼는 감정이다. 우리는 타인의 슬픔에 전염되어 같은 슬픔을 느끼곤 한다. 이는 명백한 사실이므로 따로 증명할 필요도 없다. 그렇다면 이러한 감정은 인간 본성의 다른 모든 근본적인 감정들과 마찬가지로, 모든 인간에게 존재하는 것이리 라. 다시 말해 인도적이고 덕 있는 사람 뿐만 아니라 천하의 악당에게 도 존재하는 것이다.

이처럼 스미스는 인간이 이기적 존재인 동시에 '공감(sympathy) 능 력'을 가진 존재라고 규정했어요. 사람은 누구든 타인의 불행을 보면 슬퍼하고 타인의 행복을 보면 기뻐한다는 거예요. 자신에게 아무런 이 익이 생기지 않더라도 말이죠. 그에 따르면 공감은 이익의 판단에 선행 하는 인간의 본성이기 때문이에요. 스미스는 모든 사람의 마음속에는 이처럼 '공정한 관찰자(impartial spectator)'가 존재한다고 생각했어요. 그리하여 이 관찰자가 자신의 행동을 관찰하고 옳고 그름을 판단함으 로써 사회질서를 유지한다는 주장으로 이어진 거죠.

'비정한 시장만능주의자' 라는 오해

이처럼 인간이 무제한적으로 자기 이익만 추구하는 존재가 아니라 본능적으로 타인의 행복이나 불행에도 관심을 갖는 존재라는 전제 하 에 '보이지 않는 손' 개념을 이해해야 해요. 이 세상에 자기를 사랑하지 않는 사람이 있을까요? 사람은 누구나 본능적으로 지금보다 더 나은 생활을 영위하고자 하는 욕구를 가지고 있기 때문에, 더 열심히 일하고 자기 발전을 위하여 더 많이 노력한다는 견지에서 스미스는 '이기심' 내지 '자기애'에 대해 규정하고 있는 거죠. 스미스가 말하고자 하는 건, 결국 이러한 본성을 가진 개인이 각자 자기 자신을 위하여 노력하면 그 결과로 사회도 발전하고 국부도 증진된다는 거죠. 이게 바로『국부론』의 핵심적인 사상이에요.

사실 애덤 스미스는 오해를 많이 받는 학자죠. 그의 '보이지 않는 손' 개념은 종종 그 의미가 왜곡되어 활용되기도 해요. 이를테면, "국가가 개입하지 말고 시장에 맡겨라, 그러면 모든 문제가 다 해결된다."라는 극단적인 자유방임사상을 뒷받침하는 근거로서 잘못 인용되기도 하죠. 지금까지 살펴 보아서 아시겠지만, 애덤 스미스가 말하고자 하는 바는 "시장이 알아서 다 해결해 준다."라는 시장만능주의가 아니에요. 그보다는 "이기심과 동정심을 동시에 갖춘 존재인 인간이 각자의 능력을 최대한도로 발휘하도록 행위의 자유를 보장해 주어야 한다."라는 이상주의적 자유주의에 더 가깝죠. "국부는 축적된 화폐나 금은이 아니라 자율적인 사회 시스템과 사회 구성원들의 생산성에서 나온다."라는 『국부론』의 핵심 명제에 대해 떠올려 보면, 시장은 가능성의 터전일 뿐, 모든 문제가 저절로 해결되는 마법의 땅은 결코 아니죠. 스미스가『국부론』을 통해 진짜 말하고자 한 바를 오해 없이 분명하게 이해할 필요가 있어요.

바람직한 국가의 역할에 대한 고찰

애덤 스미스가 『국부론』에서 이야기한 내용은 무려 250여 년 전의 사회상에 대한 것이기 때문에 지금의 우리가 그대로 받아들이고 적용하기엔 무리가 있는 게 사실이죠. 이를테면 "눈에 보이는 산출물이 생산되는 농업이나 제조업 등의 산업만이 생산적이다."라고 규정하고 있는 대목 등에서 엿볼 수 있듯이, 『국부론』은 기술과 시장의 발달이 지금보다 훨씬 미비했던 당시의 시대상에 기반해 쓰여졌기 때문에 우리가 이 책의 내용을 그대로 우리의 현실에 적용하긴 힘들어요. 스미스는 국경을 넘나드는 실물 무역에 대해서 주로 이야기를 하지만, 사실 우리가 살고 있는 시대에는 온라인 플랫폼을 기반으로 하는 디지털 무역이 대단히 큰 비중을 차지하죠. '4차 산업혁명'이라는 표현이 의미하듯 유례 없이 새로운 업종과 돈 벌 기회가 끊임없이 창조되고 있고요. 새로운 기술 발전과 산업혁명의 주기가 점차 짧아지고 있는 오늘날, 국가가 부를 증진할 수 있는 방법은 스미스가 살았던 시대보다 훨씬 많고 다양하죠. 이런 시대일수록 국가 내 경제 행위자들의 창의성과 생산성이 최대한도로 발휘되도록 효율적인 시스템을 깔아주고 원활한 경제 활동이 이뤄질 수 있도록 공정한 경쟁의 장을 유지하는 국가의 역량이 더욱 중요하다고 볼 수 있어요.

애덤 스미스가 주장하는 바와 같이, "자율적인 사회 시스템과 사회 구성원의 자질이 생산성을 높이고 국부를 증대시킬 수 있다."라는 핵심 아이디어는 우리가 살고 있는 현대에도 발전적으로 적용할 수 있죠. 여러분도 애덤 스미스의 『국부론』을 찬찬히 읽어보면서, "나의 이익 추구가 어떻게 사회 발전으로 이어질 수 있는가?", 나아가 "모두가 잘 살기 위해서 국가가 어떠한 역할을 해야 하는가?"와 같이 스미스가 천착했던 중요한 문제들에 대해 나만의 생각을 정립해 보는 소중한 시간 가져보시기를 바랍니다.

2. 알렉시스 드 토크빌, 『미국의 민주주의』(1835)

여러분은 '민주주의'가 뭐라고 생각하시나요?

정의로운 것? 다수결의 원리? 자유? 평등?

대한민국 헌법 제1조에서 "대한민국은 민주공화국이다."라고 천명하고 있듯이, 민주주의란 우리에게 있어 '당위'에 가까운 소중한 이상향이죠. 추상적인 이념형으로서의 민주주의를 넘어, 실제 삶 속에서 민주주의를 누리는 실질적인 민주화를 달성하기까지 역사 속의 지난한 투쟁이 존재했다는 사실을 우리 모두가 알고 있고요. 그렇기에 우리는 민주주의에 대해 대단하고 거창한 의미를 부여하거나, 또는 민주주의 이념 하나면 모든 부정의를 극복할 수 있는 것처럼 민주주의를 과대평가하기 쉬운 것도 사실이죠.

하지만 민주주의 자체는 '다수에 의한 지배'를 의미할 뿐이에요. 다

알렉시스 드 토크빌(Alexis de Tocqueville, 1805~1859)

수의 동의에 의해 소수의 폭력이 자행되는 상황이나, 다수의 잘못된 판
단으로 부정의가 방치되는 상황을 해결할 작동원리는 민주주의 안에
내재되어 있지 않아요. 이 때문에 민주주의가 도리어 비민주적인 통치
에 악의적으로 이용될 가능성도 상존하죠. 민주주의 자체만으로는 완
벽하거나 완결적이지 않기 때문에, 고대 그리스의 플라톤이 경고했던
중우정치의 위험이나, 다수의 동의에 의해 절차적으로 보장된 자유와
평등이 오히려 억압과 차별을 조성하는 역설을 막을 수가 없다는 거예
요. 일례로 프랑스 대혁명(French Revolution, 1789)의 경우 인권선언이
라는 인류의 보물을 남기기도 했지만, 한편으론 자유와 평등의 이름으

로 자행되는 폭력적인 독재정치를 방조하며 많은 시민의 목숨을 희생시키기도 했죠. 따라서 민주주의의 본질이 무엇이며, 맹점과 한계가 무엇인가를 정확히 알아야 이러한 '민주주의의 역설'에 빠지지 않을 수 있어요.

이방인의 눈에 담긴 민주주의의 원형

이러한 문제의식에 대한 해답을 찾도록 도와주는 책이 바로 프랑스의 정치가이자 정치사상가인 알렉시스 드 토크빌(Alexis de Tocqueville, 1805~1859)의『미국의 민주주의(De la Démocratie en Amérique)』(1835)입니다. 이 책은 미국 건국 초기 민주주의의 원형에 대한 면밀한 관찰과 분석으로 구성되어 있어요. 1830년대 신생국 미국이 운용하고 있던 여러 제도와 정책들은 건국의 이상향인 민주주의의 이념형을 날것에 가깝게 실현하는 양상을 띠고 있어 민주주의의 원리를 구체적으로 파악하는 데 큰 도움을 주죠.

지금 우리가 알고 있는 미국은 현대 민주주의의 본산이자 세계의 유일 초강대국으로 소위 '넘사벽'의 지위를 구가하고 있지만, 이 책이 집필될 당시 미국은 국가 건립 60년이 채 되지 않았던 신생국이자, 개국공신들이 수립한 민주주의의 이상향과 아이디어를 실험하듯 아슬아슬하게 운용해 나가던 건국 초기 단계에 있었죠. 바로 그 미국의 '민린이(민주주의+어린이)' 시절, 1831년 프랑스 정부의 명으로 미국에 파견되어 약 9개월 간 미국의 정치 제도를 시찰한 토크빌의 눈에 담긴 초창기 미국 민주주의의 진면목이 바로 이 책, 『미국의 민주주의』에 상세하게 담겨 있어요.

　1789년 혁명 이후 대혼란에 빠져 있던 프랑스에서 파견 나온 이방인의 눈으로 바라본 신생 민주국가 미국의 모습은 부러움과 질투를 유발하면서도, 또 한편으로는 현미경으로 들여다 보듯 온갖 하자와 결함을 적나라하게 파헤쳐 보고 싶은 욕구를 자극했을 거예요. 이러한 토크빌의 관찰자적 시점이 미국의 정치 체제에 대한 더욱 객관적인 분석과 평가를 가능케 하죠. 그런 이유에서, 초기 민주주의의 명(明)과 암(暗)을 비판적으로 고찰한 토크빌의 『미국의 민주주의』를 읽으며 민주주의의 진면목을 파악하는 건 대단히 의미 있는 일이 될 수 있어요.

과연 무엇이 미국을 잘나가게 만드는가

　토크빌은 이른바 '민주주의 혁명'이 당시로부터 약 700여 년 전부터 역사의 대세로 이어져 왔다고 분석했어요. 토크빌은 스스로가 귀족이면서도, 귀족 세력은 곧 특권을 상실할 운명에 처해 있다고 보았죠. 민주주의에 대한 열망이 폭발한 프랑스 대혁명 이후 유럽 대륙의 귀족 사회는 피로 물든 혁명과 반동의 물결 속에 비틀거리고 있었어요. 반면 대서양 건너 미국에서는 안정적으로 민주주의가 정착되어 가고 있었고요. "유럽과 미국의 차이는 무엇인가? 과연 무엇이 미국만을 잘나가게 만드는가?" 바로 이것이 토크빌의 핵심적인 의문이었죠. 당시 미국은 프랑스를 비롯한 유럽 국가들에게 큰 관심사이자 화젯거리였지만 미국에 대해 제대로 아는 사람은 드물었어요. 그래서 미국을 직접 관찰하고 분석한 토크빌의 책이 불티난 듯 잘 팔릴 수밖에 없었던 거죠.

　토크빌에 따르면 미국은 혁명을 거치지 않고서도 민주주의 혁명의 열매를 거두고 있는 유일한 국가였어요. 이것은 17세기 초에 미국 동부 해안에 건너온 영국의 이민자들이 유럽의 구(舊) 사회에서 서로 갈등의 원인이 되었던 원칙들을 발라내어 민주주의의 원리만을 깔끔하게 신대륙으로 옮겨 심었기 때문에 가능했던 일이라고 토크빌은 지적하고 있죠. 미국이라는 새로운 땅에서 민주주의 원리와 원칙은 완전히 자유롭게 뻗어나갈 수 있었고, 이러한 원칙들이 이 나라 국민들의 생활태도와 습속에 영향을 미쳐서 법률의 성격을 공화적이고 민주적으로 만드는 선순환 구도가 형성되었다고 그는 주장합니다.

　토크빌은 민주주의가 앞으로 인류의 정치 사회에서 지배적인 정치 체제로 자리매김할 것임을 예측했기 때문에, 이처럼 미국 사회에서 구체화되고 있던 민주주의의 양태를 진지하게 관찰하고 분석했던 것입니다. 토크빌의 예상은 적중했어요. 토크빌이 예측한 대로 미국은 민주주의의 원리를 기반으로 성장과 발전을 거듭했고, 민주주의는 오늘날 세계 대다수의 국가들이 채택하는 글로벌 표준이 되었죠. 우리나라도 그 길을 따라 걷고 있고요. 토크빌의『미국의 민주주의』는 단지 민주주의를 찬양하거나 장점만 추켜세우지 않고, 민주주의의 민낯과 위험성에 대해서까지 폭넓은 시각으로 분석하고 있기 때문에 더욱 가치 있죠. 우리나라 역시 미국식의 민주주의를 이식 받아 수많은 시행착오를 거치며 운용해 나가고 있는 국가 중 하나이기에, 미국의 민주주의에 대한 분석을 통해 민주주의의 본질과 방향성에 대해 고찰하는 작업은 중요하고 필요할 수밖에 없어요.

토크빌의 『미국의 민주주의』가 얼마나 연구할 가치가 큰 고전인지 아시겠죠?

그럼 지금부터 책의 내용에 대해 자세히 들여다 볼게요.

민주주의에 도사린 '다수의 횡포(tyranny of the majority)'의 위험

토크빌의 핵심 키워드는 '자유'와 '평등'이에요. 토크빌은 이중에서도 특히 '평등'에 주목했어요. 프랑스 대혁명 이후 유럽 전역에는 민주주의에 대한 열망이 들끓고 있었죠. 혁명의 주도 세력인 급진주의자들은 "모두가 평등해지면 자유로워질 수 있다!"라며 대중을 설득하고 있었고요. 하지만 이와 달리 토크빌은 평등과 자유가 상치되는 개념이라고 봤죠. 결론부터 말하면, 토크빌은 두 개념이 상호 모순 관계에 놓여 있으며, 구체적으로 평등이 자유를 위협할 수 있다고 보았어요.

토크빌은 일반적으로 사람들이 자유와 평등 모두를 원하지만, 둘 중 하나만 택해야 하는 상황에서 자유보다 평등을 더 선호하는 경향이 있다고 분석했어요. 인간은 자유와 평등을 본능적으로 선호하기 때문에 이들을 탈취당할 때 거부감을 느끼는데, 이들 중에 평등을 빼앗길 경우 자유를 빼앗길 경우보다 더욱 강렬한 분노를 느끼게 된다는 거예요. 왜냐하면 자유의 경우 오랜 시일에 걸쳐 효용이 서서히 나타나서 즉각적인 이득이 잘 와닿지 않는 반면에, 평등은 더욱 가시적이고 지속적이고 즉각적인 만족을 느끼게 해주기 때문이죠. 이러한 이유로 평등에 대

프랑스 대혁명을 주도한 후 무자비한 공포정치를 자행한 로베스피에르(Maximilien de Robespierre, 1758~1794)가 1794년 테르미도르 반동(Convention thermidorienne)으로 반대파에 의해 처형당하는 장면을 그린 그림

한 사람들의 열망은 열렬하고 절실하고 끊임이 없죠. 인간은 자유 속에서 평등을 찾는데, 만약 평등을 찾지 못하면, 자유를 포기하고 예속 속에서 평등을 찾게 된다고 그는 지적해요. 이들은 빈곤도 참고, 복종도 참고, 야만성도 참지만, 반면 불평등한 신분제도는 참지 못한다는 거죠. 자유와 평등이 서로 갈등하고 대립할 때에 사람들은 평등을 얻기 위해 자유를 기꺼이 희생할 용의를 갖게 된다고 토크빌은 분석했어요.

바로 이 지점에서 문제가 발생하죠. 민주주의 체제 하에서는 평등을 얻기 위해 자발적으로 자유를 포기하는 사람들이 많아짐에 따라 사회가 점차 경직되고 획일화되고 극단화될 위험에 놓이게 된다는 거예요. 이것은 민주주의라는 허울 아래 사실상 '다수의 독재'가 자행되는 전제정치로 회귀하는 결과를 낳게 된다는 점을 토크빌은 지적했어요. 일례로 프랑스 대혁명이 피로 얼룩진 폭력정치와 전제정치를 수반하게 된 까닭은, 바로 혁명의 주도세력이 평등이라는 가치를 중심으로 혁명을 이끌었기 때문이라고 그는 주장하죠.

자유와 평등을 어떻게 조화시킬 것인가

그렇다면 자유를 수호하기 위해 평등을 버려야 하느냐? 토크빌은 그건 불가능하다고 봤어요. 이미 프랑스 대혁명이 촉발시킨 평등에 대한 거대한 열망이 이미 거스를 수 없는 대세를 형성하고 있었기 때문이죠. 토크빌은 평등화 내지 평준화의 추세가 불가항력적인 역사의 흐름이라고 보았기 때문에, 평등을 추구하는 민주사회에서도 개인이 스스로 자유를 지키면서 살아갈 수 있는 방법에 대해서 고민한 거예요.

즉 토크빌의 핵심적인 문제의식은, 평준화의 거대한 흐름 속에서 '자유와 평등을 어떻게 조화시킬 것인가?' 하는 거예요. 그는 민주주의의 부정적 경향, 즉 평등의 추구가 다수의 독재와 횡포를 야기할 위험성을 완화할 방안을 모색하기 위해 미국 사회의 다양한 제도와 관습을 현미경으로 들여다 보듯 관찰했고, 그러한 탐구의 결과물이 바로 이 책 『미국의 민주주의』인 거죠. 토크빌은 서문에서 이 책의 집필 동기와 의도에 대해서 이렇게 분명히 적고 있어요.

내가 미국을 연구대상으로 삼은 것은 호기심을 채우려고 한 짓만은 아니다. 우리 자신에게 유익한 교훈을 거기에서 찾자는 것이 나의 소망이었다. 내가 미국에 대한 찬사나 쓰려는 것은 아니다. 또한 특정 형태의 정부를 옹호하려는 것도 나의 목적이 아니다. 왜냐하면 나는 어떤 법체계도 절대적으로 완벽할 수 없다고 믿기 때문이다. 내게는 저항할 수 없는 것으로 보이는 저 사회혁명이 인류에게 유익할 것인가 해로울 것인가를 판단할 의도도 없다. 나는 이 혁명을 이미 이루어진 또는 이루어지기 직전의 사실로서 인정하고 있다. 나는 그 혁명의 자연스러운 결과를 판별하고 또한 가능하다면 인류에게 유익하게 만들 방법을 알아보기 위하여, 그 혁명을 겪은 나라들 가운데 가장 평화스럽고 가장 완벽한 전개 과정을 보인 나라인 미국을 선정했다. 나는 미국에서 미국 이상의 것을 보았다. 나는 미국에서 민주주의 자체의 성향, 성격, 편벽성 그리고 열정에 대한 이미지도 고찰했다. 이는 우리가 민주주의의 발전이 가져오는 이득과 해악을 관찰하고 구별하기 위해서였다.

이처럼 토크빌의 주된 관심사는 민주주의의 이점과 해악이 미국의 사회제도와 관습 속에서 어떻게 다루어지고 있는지를 관찰하고 유용한 시사점을 도출해내는 거예요. 민주주의의 이점과 해악 중에서도 토크빌이 특히 집중하고 있는 부분은 민주주의의 해악 측면이에요. 구체적인 사례 속에서 민주주의와 자유, 그리고 평등의 맹점이 무엇인가를 철저히 분석하고, 향후 예견되는 문제의 예방책과 치유책을 강구함으로써 민주주의의 번영과 발전에 기여하는 것을 스스로의 사명이라고 여겼기 때문이죠. 그는 자유와 평등이 서로 대립적인 관계에 있을지라도,

'자유 없는 평등'의 상태는 '평등 없는 자유'처럼 오래 지속되지 못한다는 점을 강조하면서, 두 가치 간의 조정과 타협의 가능성을 미국의 민주주의에서 찾고 있어요.

다수의 횡포를 방지하는 제도적 장치들

우선 토크빌이 민주주의의 해악으로 지목하는 것은 바로 '다수의 횡포'죠. 민주주의의 기본 원리는 다수결이기 때문에 다수가 전제적 권력(absolute sovereignty of the majority)을 휘두를 위험성이 내포되어 있다고 그는 지적합니다. 이러한 위험이 현실화되어 다수가 군림하며 독재를 자행할 경우, 이때의 전제적 권력은 1인 군주의 절대적 권력보다 두렵고 위험하다는 점을 토크빌은 강조하고 있어요. 그러면서 그는 당시 미국 사회에서 다수파의 힘이 전제적 권력과 비슷한 위치에 있다고 진단하죠. 당시 미국 사회에서 다수파의 의견이 대표성을 지니는 것을 넘어 도덕적 권위까지 지니게 된 상황을 지적하면서 토크빌은 다수파의 상대적 우월성은 인정할 수 있지만 절대적 우월성은 받아들여서는 안 된다고 목소리를 높여요. 군주든, 귀족이든, 다수파든, 그 누구도 절대적 권력을 행사해서는 안 된다는 거죠. 그러면서 그는 아무리 우월한 권력일지라도 이를 견제하고 조정하는 장치가 반드시 마련되어야 한다고 주장해요. 이러한 장치가 마련되지 않을 때 자유가 위협받고, 다수의 변덕에 법이 수시로 바뀜에 따라 정치와 행정이 불안정해지고, 다수의 압제에 사회 구성원의 창의적 사고가 제약받으면서 사회가 경직되는 등의 문제가 발생하게 되기 때문이죠.

　그렇다면 '미국 사회에 다수의 폭정을 완화할 장치가 존재하는가?' 의 문제를 제기할 수 있죠. 토크빌에 따르면, 다수의 횡포를 견제할 수 있는 다음 세 가지 직접적인 요인이 미국의 사회 제도로서 기능하고 있어요. 첫째, 연방제도, 둘째, 사법관의 역할, 셋째, 배심원 제도가 바로 다수의 전횡을 방지할 수 있는 장치들로 언급되고 있습니다.

　우선 연방제도의 경우, 중앙정부와 주(州)정부 간에 권력을 분할시킴으로써 다수의 폭정을 예방하는 기능을 수행하죠. 다수의 의견을 대표하는 중앙정부가 정책을 결정하면 주정부를 비롯한 지방 기관들이 집행을 위임받게 되는데, 이 같은 기능 분할에 따른 정책 집행 과정 속에서 다수의 전제성이 희석되고 완화된다는 거예요. 다음으로 사법관의 역할과 관련하여, 법의 권위와 전문성이 민주주의의 과격성과 무분별함에 제동을 걸어주는 기능을 수행한다고 토크빌은 주장하죠. 그리고 배심원 제도의 경우, 국민의 판단력과 지혜를 길러주는 교육적 효과를 통해 민주정치에 건전한 동력과 안정성을 불어넣는다는 측면에서 바람직하다고 평가하고 있어요. 이처럼 미국의 민주주의 체제는 다수의 전제가 폭정으로 변모할지라도 그 자체의 자정 기능과 회복 능력 덕분에 위기를 극복해 왔으며 앞으로도 그러할 것임을 토크빌은 주장하고 있어요.

　토크빌은 미국의 민주주의를 번영하게 만든 지배적인 요인으로 흔히 언급되던 환경적·지리적 요인보다 법률과 관습의 영향력을 더욱 높이 평가하고 있어요. 그는 당시 유럽에서 한 나라의 지리적 위치가 민주주의 제도의 지속에 미치는 영향이 다소 과장되었다고 평가하면서,

자연환경의 영향은 법률에 미치지 못하고, 또 법률의 영향은 국민들의 관습에는 비할 바가 못 된다고 주장하며 특히 관습과 습속의 중요성을 특히 강조하고 있죠. 토크빌에 따르면 민주정치를 형성하고 유지하는 데 가장 중요한 인자가 사회적 습속이고, 그 다음으로 중요한 것이 법과 제도이고, 그 다음으로 중요한 것이 환경적 요인이에요. 즉 관습과 사회적 습속이 민주주의를 성공적으로 이끌어 나가는 데에 가장 중요한 요소라는 거죠.

그에 따르면 사회적 습속은 오랜 세월 속에서 주위 환경, 역사적 전통, 여러 사회적 제도의 영향 속에서 자생적으로 형성됩니다. 이렇게 형성된 습속이 국민들의 머리와 가슴 속에 깊이 뿌리를 내려서 민주주의의 성공적 운용에 가장 강력한 영향을 미치는 독립적 변수로 자리매김하게 된다는 거죠. 미국에서 민주주의에 적합한 사회적 습속이 어떻게 형성되었는가를 분석하면서 토크빌은 다음의 세 가지 과정에 주목하고 있어요.

첫째, 미국인들의 공동체 의식의 형성 과정이에요. 토크빌은 미국인들의 공동체 의식이 처음부터 그 형태를 갖추고 있었던 게 아니라 개개인들의 의식 속에서 필요에 의해 자연스럽게 싹트고 발전되었다는 점에 주목해야 한다고 지적해요. 신대륙에 도착한 초기 이민자들은 출신지도 다양하고 서로 공통분모가 없어 결속이 느슨했지만, 그들은 점차 타운십, 카운티, 주, 나아가 국가의 공공 문제에 관심을 갖고 접근하면서 공동체의 번영이 자신들의 행복에 직접적인 영향을 준다는 것을 스스로 깨달아 공동체에 점점 더 열의를 갖고 참여하게 되었다는 거죠. 이러한 과정을 통해 그들은 공동체의 발전이 자신들의 노력 여하에 달려 있음을 깨달으면서 공동체의 번영을 위해서라면 마치 자기 일처럼 헌신하는 습성을 갖게 되었다는 거예요.

둘째, 준법정신의 형성 과정이에요. 미국인들은 법을 존중하고 법에 복종하는 것이 생활화되어 있는데, 토크빌은 그 이유로서 다음의 두 가지를 들고 있어요. 하나는 그 법을 자기들이 만들었기 때문이고, 또 하나는 그 법이 무익하다고 판명되었을 때에는 법을 고칠 수 있다고 생각하기 때문이죠. 미국인들은 법을 '스스로 부과한 필요악(self-imposed necessary evil)'이라고 여기기 때문에 자발적으로 법을 준수한다는 거예요. 그는 이처럼 법의 존재 의의와 필요성, 그리고 법 준수의 당위성에 대한 국민들의 자발적인 인식으로 법이 효력을 발휘하게 되는 과정이 중요하다고 보고 있어요.

셋째, 국민주권의 형성 과정이에요. 미국인들의 국민주권에 대한 인식은 관념적 이론에서 비롯된 게 아니라 일상 생활의 필요에 의해 탄생했다고 토크빌은 지적하죠. "모든 권력의 근원은 국민 속에 자리한다."라는 국민주권에 대한 인식이 초기 타운십을 비롯해서 전국에 뿌리 내리고 있었기에 실질적이고 탄탄한 기반 위에서 발전해 올 수 있었다는 거예요.

토크빌은 아무리 유리한 자연 환경과 훌륭한 법률이 있다고 해도 그 나라의 관습이 알맞지 않으면 어떤 제도도 유지될 수 없다는 점을 지적하며 관습과 습속이 얼마나 중요한가를 강조하고 있어요. 반면에 한 나라의 관습은 가장 불리한 자연 환경과 가장 열악한 법률도 어느 정도 유리하게 전환시킬 수 있는 힘을 가지고 있다는 점을 지적하면서, 토크빌은 유럽 국가들이 이로부터 다음과 같은 시사점을 이끌어내야 한다고 강조하고 있어요.

> 민주적 정부 형태를 염두에 두지 않더라도 민주적 생활태도와 제도가
> 점진적으로 발전하는 것은 오늘날의 사회병폐에 대한 가장 바람직한
> 치유책으로서 채택될 수 있을 것이다. 국민들을 통치에 참여시키는
> 일도 어렵지만, 국민들에게 경험을 제공하고 국민들에게 보다 나은
> 통치에 필요한 감정들을 불어넣는 일은 훨씬 더 어렵다. 민주정치가
> 지향하는 바는 변덕스럽고, 그 법률은 불완전하며, 그 통치도구는 엉
> 성하다는 점을 나는 인정한다. 그러나 민주정치의 권력과 전제정 사
> 이에 알맞은 중간적인 권력이 전혀 존재하지 않는다는 것이 사실이라
> 면, 자발적으로 전제정에 복속되기보다는 오히려 민주정치를 지향해
> 야 할 것이다. 또한 완전한 평등이 우리들의 숙명이라면, 전제자 쪽보
> 다는 자유로운 제도에 의해서 평등화가 이루어지는 것이 더 나을 것
> 이다.

소중한 자유를 어떻게 지켜낼 것인가

그는 이처럼 자유를 누리게 만들어줄 '사상'과 '감정'을 국민에게 전
파시키는 것의 어려움과 중요성을 동시에 강조하고 있어요. 결국 민주
주의가 안정적으로 정착하는 데에 가장 중요한 것은 제도의 단순한 모
방이 아니라 습속의 형성, 즉 사상이나 감정과 같은 정신적·이념적인
요소를 고쳐시키는 것이라는 의미죠. 그는 당시 정치적 혼란을 겪고 있

던 유럽 국가들이 미국 민주주의의 이념을 각 사회의 조건에 맞게 적절히 적용시킴으로써 무정부상태 혹은 전제정치를 극복할 것을 촉구하고 있어요. 그는 조국 프랑스가 다수의 평온한 지배, 즉 건전한 민주주의를 확립하지 못한다면 결국 모두가 한 사람의 독재적 권력 아래 놓이는 참사를 막지 못할 것이라고 경고하면서, 민주적 생활 태도의 확립과 습속의 형성, 그리고 제도의 점진적인 정착이 절실히 필요한 상황임을 역설하고 있어요.

이처럼 토크빌의 관심사는 미국의 민주주의 그 자체가 아니라, 민주주의라는 거스를 수 없는 흐름 속에서 조국 프랑스를 위시한 유럽 국가들이 미국을 어떻게 벤치마킹해서 살아남을 것인가에 있어요. 그는 이 책을 통해 보여주려고 하는 것이, 미국이라는 본보기를 통해서 '법률과 습속이 민주주의 국가의 국민을 자유롭게 만들어줄 수 있음'을 입증하는 것임을 분명히 하죠. 즉 토크빌에게 있어 궁극적인 지향점은 '자유'예요. '평등'은 거스를 수 없는 대세이자, 현실의 주어진 조건일 뿐이고요. 신분제 사회가 무너져가고 모두의 출발선이 평등해지는 민주주의의 거센 물결 속에 소중한 자유를 어떻게 지켜낼 것인가가 토크빌의 절실한 관심사였던 거죠.

때문에 토크빌의 '다수의 폭정'에 대한 우려는 진지하고 심각할 수밖에 없어요. 앞서 살펴봤듯이 미국의 경우에는 다수의 전제를 예방하고 완화시킬 장치가 민주주의 내부에 존재했지만, 유럽 국가들의 경우에는 그렇지 않았기 때문이에요. 실제로 미국의 경우엔 타도해야 할 귀족계급이 없었기에 영국 귀족계급으로부터 이식받은 개인적 권리에 대한 관념과 지방분권적 사상을 유지·발전시킬 수 있었던 반면, 유럽의 경우엔 절대권력이 자유의 관념이 자리잡기 전에 평등의 사상이 전파되어 과격한 혁명을 초래한 바 있죠. 이처럼 민주주의적 사상과 감정은 정치 사회의 배경과 여건에 따라 달리 발현되기 때문에, 평등주의가 초래할 자유의 억압을 교정하는 장치가 부가적으로 반드시 필요하다는 것이 토크빌의 생각이에요.

토크빌은 자유의 억압을 교정하는 방법으로 정부의 행위에 대해 광범위하면서도 명확하고 안정된 한계를 설정하는 것, 개인의 권리를 인정하고 보장하는 것, 개인의 독립성과 창의력을 존중하는 것, 그리고 전체 사회와 개인 권리를 양립시키고 조화시키는 방안 등을 제시해요. "노예 상태와 자유 중에 어디로 향할 것인가?" 이 중대한 물음의 결과는 전적으로 인간의 판단과 선택에 달려 있다고 강조하면서 말이죠.

이처럼 토크빌은 민주주의의 맹점과 함정을 지적하면서도 문제의 예방책과 치유책 또한 민주주의의 테두리 내에서 찾고 있습니다. 이것이 바로 토크빌의 이론이 지금까지도 민주주의 연구에 있어 빠지지 않고 중요하게 여겨지는 이유예요. 그는 민주주의 자체가 완결적이라거나 완벽하다고 생각하지는 않았어요. 그보다는 여러 가지 문제점을 보완하고 바로잡으면서 완성을 지향해 나가는 동태적인 과정의 총합이 바로 민주주의라고 보았죠. 이러한 생각은 민주주의를 국가 통치 원리로 채택해 운용해 나가고 있는 현대 국가들이 반드시 참고해야 할 교훈이 아닐 수 없어요. 그 어떤 국가도 민주주의의 함정과 위험 요소로부터 자유롭지 않기 때문이죠.

토크빌의 예측대로 민주주의는 거스를 수 없는 역사의 흐름으로 지금까지 이어져 왔고 앞으로도 그럴 거예요. 민주주의를 성공적으로 운용해 나가기 위해 가장 중요한 습속, 사상, 감정과 같은 정신적 측면과 제도적 장치를 어떻게 형성해야 하는가에 대해 토크빌은 의미 있는 시사점을 던져 주고 있죠. 미국의 민주주의를 9개월 간 관찰한 이방인이자 귀족으로서 내린 그의 처방과 진단이 모두 타당하고 현실적이라고 보기는 어려운 것이 사실이에요. 다만 그의 핵심적인 문제의식, 즉 민주주의의 한계와 위험을 분명히 인식하고 발전적인 방향으로 이끌어 나가기 위해 끊임없이 노력해야 한다는 생각은 모든 민주사회가 깊이 새길 만하죠. 민주주의는 관념적 이론 속에 존재하는 것이 아니라, 우리가 발 붙이고 살고 있는 사회의 실천 속에서 만들어진다는 토크빌의 선언은 우리 스스로의 책무와 역할에 대해 진지하게 생각해 보게 만듭니다.

여러분도 이 책『미국의 민주주의』를 찬찬히 읽어보면서 우리의 소중한 민주주의를 어떻게 올바른 방향으로 발전시켜 나갈 것인지에 대해서 깊이 생각해 보는 의미 있는 시간 가져보시기를 바랍니다.

3. 귀스타브 르 봉, 『군중심리』 (1895)

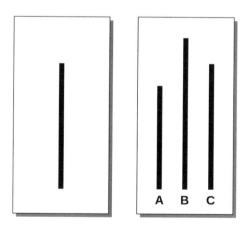

　여러분, 왼쪽 카드에 그려진 선분과 똑같은 길이의 선분을 오른쪽 카드의 A, B, C 중에서 골라보시겠어요?

정답이 너무 쉽죠? 네, 맞아요. 답은 C예요.

앞의 두 장의 카드는 미국의 심리학자 솔로몬 애쉬(Solomon Eliot Asch, 1907~1996)가 1955년 수행한 '동조 실험(conformity experiments)'에서 제시되었어요. 열 명 내외의 피실험자 각각에게 같은 길이의 선분을 골라보라고 했을 때 정답률은 99%를 넘었죠. 하지만 피실험자들을 한 자리에 모아놓고 정답을 순차적으로 말해보라고 했을 때에는 정답률이 63%까지 떨어지는 놀라운 결과가 발생했어요. 초중반 순서에 놓인 몇 명의 피실험자들에게 일부러 오답을 말하도록 실험에 조작을 가하자, 뒤이은 순서의 피실험자들이 앞선 이들에 동조하여 머뭇거리다 연이어 오답을 말하는 현상이 관찰된 거죠. 이러한 애쉬의 동조 실험은 주변 분위기에 쉽게 동조하는 인간의 경향성을 잘 보여주는 대표적인 실험으로 잘 알려져 있어요. 대강 봐도 단순하고 정답이 뻔한 문제임에도 불구하고 동조 현상에 의해 정답률에 36% 포인트나 차이가 생긴다면, 난해하거나 복잡한 이해관계가 얽힌 사안에 있어서는 동조 현상에 의해 발생하게 될 결과의 차이가 얼마나 클지 예상되는 대목이 아닐 수 없죠.

군중 속의 개인은 왜 미쳐버리는가

집단에 속한 사람들이 보여주는 이러한 동조 현상에 흥미를 느껴 이에 대해 면밀하게 분석한 학자가 있습니다. 바로 프랑스의 사회학자이자 사회심리학자인 귀스타브 르 봉(Gustave Le Bon, 1841~1931)이죠.

귀스타브 르 봉(Gustave Le Bon, 1841~1931)

그의 대표 저작인『군중심리(La Psychologie des Foules)』(1895)를 통해 인간이 군중에 속할 때 드러내는 특별한 심리상태에 대한 분석의 결과를 확인할 수 있어요.

　『군중심리』는 군중의 심리와 무질서한 행동에 대해 본격적으로 분석한 사회심리학 고전으로 인정받고 있죠. 르 봉이 이 책『군중심리』에서 주장하는 바는 한 마디로 "인간이 군중에 속하는 순간부터 더이상 이성적·합리적으로 사고하지 못한다."라는 거예요. 쉽게 말해 개인이 군중의 그림자 속으로 들어가는 순간, 특별한 이유도 없이 그냥 미처버린다는 거죠. 딱히 무언가에 불만을 품거나 저항하는 것도 아니면서, 마치 '집단 최면'에 걸린 것처럼 과민하고 충동적인 상태로 판단력을 결여한 채 비합리적·비도덕적으로 사고하고 행동하게 된다는 거예요.

군중의 도덕 수준은 대체로 낮다. 그 이유는 무엇일까? 원시시대부터 인간 각자의 내면에서 잠자고 있는 파괴적이고 야만적인 본능 때문이다. 개개인이 독자적으로 살면서 그런 본능을 충족하려면 위험이 따른다. 하지만 무책임한 군중의 일원이 되어 벌을 받지 않을 것이라는 확신이 서면 자유롭게 본능대로 행한다. 군중은 살인과 방화 등 온갖 범죄를 저지르는가 하면, 헌신과 자기희생, 무사무욕 같은 고결한 행위를 독립된 개인보다 훨씬 잘 해낼 수도 있다. 특히 군중 속의 개인에게 영예와 명예, 신앙, 조국애를 내세우며 호소하면 감동한 개인은 자기 목숨을 바치기까지 한다. 프랑스 역사만 살펴봐도 십자군이나 1793년에 활약한 의용대처럼 비슷한 사례가 무수히 많다. 집단만이 그런 위대한 무사무욕과 헌신을 보인다.

르 봉에 따르면, 군중에 속한 개인은 익명성을 보장받기 때문에 자제력을 잃고 무책임하게 행위하기 쉽죠. 이게 바로 군중의 도덕 수준을 저하시키는 주원인이고요. 뿐만 아니라 군중은 비판 의식을 결여하고 있기 때문에 맹신에 빠지기 쉽고, 맹신하는 바를 앞뒤 안 가리고 행동에 옮기는 위험천만한 경향도 다분하다고 그는 분석해요. 그에 따르면 군중은 신념이나 사상에 대해 '모 아니면 도'식의 흑백논리적인 태도를 보이죠. 중간이 없다는 거예요. 무작정 수용하거나 철저히 거부하고, 혹은 절대적 진리로 맹신하거나 완전한 오류로 치부해 버리는 등 극단적인 행동 양상을 보인다는 거예요. 군중은 독선적이고, 편협하고, 포용력이 부족한 집단으로 그려지죠. 여러분, 군중에 대한 이런 묘사에 동의하시나요? 저자인 르 봉은 어떤 이유로 이렇게 군중에 대한 치우친 견해를 갖게 됐을까요?

군중이 사회를 뒤집어엎고 문명을 휩쓸 것인가

여기에 대해 제대로 이해하기 위해서는 귀스타브 르 봉이 당시 어떤 삶을 살았는지, 그리고 그가 살고 있던 프랑스의 시대적·정치적 배경이 어떠했는지에 대한 이해가 선결되어야 해요. 좀 놀랍게도, 르 봉은 사실 1866년 파리대학교 의대를 졸업한 의사 출신이에요. 하지만 그는 작가가 되기를 원했기에 직업 의사로서의 길을 포기하죠. 병원을 떠나 책을 읽고 글을 쓰며 지내던 중, 1870년 보불전쟁(Franco-Prussian War)이 발발합니다. 통일 독일을 이룩하려는 프로이센과 이를 저지하려는 프랑스 간에 일어난 전쟁이었죠. 여기에 르 봉이 군의관으로 참전하게 되면서 그의 삶은 극적인 전환점을 맞게 됩니다.

프랑스는 보불전쟁에서 참패하고, 파리 시민들은 무능한 정부에 분노해 들고 일어나게 되죠. 이를 계기로 황제 지위에 있던 나폴레옹 3세가 물러나고 공화정이 들어섰지만 시민의 불신은 사라지지 않았어요. 결국 성난 파리 시민들은 정부를 무력화시키고 파리 코뮌(Paris Commune, 1871)을 결성하여 주도권을 잡습니다. 파리 코뮌이란, 시민의 힘으로 만들어진 최초의 공산주의 자치정부를 의미하죠. 파리 코뮌은 최저임금제를 시행하고, 야간 노동을 금지하고, 여성과 외국인에게 참정권을 보장하는 등 당시로서는 파격적인 개혁 정책들을 추진하고, 나폴

레옹 시절의 건축물을 부수는 등 과거 권위주의 유산을 척결하려 애썼어요.

바리케이드를 세운 파리 코뮌(Paris Commune, 1871)의 모습

하지만 파리 코뮌은 오래가지 못했어요. 초기에는 코뮌 측의 병력이 훨씬 우세했지만, 불과 2주 만에 전세가 역전된 거죠. 코뮌 측은 훈련 부족과 기율 결핍으로 패배를 거듭하게 됩니다. 특히 명확한 지휘 계통이 존재하지 않는 구조적 특성과 다양한 정파들 간의 상호 불신 등으로 말미암아 전투는 코뮌군의 계속된 패배로 이어지게 되죠. 두 달이 채 되지 않아 정부군은 드디어 파리 시내로 진격했고, 피의 학살이 시작되었습니다.

귀스타브 르 봉은 파리에서 일어난 이 일대 혼란 사태의 한 가운데에 있었습니다. 그는 군의관으로서 보불전쟁의 참패를 목격했음은 물론, 파리 시민으로서 파리 코뮌의 탄생에서부터 내전, 그리고 정부군에 의한 대대적 학살이라는 참혹한 결말이 맺어지기까지 그 모든 일련의 사태들을 바로 코앞에서 지켜봤던 거예요. 그의 눈앞에서 수만 명의 동료 시민들이 죽었고, 또 수만 명이 유죄 평결을 받았으며, 많은 이들이 프랑스를 탈출했어요. 그에겐 도저히 잊을 수 없는 경험이었죠.

　이런 경험을 계기로 르 봉은 군중이라는 실체에 대해서 심각하게 고민하게 되었어요. 르 봉이 1841년에 태어났으니까 1789년의 프랑스 대혁명을 직접 경험해 보진 않았죠. 하지만 그는 혁명 시기 분출했던 군중의 잠재력과 폭력성에 대해 익히 읽고 들어서 잘 알고 있었어요. 군중은 혁명 직후부터 19세기 전반에 걸쳐 엘리트 계층에게 공포의 대상이었죠. 이런 공포감은 서유럽 전역에 만연했고, 특히 시민들이 단두대에서 왕을 처형하는 일이 벌어진 프랑스에서 그 두려움의 정도가 극심했죠. 그러던 중 1871년 파리 코뮌이 결성되고 노동자 시위가 발발하자 르 봉을 비롯한 엘리트 계층, 특히 사회현상을 연구하는 학자들이 심각하게 고민하게 되었던 거예요. "군중이 사회를 뒤집어엎고 문명을 휩쓸어 버릴지도 모른다는 대혁명 이후의 우려는 과연 현실화되는 것인가?" 이러한 걱정과 문제의식에서 '군중심리학'이라는 사회심리학의 세부 장르가 태동한 거죠. 이 책 『군중심리』의 저자 르 봉이 바로 군중심리학을 이끈 선봉장이었고요.

지배 계급이 군중을 휘어잡기 위한 비책

군중의 폭주에 대한 그의 우려는 책의 도입부에 잘 반영되어 있어요. 르 봉은 『군중심리』의 서론에서 앞으로 '군중의 시대'가 올 것임을 예견하면서, 당대 혼란기 새롭게 등장한 군중 세력을 어떻게 다룰 것인지 어떤 사회든 고심하지 않을 수 없을 거라고 지적하죠. 그러면서 그는 이 책 『군중심리』가 '사회의 지배계층이 의도한 바대로 군중을 휘어잡는 데 도움을 줄 것'이라면서 집필 동기와 책의 의의를 넌지시 밝힙니다. 원하는 대로 군중을 끌고 가려면 군중의 심리를 속속들이 이해해야 한다는 거죠. 그는 혼란한 사회상 속에 정치인이 군중을 지배하기는 점점 더 어려워질 거라고 경각심을 높이면서, 군중에게 지배당하지 않고 지배하기 위해서는 군중심리에 대해 완벽히 파악해야 한다는 것을 강조해요. 이 책의 타겟층이 명확히 드러나는 대목이죠. 네, 맞습니다. 바로 이 책은 사회의 지배 계급을 위해 쓰여진 책입니다.

군중심리를 꽤 깊이 연구해야만, 군중에게는 법과 제도가 거의 영향을 미치지 못하고, 자신들에게 강요된 의견 외에는 어떤 의견도 독자적으로 갖지 못하며, 순전히 이론적 공정함에 기초한 법칙이 아니라, 인상 깊고 마음을 사로잡을 만한 것으로 그들을 끌어가야 한다는 걸 알게 된다. 예컨대 입법자가 새로 세금을 부과하려고 할 때 이론적으로 가장 공정한 세법을 선택해야 할까? 절대 그렇지 않다. 현실적으로 가장 부당한 세법이 군중에게는 최선이 될 수 있기 때문이다. 세법이 애매하고 부담이 적어 보일수록 사람들은 쉽게 받아들인다. 간접세가 터무니없이 높게 책정되어도 군중이 이를 받아들이는 이유가 여기에 있다. 매일 소비하는 물건에 몇 푼씩 부과되는 간접세는 군중의 소비 습관에 방해되지 않으며, 그만큼 거의 인식되지 않고 넘어가기 때문이다. 그러나 간접세를 임금이나 각종 소득에 부과하는 누진세로 바꾸어 한꺼번에 납부하도록 하면, 이론상 총액이 10분의 1에 불과하더라도 총체적인 조세저항이 일어날 것이다.

르 봉은 간접세와 누진세라는 세금제도를 예로 들어 군중이 얼마나 비합리적이고 우매한 존재인가를 설명하고 있어요. 군중은 매일같이 내는 소액의 세금은 별것 아닌 걸로 여기는 반면, 특정한 날에 한꺼번에 내는 세금은 그 총량이 전자보다 더 적음에도 불구하고 일단 반발하고 보는 조삼모사(朝三暮四) 격의 행태를 보인다는 거죠. 바로 이 지점에서 여기서 이 책이 철저히 지배 계급의 시각에 맞추어 쓰여졌다는 사실이 명증히 드러납니다. 르 봉은 군중의 심리를 명확하게 간파하고 입맛에 맞게 길들일 것을 은밀하게 주문하고 있어요. 바로 이 책에서 주로 염두에 두고 있는 독자층인 사회의 지배계층, 바로 엘리트 계층에게 말이죠. 그는 철저히 엘리트적인 시각에서 군중의 실체와 심리에 대해 낱낱이 분석하고 있어요.

군중의 의견과 신념

이 책의 하이라이트는 군중의 의견과 신념에 대해 다루고 있는 2부죠. 그는 2부 1장에서 군중의 일반적인 특성에 대해 이야기합니다. 그에 따르면 군중이란, 개개인으로 환원될 수 없는 전혀 새로운 실체죠. 마치 알칼리성 물질과 산성 물질이 결합해서 속성이 전혀 다른 새 물질이 생성되듯이, 군중은 그 자체로 새로운 분석이 필요한 고유한 심리적 개체라는 거예요.

그에 따르면 군중은 보편적으로 '무책임', '전염', '암시'라는 세 가지 특성을 띱니다. 군중에 속한 개인은 익명성 뒤로 숨을 수 있기에 무책임한 행동을 아무렇지 않게 자행하기 쉽고, 동일한 자극에 쉽게 전염당하고, 최면에 걸린 사람처럼 누군가 암시하는 바대로 무작정 행동하려는 경향을 보인다는 거죠. 이게 바로 군중이 위험한 이유예요. 군중은 충동적으로 움직이기 때문에 지배층의 입장에서 보면 예측이 어렵고 통제가 쉽지 않죠. 재미있게도 르 봉은 매우 진지하게 이런 군중의 습성에 대해 '환각'과 '최면'이라는 개념을 활용해 설명하고 있어요.

군중을 면밀히 관찰한 결과, 활동적인 군중의 일원으로 한동안 깊이 관여한 개인은 군중이 발산하는 열기나 우리가 알지 못하는 다른 원인으로 말미암아 특별한 상태에 놓인다는 사실이 드러났다. 그것은 최면에 걸린 황홀한 상태와 매우 유사하다. 최면에 걸린 사람은 두뇌가 마비되어 최면술사가 마음대로 조종하는 척수의 노예가 된다. 척수는 무의식적으로 활동하기 때문에 당사자는 독자적인 의식이 완전히 사라지고 의지력과 분별력도 잃고 만다. 따라서 모든 감정과 생각이 최면술사가 뜻하는 방향으로 움직이게 된다.

심리적 군중에 속한 개인의 상태가 이와 유사하다. 그는 자신의 행동을 더는 의식하지 못한다. 최면에 걸린 사람처럼 어떤 능력은 상실하지만 다른 능력은 극도로 커질 수 있다. 일종의 암시에 걸린 그는 충동을 이기지 못하고 모종의 행동을 취한다. 이런 충동은 최면에 걸린 사람보다 군중 사이에서 더 강력하게 일어난다. 모든 개인에게 똑같이 주어진 암시가 상호작용을 일으켜 상승효과를 내기 때문이다. 군중 속에서 그런 암시를 거부할 만큼 개성이 강한 사람은 드물다.

군중을 어떻게 다룰 것인가

이어 2장에서 "예측이 어려운 군중들을 어떻게 다룰 것인가?"의 문제가 제기되죠. 르 봉은 본격적으로 지도자가 군중의 의견에 영향력을 행사할 수 있는 직접적인 요인을 제시하면서 그것을 효과적으로 활용하는 방법, 그리고 시사점을 제시하고 있어요.

군중의 의견에 영향을 미치는 첫 번째 요인은 바로 '이미지·단어·경구'예요. 르 봉에 따르면 군중의 상상력은 특히 '이미지'에 지대한 영향을 받죠. 혹은 '단어'와 '경구'를 적절히 적절히 사용하는 것도 군중의 상상력을 자극하는 이미지를 창조해낼 수 있는 방법이에요. 마치 옛날 마법사들의 신비로운 주문처럼 말이죠. 단어의 힘은 단어에서 연상되는 '이미지'와 관계가 있을 뿐 단어의 실제 의미와는 무관하다는 것이 르 봉의 주장이에요. 때로는 의미를 규정하기 어려운 단어가 오히려 더 막강한 영향력을 발휘할 때도 있다는 점을 그는 지적하죠. 예를 들면 '민주주의, 사회주의, 평등, 자유' 등의 단어들이 그렇죠. 이런 단어들은 의미가 대단히 모호하지만, 잘만 활용하면 군중을 매혹하기 쉽고 모든 문제의 해결책으로 내세울 수 있다는 공통점을 가진다고 그는 설명해요. 나아가 단어의 의미는 시대와 장소에 따라 달라지기 때문에, 정치인들은 군중에게 부정적인 이미지를 줄 수 있는 단어를 다른 것으로 즉각 교체해야 한다는 것을 르 봉은 주문하고 있습니다.

군중의 의견에 영향을 미치는 두 번째 요인은 '환상'이에요. 그에 따르면 군중은 본능적으로 이상적인 비전을 보여주는 지도자들에게 끌리기 때문이죠. 르 봉은 이와 관련해 "민족을 진화시킨 주된 요인은 진실이 아니라 오류였다."라는 파격적인 주장을 내세우죠. 역사에서 군중을 움직이고, 위대한 문명을 세우거나 무너뜨렸던 힘은 '환상'이었으며, 인류가 이뤄낸 예술과 정치와 사회 중에서도 '환상'의 영향을 받지 않은 것이 없다고 그는 단호하게 역설해요.

군중의 의견에 영향을 미치는 세 번째 요인은 '경험'이에요. 그에 따르면 '경험'은 군중의 정신에 진실을 확고히 심어주고, 지나치게 위험해진 환상을 걷어낼 수 있는 거의 유일한 방법이에요. 그런 효과를 거두기 위해서는 많은 사람이 같은 일을 함께 겪어야 하고, 그런 일이 자주 반복되어야 하죠. 한 마디로 '경험'이 효과가 있으려면 지속력·파괴력·파급력이 커야 한다는 거예요. 이와 관련해서 르 봉은 프랑스가 겪은 대혁명과 보불전쟁의 경험을 예로 들고 있어요. 20년 동안 수백만 명이 죽고 유럽 전역이 흔들린 후에야 사람들은 순수이성만으로는 한 사회를 철저히 쇄신할 수 없다는 걸 깨달았고, 끔찍한 전쟁을 겪으며 값비싼 대가를 치른 후에야 군대 시스템에 대한 기존의 인식이 얼마나 잘못됐는가를 깨달을 수 있었다는 거죠.

군중의 의견에 영향을 미치는 마지막 네 번째 요인은 '이성'이에요. 한참동안 군중이 얼마나 비이성적인 존재인가를 역설하다가 갑자기 '이성'을 등장시키니 좀 당황스럽죠? 여기서 르 봉이 '이성'을 언급한 까닭은 군중이 '이성'에 거의 영향받지 않는 존재임을 강조하기 위해서예요. 르 봉에 따르면 군중은 이성적 추론에 영향을 받지 않고, 생각들을 대략적으로 짝지은 결과만 이해할 수 있는 우매한 존재죠. 따라서 군중에게 깊은 인상을 주는 방법을 아는 연설가는 감정에 호소할 뿐 '이성'에 호소하지 않는다고 그는 강조해요. 논리 법칙은 군중에게 아무런 영향을 주지 못하기 때문이죠. 르 봉은 군중을 설득하려면 먼저 군중에게 자극이 될 만한 감정을 철저히 파악하고, 그 감정을 공유하는 척한 다음, 기초적인 연상 작용으로 잘 암시된 이미지를 환기하며 그들의 감정을 원하는 방향으로 유도해 가야 한다고 주장해요. '이성'은 철학자에게 맡기고, 인간은 감정으로 다스리자는 거죠. 그는 지금까지 모든 문명을 일으킨 주된 원천이었던 명예와 희생정신, 신앙, 영예, 조국애 같은 감정들은 '이성'에 비례하지 않고 오히려 '이성'에 뜻에 반해 생겨난 것임을 지적하면서 지배계층이 사고의 전환을 꾀할 것을 촉구하고 있어요.

군중을 어떻게 추종자로 만들 것인가

르 봉은 뒤이어 3장에서는 지도자가 군중에게 믿음을 주어 자신의 추종자로 만드는 수단으로 '확언', '반복', '전염'을 들고 있어요. '확언'이란, 이성과 추론이 배제되어 단순하지만 단호하며 긍정적인 확실한 메시지죠. '반복'이란, 확언이 군중의 무의식에 스며들어 절대적 진리로 자리잡게 만드는 필수적인 과정이고요. '전염'이란, 확언이 충분히 반복되고 그 과정에서 의견이 일치될 때 여론의 흐름이 형성되면 발생하는 강력한 메커니즘이죠. 르 봉에 따르면 사상과 감정, 정서, 신념은 군중 안에서 병원균만큼이나 강력한 힘으로 다른 사람에게 전염돼요. 전염은 그 힘이 무척 강력해서 개인에게 특정한 의견뿐 아니라 감정까지 받아들이도록 강요하죠. 민중 사이에서 우세해진 여론이 상위계층에 영향을 미치고, 상위계층이 그 사상을 독점하고 왜곡하여 파벌을 만들고, 파벌이 다시 그 사상을 왜곡해서 군중에게 퍼뜨리고, 군중이 그 사상을 받아들이고 더 많이 왜곡하는 일련의 과정을 르 봉은 적나라하게 보여주고 있어요.

르 봉의 분석에 따르면, 당시 프랑스 사회에서 지도자가 군중을 결집시키는 프로세스의 동력이 많이 떨어져 있는 상태였죠. 군중은 점차 더 유동적이고, 변덕스러워지고, 사회 이슈에 무관심해지는 한편, 정부는 군중의 의견을 좌지우지할 힘을 상실해 가는 위기 상황에 봉착해 있었다는 거예요. 이러한 현상은 곧 사회가 쇠락하고 구성원들의 삶이 쇠퇴해간다는 것을 의미하기 때문에 위험하다고 르 봉은 지적합니다.

군중에서 민족으로

르 봉이 당시의 이 같은 위기 상황에 경종을 울리며 시사하는 바는, 지배자들이 군중의 심리를 더 잘 이해함으로써 문명의 성장과 발전에 도움이 되는 방향으로 군중을 인도해 나가야 한다는 거죠. 그래야만 국가가 끊임없이 새로운 이상을 창출하고 활력을 얻을 수 있기 때문이에요. 그는 군중을 비합리적·비논리적·폭력적이라고 비판하면서도, 동시에 군중이 인류 역사를 새롭게 만들어 나갈 수 있는 유일한 행위자임을 인정하고 있어요. 군중은 '민족'이 될 가능성을 내포한 존재이기 때문이죠. 즉 이질적인 집합체인 군중이 공통된 특성과 감정을 보유한 '민족'이 되면, 그러한 '민족'은 비로소 야만 상태를 벗어나 고유한 제도와 신념, 예술을 지닌 새로운 문명을 탄생시킬 수 있는 역량을 갖추게 되기 때문이에요.

야만에서 벗어난 '민족'은 꿈과 이상을 추구하고, 문명에 찬란함과 활력과 위대함을 부여하며 문명을 발전시켜 나가지만, 시간이 흐르면 성장 속도가 더뎌지면서 필연적으로 노쇠기에 진입하게 되는 것이 일반적인 문명의 진화 단계라고 르 봉은 설명하죠. 이 단계에서 개인들은 각자의 이해관계와 욕망에 따라 분열되고, 이에 따라 '민족' 고유의 정신구조마저 해체되면서 '민족'은 군중으로 다시 전락할 위험에 놓이게 되고요. 바로 이러한 위기 상황에서 지배 계층의 리더십이 제 역할을 다해야 한다고 르 봉은 촉구하고 있어요. 가능성의 주체인 '민족'이 비합리적인 군중으로 전락하지 않도록, 즉 야만의 시대로 회귀하지 않도록, 끊임없이 '민족'의 진취성과 도전 정신을 자극하고 올바른 방향을 제시하는 것이 정부의 바람직한 역할이라고 그는 강조해요. 다만 정부가 지나치게 국민을 통제하고 자유를 제한한다면 도리어 국가의 노쇠화를 재촉해 문명의 쇠퇴로 이어질 수 있음에 유의해야 한다는 점을 덧붙이죠.

여러분, 어떠신가요? 이 책이 철저히 지배 계급의 눈높이에 맞춰 쓰여진 책이라는 걸 아시겠죠? 군중심리에 대한 고찰로부터 시작해서 문명의 성장·발전을 이끌 리더십의 촉구로까지 이어지는 책 전체의 논리적 흐름에 수긍이 가시나요?

군중심리에 대한 고민은 모두의 과제

이 책이 쓰여진 시기가 1895년, 즉 19세기 말 프랑스니까 21세기의 대한민국을 살아가고 있는 우리가 보기에는 시대적·공간적 배경상 이질적인 부분도 많죠. 이를테면 이 책에서는 군중심리가 발현되는 완전한 조직의 형태를 갖춘 집단으로서 '민족'에 집중해서 논의를 전개하고 있지만, 현대의 우리는 민족뿐만 아니라 국경의 구획을 초월한 탈민족적인 집단에도 다수 속해서 살아가고 있어요. 우리는 한민족이자 대한민국이라는 국가의 국민이기도 하지만, 국제 비정부기구(INGO: International Non-Governmental Organization)의 구성원이 될 수도 있고, 인스타그램이나 페이스북 등 소셜 네트워크 서비스(SNS: Social Network Service)의 사용자가 될 수도 있고, 해외 언론 매체의 구독자가 될 수도 있고, 글로벌 메타버스 플랫폼의 고객이 될 수도 있죠. 이 책이 쓰여진 당시에 비해 교통과 통신 수단의 발달로 인해 사람들이 속할 수 있는 군중의 종류와 범위는 무궁무진하게 확대되고 있어요. 각 집단별로 발현되는 군중심리의 양상도 천차만별이고요.

이 책 『군중심리』가 쓰여질 당시의 프랑스는 대혁명으로 나라가 뒤집히고 주변 국가들의 반혁명 간섭이 이어지면서 국민들의 '민족의식' 이 유례 없이 강렬해진 상황이었기 때문에 지배층 입장에서는 이것을 어떻게 제어할 것인가가 초미의 관심사였죠. 하지만 현대에 나타나는 군중심리는 좀 다른 차원에서 다루기가 훨씬 더 까다로워진 게 사실이에요. 첨단 기술이 발달할수록 군중 속의 개인은 익명성 뒤에 숨어 더욱 무책임해지는 경향이 있고, 자극적인 선동이나 가짜뉴스를 시공간의 제약 없이 급속도로 파급시킬 수 있게 되죠. 때문에 "군중심리에 어떻게 대응할 것인가?"라는 문제의식은 정부에만 귀속되는 사안이 아니라 우리 모두의 고민거리가 되는 거예요. 군중의 종류와 형태는 제한 없이 확장되고 있고, 다양한 군중들이 발현하는 왜곡된 군중심리로 인해 영향을 받는 대상은 결국 우리 모두이기 때문이죠.

결국 오늘날을 살아가는 우리에게 군중심리를 이해하고 여기에 어떻게 대응할 것인가를 고민하는 건 필연적인 숙제일 수밖에 없어요. 우리는 모두 군중이기도 하지만, 때론 다른 군중에게 부정적인 영향을 미치기도 하고, 역으로 그들에 의해 피해를 입는 군중심리의 희생양이 되기도 하니까요. 이 책 『군중심리』는 다양한 집단에 소속된 군중으로서 우리 스스로의 자세를 되돌아보게 만드는 한편, 문제적인 군중들의 행태에 대해 비판의식을 갖게 하기도 하죠. 군중의 경계가 흐릿해지고 익명성이 커질수록 군중을 이끄는 주체도 모호해지고 책임 소재도 불명확해질 수밖에 없어요. 결국 오늘날의 군중들은 스스로 합리성과 이성을 찾고 또 서로를 감시하고 견제하는 것으로부터 해답을 찾아야 할 것입니다.

여러분, 여러분은 얼마나 다양한 집단들에 소속되어 살고 계신가요? 나는 군중이라는 그림자 뒤에 숨어 무책임하게 행위하지는 않았나, 혹은 왜곡된 군중심리로 인해 피해를 본 경험은 없는가, 한번 곰곰이 생각해 보세요. 우리는 사회적 존재인 이상 군중에 속하여 살아갈 수밖에 없어요. 의식적으로든 무의식적으로든 서로 영향을 주고 받으며 살아가야 하는 사회적 존재로서 어떻게 조화롭고 평화롭게 공존해 나갈 것인가를 고민하는 건 무척 의미 있는 일이 될 거예요. 여러분도 이 책 『군중심리』를 읽으면서 발전적인 시사점을 도출해 볼 수 있기를 바랍니다.

4. 에밀 뒤르켐, 『자살론』(1897)

　우리나라 10대부터 30대까지의 사망원인 1위가 무엇인지 알고 계신가요? 바로 자살입니다. OECD 자살률 1위의 오명을 벗지 못하고 있는 상황에서 청소년·청년층의 자살률이 증가 추세에 놓여 있다는 현실은 자살이 우리 사회의 미래를 위협하는 심각한 문제라는 것을 여실히 보여주죠. 뉴스의 사회면을 통해 전국 각지에서 끊임없이 발생하는 자살 관련 보도를 날마다 접하게 되는 만큼, 우리는 자살이라는 문제를 좀 더 무겁게 받아들이고 자살의 원인에 대해 면밀하게 규명해 볼 필요가 있습니다. 그런 차원에서 각종 통계자료에 대한 분석을 통해서 자살의 원인을 과학적으로 입증해 내고 있는 이 책, 프랑스의 사회학자 에밀 뒤르켐(David Émile Durkheim, 1858~1917)의 『자살론(Le Suicide)』(1897)을 읽고 생각을 발전시켜 보는 것은 무척 의미 있는 일이 될 것입니다.

에밀 뒤르켐(David Émile Durkheim, 1858~1917)

『자살론』은 자살의 원인에 대한 과학적인 분석을 시도하고 있는 실증주의 사회학의 고전이에요. 뒤르켐은 이 책을 통해 '자살이 개인의 문제냐, 아니면 사회의 문제냐?'라는 핵심적인 문제의식을 화두로 던지고 있죠. 자살이라는 문제가 왜 일어나는지 그 원인을 규명하고, 문제해결을 위한 대책을 강구하는 작업의 결과물이 바로 이 책, 『자살론』입니다.

자살은 개인적 현상이 아니라 사회적 현상이다

뒤르켐이 핵심적으로 주장하는 바는, 자살이 '사회적 현상'이라는 거예요.

자살이 사회적 현상이다?

사회가 인간을 자살하게 만드는 주된 요인이다?

사실 이건 우리의 일반적인 인식과는 좀 차이가 있죠.

자살이란, 주로 개인적인 고뇌와 번민의 결과로 발생한다는 인식이 일반적이니까요.

그렇다면 자살을 단지 개인의 불행이 빚어낸 우연하고 개별적인 사건으로 보아야 할까요?

만일 그렇다면 OECD 자살 통계에서 각 국가별 자살률이 매년 거의 비슷한 수준으로 나타나는 건 어떻게 설명할 수 있을까요? 실제로 각 국가별 자살률은 통시적으로 일정한 경향성을 띠고 나타나죠. 일례로 한국이 OECD 자살률 1위라는 오명을 지속적으로 얻고 있는 까닭에는 단지 개인적 차원의 문제로 환원하기 어려운 사회적 요인이 분명히 있을 거라는 합리적 의심이 들지 않으시나요?

각 사회별로 구성원의 자살을 야기하는 고유한 경향성이 존재한다

뒤르켐은 자살을 '사회적 사실'로 인정하고 받아들여야 한다는 주장을 펴고 있어요. 그는 자살을 정신질환이나 인종적 유전성, 환경적 요인이나 심리적 모방 행위 등으로 설명하려는 기존의 시도를 '비과학적'인 것으로 비판하면서 자신만의 '과학적 방법론'을 내세우고 있죠. 과학적 방법론이란, 마치 자연과학에서 과학 실험을 통해 원인과 결과를 규명해 내는 것처럼, 사회 실험 결과인 사회조사나 통계자료를 활용해 자살의 인과론적 구조를 도출해 내는 방법론이에요. 뒤르켐은 공허하고 뜬구름 잡는 주장이 아닌, 명백한 숫자와 통계 자료를 사용해서 자신의 주장을 입증해 내고 있어요. 뒤르켐의 가설은 "각 사회별로 구성원의 자살을 야기하는 고유한 경향성이 존재한다."라는 것입니다. 그는 유럽 각국의 자살 관련 통계자료와 사례를 검토하면서 스스로 세운 가설을 검증해내고 있어요.

> 자살률은 한 사회 안에서는 매년 작은 변화만을 보이지만, 서로 다른 사회끼리는 두 배, 세 배, 네 배, 심지어는 그 이상까지도 차이를 보인다. 따라서 자살률은 사망률보다 각 사회 집단의 특성을 훨씬 더 잘 나타내는 지표로 생각할 수 있을 정도로 고유한 것이다. 그뿐만 아니라 자살률이 각 사회의 국민성과도 밀접하게 관련되어 있다고 생각될 정도로 각 사회의 자살률 서열은 시기가 달라도 거의 정확하게 일치하고 있다.
>
> 그러므로 자살률은 그 안정성과 변동성이 보여주는 바와 같이 통합적이고 확정적인 사실적 질서다. 이러한 자살률의 안정성은 서로 고립된 한 무리의 독특한 특성의 결과이며, 이 특성들은 서로 다른 부대 상황에도 불구하고 동시에 효과를 미친다고 보아야만 설명이 가능하다. 그리고 자살률은 한 사회의 고유한 성격에 따라 변하기 때문에 그

러한 특성들의 구체성과 개별성을 입증해 준다.

그는 자살의 원인으로 흔히 언급되는 개인적 동기, 즉 자신의 신변이나 처지에 대한 비관만으로는 각 사회가 보여주는 고유의 자살 경향성을 설명할 수 없다고 봅니다. 즉 그가 천착하고 있는 것은 개별 사례로서의 자살이 아니라 집단의 자살률이죠. 어떤 사회에도 '개인적인 동기와 이념을 넘어 자살률의 차이를 야기할 수 있는 조건들'이 있는데, 바로 이것들이 사회의 자살률을 좌우하는 가장 중요한 변수라고 주장하면서 뒤르켐은 자살의 세 유형을 다음과 같이 제시하고 있어요.

첫째, 이기적 자살(Egoistic suicide),
둘째, 이타적 자살(Altruistic suicide),
셋째, 아노미성 자살(Anomic suicide).

이기적 자살

첫째, 뒤르켐은 지나친 개인주의로 인한 자살을 이기적 자살이라고 명명하고 있어요. 그에 따르면 개인주의란 사회 통합의 약화를 의미하죠. 사회적 응집력이 약한 곳에서 개인은 자기 생명을 스스로 얼마든지 좌지우지 할 수 있다는 인식을 갖게 되기 때문에 자살의 경향성이 높게 나타난다는 거예요. 그는 종교, 결혼, 가족 생활 등의 사회적 활동이 자살률에 미치는 효과를 비롯해 정치적 통합 정도에 따른 자살률의 차이를 다양하게 검토하면서 다음의 세 가지 결론을 도출해요. 첫째, 자살은 종교 사회의 통합 정도에 반비례한다. 둘째, 자살은 가족 사회의 통합 정도에 반비례한다. 셋째, 자살은 정치 사회의 통합 정도에 반비례한다. 즉 종합하면, 자살은 사회 집단의 통합 정도에 반비례한다는 거죠. 사회 집단이 응집력을 상실해서 사회 구성원을 통제하는 힘이 느슨해질수록 자살률이 증가한다는 거예요.

사회가 앓는 병은 불가피하게 개인들도 겪는다. 사회는 전체이기 때문에 사회의 병은 각 부분에 전염된다. 따라서 사회가 해체된다는 것은 일반적인 생활을 위한 정상적 조건이 손상된다는 것이다.

개인이 아무리 개체화된다고 해도 언제나 집단적인 무언가가 남는다. 지나친 개인주의로 인한 우울과 의기소침도 그 한 예다. 개인이 서로 유대를 맺을 것이 아무 것도 없을 때는 슬픔을 나눔으로써 유대를 맺는 것이다.

그러므로 이런 형태의 자살은 이기적 자살이라고 부를 수 있다. 이기주의는 자살에 기여하는 요인일 뿐만 아니라 자살을 발생시키는 원인이다. 이 경우에 개인과 사회를 연결하는 유대가 느슨해짐으로써 삶과의 연결고리 역시 약해진다. 사생활 문제가 자살의 직접적 계기이자 결정적 원인으로 보이지만, 사실 이것은 우발적인 원인에 불과하다. 개인이 사소한 충격 상황에서도 자살하는 것은 사회가 그를 자살의 쉬운 먹잇감으로 만들어놓았기 때문이다.

이타적 자살

　재미있게도 뒤르켐은 바로 뒤이어 이러한 이기적 자살과는 정반대의 자살 유형, 즉 이타적 자살에 대해서 고찰하고 있어요. 이것이 바로 자살의 두 번째 유형으로, 이타적 자살이란 사회적 통합과 응집력이 지나치게 강한 곳에서 나타나는 자살이죠. 뒤르켐이 이야기하는 이타적 자살은 한 마디로 '권리가 아니라 의무로서 행하는 자살'이에요. 여기서 중요한 건, 사회가 자살을 명시적으로 강요하거나 의무적인 강제를 부여하는 것뿐 아니라, 어떤 행위에 명예나 영웅적인 가치를 부여함으로써 구성원 스스로 목숨을 끊도록 만드는 경우도 자살에 속한다고 보고 있다는 거예요. 예를 들면 폴리네시아 사람들 중에서는 아주 사소한 모욕 때문에 자살하는 사람을 흔하게 볼 수 있고, 북아메리카 인디언들도 마찬가지로 부부 싸움이나 질투만으로도 자살을 행하며, 일본 사람들은 서로 배 가르는 솜씨를 겨루면서까지 할복을 행하기도 하죠. 뒤르켐에 따르면 이러한 자살들이 행해지는 사회에서는 '삶에 연연하지 않는 것'이 미덕으로 간주되기 때문에 사소한 도발이나 허세로 삶을 버리는 사람이 찬양받죠. 이렇게 자살이 사회적 위신을 높여 준다면, 이런 보상을 거부하는 것은 실제로 처벌과 같은 효과를 갖기 때문에, 명백한 강압 때문에 자살하는 건 아니더라도 그것은 일종의 의무로서의 자살이라고 볼 수 있다고 뒤르켐은 주장합니다.

Comment les Japonois se coupent eux-mêmes le ventre .

네덜란드의 외교관 아브라함 드 위크포르(Abraham de Wicquefort)의 저작 『유명한 여행 삽화들(Illus-trations de Voyages Cèlebres)』(1727)에 묘사된 일본의 할복 풍습

아노미성 자살

세 번째 유형의 자살은 바로 아노미성 자살이에요. 뒤르켐이 가장 심각하게 보고 있는 자살의 유형이죠. '아노미(anomie)'란 '무법·무질서의 상태'를 뜻하는 그리스어 '아노미아(anomia)'를 어원으로 하는 단어로, '사회적 규범의 동요·붕괴 등에 의하여 발생하는 혼돈 상태 또는 구성원의 욕구나 행위의 무규제 상태'를 의미하는 개념이에요. 그에 따르면 아노미성 자살은 집합적 질서와 외적 규제력의 해체로 인해 개인

의 욕망이 무한정으로 용인되는 상태에서 나타나는 자살이죠. 적절한 외적 규제력을 구성원들에게 행사하는 것은 사회의 주요한 기능인데, 사회가 고통스러운 위기를 겪거나 급작스러운 전환을 맞이하면 그런 영향력을 일시적으로 상실하면서 욕망이 규제받지 않는 무규율 상태에 빠지게 된다고 그는 설명합니다.

> 사회가 고통스러운 위기를 겪거나, 유익하지만 급작스러운 전환을 맞이하면 구성원에 대한 규제력을 일시적으로 상실한다. 그런 때에는 앞서 지적한 바와 같이 자살 곡선의 갑작스러운 상승이 일어난다. 실제로 경제 위기 때는 사회적 계급의 하락이 일어나 어떤 사람들은 갑자기 전보다 낮은 지위로 떨어지게 된다. 그러면 그들은 필요와 욕구를 줄이고 제한해야 하며 도덕적 교육을 다시 받아야 한다. 그러나 사회는 그들이 즉시 새로운 생활에 적응하도록 조정할 수 없고, 그들에게 익숙하지 않은 엄격한 절제를 기르도록 가르칠 수가 없다. 따라서 그들은 강요된 새 조건에 적응하지 못하며 그런 결과를 예상하는 것만으로도 참기 어려워져서 미처 노력도 해 보기 전에 자신의 위축된 생을 스스로 마감해 버린다.

뒤르켐이 이러한 아노미성 자살을 심각하게 보고 있는 까닭은, 아노미성 자살의 경우 일시적인 것이 아니라 만성적인 성격을 띠기 때문이죠. 뒤르켐에 따르면 현대의 산업 사회에서는 위기 상태와 아노미가 비정상적인 상황이 아니라 오히려 정상적이고 항구적인 현상이 됩니다. 그 이유는 간단해요. 산업화로 인한 자유의 증대에 따라 폭발하는 욕망과 욕구의 수준이 도달 가능한 한계보다 훨씬 멀리 있기 때문에 구성원들이 좀처럼 안정을 찾을 수 없기 때문이죠. 이처럼 흥분된 상상에 비하면 현실은 너무나 무가치하기 때문에, 사람들에게 마침내 현실을 쉽게 버리게 되는 경향성이 생겨난다는 거예요.

무제한의 자유와 물질적 풍요가 야기하는 '열병'에 사로잡힌 자들은 좀처럼 현재를 살지 못하고 모든 희망을 미래에서 찾으려고 애쓰죠. 끊임없이 새로운 욕구를 추구하고 미래만 바라보면서 사는 사람은 현재의 고난을 이겨낼 기쁨을 과거에서 찾을 수가 없어요. 그런 사람에게 과거란 성급하게 지나쳐 온 단계에 불과할 테니까요. 그는 지금껏 자신이 누려본 적이 없는 크고 새로운 행복에 대한 기대로 맹목적으로 앞만 보며 달려가지만, 결국 그것이 '잡을 수 없는 파랑새'라는 걸 깨닫게 되는 순간 환멸과 권태감에 휩싸일 수밖에 없죠. 뒤르켐은 소위 '산업 열병'의 영향을 적게 받은 농업에 비해 공업 및 상업 부문 종사자들이 훨씬 높은 자살률을 보인다는 통계자료를 제시하면서 아노미가 자살을 야기하는 주요 변수라는 점을 입증하고 있어요.

결국 중요한 건 사회의 역할이다

지금까지 살펴본 자살의 세 유형을 각기 한마디로 정리해 보죠. 이기적 자살은 인간이 존재의 근거를 삶에서 찾지 못해서 일어나고, 이타적 자살은 존재의 근거가 삶의 외부에 존재하기 때문에 일어나며, 아노미성 자살은 인간의 활동이 충분히 규제되지 못해서 생기는 고통 때문에 일어납니다.

이처럼 한 사회가 취하고 있는 구성원과의 관계가 그 사회의 자살률에 결정적인 영향을 끼친다고 뒤르켐은 주장합니다. 즉 개인이 사회와 연결되는 방식, 혹은 사회가 개인을 규제하는 방식이 어떠한 양태를 띠고 있느냐에 따라 그 사회의 구성원들이 고통 앞에서 삶을 쉽게 포기해 버리는지 아닌지의 여부가 판이하게 달라진다는 거예요. 이건 사회라는 것이 단순한 구성원의 총합을 넘어서 '결합'이 창출하는 독특한 속성을 가진다는 방증이죠. 역사의 흐름에 따라 한 사회의 구성원들은 계속 바뀌지만 자살률은 안정적으로 유지된다는 건, 집단 자체의 어떤 고유한 성격이 분명히 존재한다는 걸 입증한다고 뒤르켐은 주장해요. 자살을 야기하는 특유의 조건들은 개별적으로는 고립된 요인들로 보이지만 결국 하나의 유기체에 속한 기관처럼 단일한 전체의 부분들이기 때문에, 자살의 원인과 방지 대책을 논하기 위해서는 사회의 역할에 주목하지 않을 수 없다는 논리로 이어지죠.

국가와 개인 사이의 빈공간을 어떻게 채울 것인가

자, 그러면 자살을 어떻게 막아야 할까요? 구성원들이 삶을 쉽게 포기해 버리는 비극을 방지하기 위해서 사회가 어떤 역할을 해야 하는 걸까요?

뒤르켐에 따르면 자살이라는 사회적 질병이 만연한 까닭은 오늘날 개인들에게 실질적인 규제를 가할 수 있는 존재가 없기 때문이에요. 유일하게 개인을 통제할 수 있는 실체는 국가뿐인데, 국가와 개인 사이의 거리가 너무나 멀어서 개인에 대한 국가의 영향력이 제대로 미치지 않기 때문에 구성원들이 이기주의와 무정부 상태에 빠지고 만다는 거죠.

국가와 개인 사이의 공간, 이 빈 공간을 어떻게 채우느냐가 건강하고 건전한 의식을 가진 사회로 나아가는 관건이라고 뒤르켐은 주장하고 있어요.

> 국가는 개인들을 확실히 장악하기 위해 확장되고 비대해졌지만 성공하지 못했으며, 개인들은 그들을 규제하고 고정시키고 조직할 중심적인 힘을 찾지 못한 채 상호 간의 관계를 확립하지 못하고 액체의 수많은 미립자들처럼 굴러다닌다.
> 이런 병적인 상태를 치료하기 위해서 옛날의 자율적인 지방 집단들을 재건하는 것이 필요하다는 주장이 때때로 제기되었다. 그러나 진정으로 효력을 갖는 유일한 분권화는 사회적 에너지의 강력한 집중화를 동시에 달성할 수 있어야 한다. 국가와 사회의 각 부분들과의 유대를 이완시키지 않으면서 국가가 행사할 수 없는 도덕적 영향력을 수많은 개인에게 행사할 수 있어야 한다.

그렇다면 국가의 통합을 약화하지 않으면서 공동 생활의 중심을 증대할 수 있는 분권화는 어떤 형태일까요? 신앙 공동체나 가족과 같은 전통적 사회 집단들에 의존하는 방식밖엔 없는 걸까요? 뒤르켐에 따르면, 종교나 가족은 이기적 자살에 일부 억제력은 갖지만, 그러한 억제력의 원인이 이들 집단이 장려하는 특별한 종류의 감정이 아니기 때문에 한계가 있죠. 자, 그렇다면 우리가 희망을 가져볼 수 있는 새로운 공동체는 과연 무엇일까요? 구성원에게 특별한 연대감과 결속력을 고취시키는 조직체에는 과연 어떤 게 있을까요?

구성원들을 어떻게 결속시킬 것인가

뒤르켐이 해법으로 제시하는 조직체는 바로 '조합(corporation)'이에요. 조합이란, 쉽게 말해 같은 부류의 모든 노동자가 모두 같은 기능으로 협동하는 '직업 집단'을 뜻해요. 우리 사회의 조합을 예로 들자면, 농협, 수협, 축협, 한살림, 새마을금고 등이 있죠. 해외의 사례를 예로 들자면, 가장 성공한 협동조합의 표본으로 전 세계에 지부를 두고 있는 스페인의 노동자 생산협동조합 몬드라곤(Mondragón), 여러 신문사와 방송국으로 구성된 미국의 대표적인 통신사 AP(Associated Press)통신, 일본의 성우 매니지먼트 단체인 도쿄배우생활협동조합(東京俳優生活協同組合) 등을 꼽을 수 있고요. 우리에게 친숙한 FC 바르셀로나(Fútbol Club Barcelona), 레알 마드리드(Real Madrid)와 같은 시민구단들도 협동조합의 한 형태들이죠.

뒤르켐에 따르면 조합은 같은 과업에 종사하는 개인들이 서로 연대하고 결속된 이해관계를 갖도록 돕기 때문에 사회적 관념과 감정을 발전시키는 데 단연 최적의 집단이라고 볼 수 있어요. 조합이 고유의 집합적 인격을 형성하고 개인들을 도덕적으로 결속시킬 수 있는 주된 요인은, 바로 구성원들의 출신 배경과 문화, 직업의 유사성이죠. 바로 이러한 구성원간의 동질성이 공동생활의 가장 훌륭한 밑바탕이 되며, 조합은 이를 기반으로 고유의 사회적 관념과 감정을 형성하고 이를 구성원들에게 효과적으로 장려할 수 있다고 뒤르켐은 강조합니다.

> 개인에 대한 직업 집단의 영향은 국가처럼 간헐적이지 않으며 개인 협동 작업을 통해 끊임없이 개인들과 접촉한다. 근로자들이 어디에 가든지 직업 집단은 있으나 가족은 그렇지 못하다. 근로자들이 어디에 있든지 직업 집단은 그들을 수용하며 그들에게 의무를 지우고 필요할 때는 그들을 지원한다. 직업 생활은 거의 생활의 전부이기 때문에 조합 활동은 직업 활동의 세세한 부분까지 영향을 미쳐 하나의 집단적 경향이 된다. 따라서 조합은 개인에게 환경을 제공하고 도덕적 고립으로부터 그를 끌어내는 데 필요한 모든 특성을 구비하고 있다. 그리고 이미 다른 집단들이 부적절해진 때에 직업 집단만이 앞서 말한 불가결한 기능을 수행할 수 있다.

뒤르켐에 따르면 직업 집단이 영향력을 가지려면 오늘날과는 아주 다른 기초 위에서 조직되어야 해요. 한 마디로 구성원들에게 강력한 도덕적 권위를 행사할 수 있는 수준으로 발전해야 한다는 거죠. 조합이 단지 직업적 이해관계만을 대변하는 게 아니라, 구성원들에게 특별한 관념과 감정을 고취시키는 사회적 역할까지 할 수 있도록 구성되어야 한다는 거예요. 이러한 틀이 빈껍데기에 그치지 않으려면 모든 생활의 싹이 그 속에서 활발히 피어날 수 있어야만 한다는 점을 뒤르켐은 강조하죠. 피상적이고 간헐적인 관계에서 한 걸음 더 나아가, 개인과 집단이 긴밀하고 실질적인 유대 관계를 맺게 되면, 오늘날 위험할 정도로 이완된 사회 조직망은 전반적으로 다시 치밀해지고 강해질 수 있다는 것입니다.

> 조합은 아무런 공통의 연대 없이 그저 선거일에 만나는 사람들의 집단 이상이 되어야 한다. 직업 집단은 단순히 인습적인 집단이 아니라 그 자체의 관습과 전통 그리고 권리와 의무와 통합성을 갖는 집단적 인격을 갖춘 확고한 제도가 되어야만 그 역할을 수행할 수 있다. 가장 어려운 문제는, 직업별로 대표를 선출하고 각 직업의 비례를 정하는 문제가 아니라 각 조합이 정신적 자주성을 갖추는 문제다. 그렇지 못하면 우리가 대체하고자 하는 기존의 인위적인 구분에 또 하나의 불필요한 외형적인 구분을 보태는 결과만 나올 뿐이다.

그 자체의 관습과 전통, 그리고 권리와 의무와 통합성을 보유하는 집단적 인격을 갖춘 조직체들이 국가와 개인 사이의 빈 공간을 촘촘하게 메워갈 때 개인들은 비로소 구심점을 찾고 안정적인 생활을 영위해 나갈 수 있다고 뒤르켐은 주장합니다. 이 과정에서 핵심은 바로 조직체들이 구성원들을 결속시키는 도덕적 통합의 기능을 수행하는 것이죠. 사회가 구성원을 결합시키고 건전한 관념 체계를 교육시키며 연대 의식을 지속적으로 고취시킬 수 있어야, 비로소 자살이라는 사회적 병증이 치유될 수 있기 때문이에요. 이기적 자살이든, 이타적 자살이든, 아노미성 자살이든, 결국 개인과 사회 간의 관계가 잘못되어서 발생하는 것이기 때문에, 구성원을 건강하게 결속시키고 올바른 길로 이끌 수 있는 사회의 역량이 중요하다고 본 거죠. 뒤르켐이 사회의 역량으로서 강조한 핵심 키워드는 바로 '도덕', '교육', '연대'예요.

직업 집단으로 대변되는 중간 집단을 활성화시킴으로써 사회가 아노미를 극복하고 연대와 통합을 이룰 수 있다는 뒤르켐의 주장은 이 책이 쓰여진 지 120여 년이 흐른 지금에도 의미 있는 시사점을 던져주고 있죠.

여러분, 어떠신가요? 사회의 병증을 치유하기 위해서 국가와 개인 사이의 빈 공간을 다양한 형태의 중간 집단이 채워나가야 한다는 뒤르켐의 주장에 공감하시나요? 그렇다면 그 핵심적인 중간 집단이 '조합', 즉 '직업 집단'이어야 한다는 주장에는 동의하시나요? 그렇지 않다면, 이를 대체할 집단은 무엇이어야 한다고 생각하시나요? 지방자치단체? 동호회? 학교? 팬클럽? 인터넷 커뮤니티? 정답은 없어요. 여러분 모두 각자 나름의 다양한 의견과 근거들을 갖고 있을 거예요. 뒤르켐의 논의를 읽으며 무엇이 오류인지, 또 무엇은 합당한지를 가려내고, 그렇다면 내 생각은 어떠한지를 체계적으로 정리하고 발전시켜 보는 것이 바로 여러분이 할 일이에요.

OECD 자살률 1위의 오명을 벗지 못하고 있는 21세기의 한국 사회야말로 뒤르켐의 『자살론』이 반드시 필요한 곳이죠. 4차 산업혁명과 정보화의 진전의 이면에 개인주의를 넘어 위험 수위의 이기주의가 만연해 가는 지금, 『자살론』의 논의를 살피며 우리 사회의 현주소를 비판적으로 분석해 보는 건 반드시 필요한 작업이 아닐 수 없습니다. 『자살론』의 논의가 전부 맞다는 게 아니라, 그의 분석적 작업을 토대로 우리 사회가 처한 상황을 되짚어 볼 기회를 가질 수 있다는 거죠. 자살이 점점 더 심각한 사회 문제로 대두되고 있는 지금, 자살 문제의 원인과 해법을 도출하는 학문적 작업은 다양하고 많을수록 풍부한 논의에 보탬이 될 테니까요. 『자살론』은 여러 자료와 통계 분석을 통해 경험적으로 자살의 원인을 규명해 낸 실증주의 사회과학의 진정한 고전이죠. 최신 자료를 찾아 비교 분석해 보면서 과연 그의 이론이 오늘날의 한국 사회에도 설득력을 갖는지 판단해 보는 건 의미 있는 일이 될 거예요. 책 속의 내용을 수동적으로 받아들이는 게 아니라, 적극적으로 해석하고 비판해 보면서 나만의 가설을 검증해 나가는 것이 바로 바람직한 사회과학 독해의 핵심이죠.

좀 더 밝고, 건강하고, 도덕적인 사회를 만들기 위해서는 과연 무엇이 필요할까요? 구성원들이 좀 더 긍정적으로 삶을 받아들이고 어려움을 더 잘 극복할 수 있게 하려면 사회는 어떤 역할을 해야 할까요? 이게 바로 뒤르켐이 『자살론』에서 던진 핵심적인 질문이죠. 여러분도 『자살론』을 찬찬히 읽어보면서, 이 중요한 질문에 대한 스스로의 답을 찾아 보시기 바랍니다.

5. 지그문트 프로이트, 『꿈의 해석』(1899)

여러분, 평소에 꿈을 자주 꾸시나요?

우리는 대체로 꿈에 민감하죠. 간밤에 꾼 꿈에 따라 기분이 오락가락 바뀌기도 하고, 평소 관심도 없던 복권을 왕창 구매하게 되기도 하고, 심지어 서로 돈을 주고 받으며 꿈을 사고 팔기도 하죠. 꿈이 무엇을 암시하는지 정보를 얻기 위해 인터넷을 검색해 보거나 꿈해몽 사전을 뒤적이기도 하고요.

꿈이 신경 쓰이는 이유는, 역설적으로 꿈에 아무런 개연성이나 논리가 없기 때문이죠. 이 말인즉슨, 우리가 어떤 꿈을 꾸려고 마음먹어서 그런 꿈을 꾼 것도 아니고, 꿈에 논리적인 스토리 라인이 존재하는 것도 아니라는 의미예요. 우리는 스스로의 의지와는 상관 없이 우연히 어떤 꿈을 꾸게 되고, 또 그러한 꿈은 우리의 소망이나 의도와는 정반대의 줄거리를 가지는 경우도 많죠. 예를 들어 가장 친한 친구에게 배신 당하는 꿈이라든가, 시험을 앞두고 하나도 준비를 안 해서 폭망하는 꿈 이라든가, 누군가 내 뒤를 쫓아오는데 발이 묶여서 극도의 공포감에 사 로잡히는 꿈과 같이, 생뚱맞거나 충격적인 꿈일수록 강렬하게 우리의 멘탈을 뒤흔들곤 하죠. 특히 이런 꿈일수록, 상서롭거나 혹은 불길한 앞날을 점지하는 '예지몽'으로 받아들여지는 경우가 많고요.

정말 그럴까요? 꿈은 우리에게 무언가 알려주기 위해 우연을 가장 하여 찾아오는 신비롭고 초자연적인 현상일까요? 사실 이러한 관점은 고대인들이 꿈을 '신의 계시'라고 믿었던 원시적 견해의 잔재죠. 만약 꿈을 미래의 '암시'로 받아들인다면 더이상 꿈에 대한 분석의 여지가 존 재하지 않겠죠. 그저 믿는 것 외에는 별다른 도리가 없을 테니까요. 하 지만 보통 꿈을 꾸고 나서 아무 일도 일어나지 않는 경우가 더 많기 때 문에 '꿈이란 과연 무엇인가'에 대한 호기심과 궁금증이 증폭되는 게 사 실이죠.

우리는 꿈을 어떻게 받아들여야 할까요?

꿈은 믿음이 아닌 해석의 대상이다

여기, 꿈이 '믿음'의 대상이 아닌 '해석'의 대상이라고 주장하는 학 자가 있습니다. 오스트리아 출신의 정신과 의사이자 정신분석학자인 지그문트 프로이트(Sigmund Freud, 1856~1939)예요. 그는 『꿈의 해석 (Die Traumdeutung)』(1899)을 통해 꿈에 과학적인 근거와 작동 원리가 내재해 있다고 주장하죠. 『꿈의 해석』이 인류 역사상 꿈에 대한 최초의 과학적 접근을 시도한 기념비적 저작으로 여겨지는 건 바로 이 때문이에요.

지그문트 프로이트(Sigmund Freud, 1856~1939)

프로이트가 『꿈의 해석』을 통해 펼치는 핵심적인 주장은, 꿈이란 '억압된 욕망의 변장된 성취'라는 거예요. 즉 꿈이란 하늘에서 내려지는 계시가 아니라, 우리 내부에 존재하는 무의식의 반영이라는 거죠. 우리 안에 억눌려 있던 무의식 속의 '억압된 욕망'이란, 우리가 의식하지 못하는 사이에 누적된 소망이나 욕구 혹은 불안의 총체를 의미하죠. 프로이트는 이러한 논리로 꿈은 '믿음'의 대상이 아니라 '해석'의 대상이며, 꿈을 '해석'함으로써 꿈을 꾼 사람의 무의식 세계를 이해할 중요한 단서를 포착할 수 있다고 보았어요. 즉 이 책 『꿈의 해석』은 꿈의 의미를 해석하는 것 그 자체가 목적이 아니라, 꿈의 재료가 된 '무의식의 작용'을 의식세계에서 어떻게 감지할 수 있는가를 보여주기 위해 쓰여진 책인 거죠.

꿈에 대한 프로이트의 관심은 당시 사회에 만연해 있던 '히스테리(hysteria)'에서 비롯됐어요. 히스테리란 정신적·심리적 갈등으로 인해 발생하는 신경증을 의미하죠. 히스테리는 다른 병들과 달리 육체적으로 환부가 드러나지 않는 질환이고 원인도 불명확했기에 치료가 어려웠어요. 프로이트는 31세였던 1886년부터 신경병 전문의로 개업해서 히스테리 환자를 주로 치료했지만 워낙 고치기 어려운 병이었기에 시행착오를 많이 겪었어요. 많은 의사들이 그랬듯이 그도 최면기법 등을 사용했으나 뚜렷한 효과는 없었죠. 그래서 그가 도입한 새로운 치료 기법이 바로 '대화'였어요. 자유롭게 이야기를 나누며 관련 질문에 대한 답을 이어나가는 과정에서 환자들은 자연스럽게 프로이트에게 자신의 일상 생활과 꿈에 대한 이야기를 털어놓게 되었죠.

인간의 정신은 의식과 무의식의 대립과 충돌로 이루어진다

프로이트는 특히 히스테리 환자들을 대상으로 '자유연상(free association) 기법'을 적용하는 과정에서 특히 꿈에 관한 이야기가 집요하게 반복돼 나타난다는 사실을 발견했어요. '자유연상 기법'이란, 환자가 편안한 분위기에서 일체의 자기 검열 없이 떠오르는 생각들을 자유롭게 진술하면 의사가 그 속에 내재된 무의식의 흔적들을 가지고 환자의 문제를 분석하는 방식이죠. 다시 말해 이 방식은 환자에게 떠오르는 생각들을 자유롭게 말하도록 하면서 환자의 숨겨진 저항 심리를 밝혀내어 이를 극복하고 치유하도록 돕기 위해 고안된 방법이었어요. 즉 환자로 하여금 생각나는 대로 말하도록 한 후 어떤 부분에서 말이 막히고 내적 갈등을 겪는지를 관찰하면 환자의 상태를 파악할 수 있다는 논리에 따라 진행된 치료 방식이었죠. 환자 내면에서 협조를 거부하는 저항의 진상을 규명해 내는 작업이 바로 정신분석이었고, 바로 이러한 일련의 과정을 통해 프로이트는 인간의 정신이 의식과 무의식의 대립과 충돌로 이루어져 있다는 가설을 세우게 된 거죠. 그는 이러한 새로운 치료 기법을 통해서 환자의 의식을 인위적으로 잠들게 만드는 최면 없이도 환자의 억압된 무의식 세계로 들어갈 수 있는 통로를 찾게 되었던 거예요. 이것이 바로 '코페르니쿠스적 전환'에 비견되는 지적 혁명의 시작이었어요.

프로이트는 이 책에서 다양한 꿈들을 사례로 들면서 꿈이 만들어지고 표현되는 문법을 제시하고 있어요. 그에 따르면 꿈이란 소위 '개꿈'으로 치부할 정도로 무의미한 것이 아니라, 한 개인의 정신 세계를 이해하는 데 있어 대단히 중요한 의미를 가지는 현상이죠. 그는 사람의 무의식이 평상시엔 의식에 짓눌려 일견 그 모습을 감추고 있는 듯 보이지만, 사실은 늘 지치지 않고 자신의 욕망을 이루고자 에너지를 발산한다고 주장해요. 프로이트는 다음과 같은 꿈의 예시를 통해 꿈이 무의식의 반영이며, 특히 무의식이 왜곡되고 변형되어 발현된다는 사실을 지적하죠.

낮에 억압된 소망이 꿈에서 활로를 찾는 예는 아주 많다. 간단한 사례로 이런 경우가 있다. 비꼬길 좋아하는 어떤 아가씨가 있었는데 자신보다 어린 친구가 약혼을 하게 되었다. 이 아가씨는 사람들에게 하루종일 그 친구의 약혼 상대를 알고 있느냐, 그 남자를 어떻게 생각하느냐는 등의 질문을 받았다. 그때마다 이 아가씨는 칭찬하는 말을 늘어놓았지만 그것이 본심은 아니었다. 실제로는 '그런 남자는 한 트럭이나 있다'라고 말하고 싶었다. 밤에 아가씨는 같은 질문을 받는 꿈을 꾸었는데 이렇게 대답했다.

"추가로 질문할 경우에는 숫자만 대면 된다."

그처럼 평범한 사람은 '한 트럭'이나 되므로 대꾸할 가치도 없다는 뜻이고, 그래도 자꾸 질문하면 숫자만 추가해서 답변하면 된다는 식으로 왜곡됐던 것이다. 이 꿈을 통해 우리는 왜곡되는 모든 꿈에서 소망은 무의식을 거쳐 나오며 결코 낮 동안엔 지각되지 않는다는 것을 알수 있다.

꿈은 억압된 욕망의 위장된 성취다

프로이트는 사람의 무의식이 자신의 욕망을 성취하고자 끊임없이 꿈틀대며 에너지를 내뿜는다고 강조하면서, 결국 꿈의 본질은 '억압된 욕망의 위장된 성취'에 다름 아니라고 주장해요. 꿈의 재료는 최근에 경험한 성가신 일로 인한 짜증이나 분노일 수도 있고, 아주 먼 과거인 유년기의 억눌린 소망일 수도 있고, 자신도 모르는 사이에 무의식에 자리한 파괴욕이나 권력욕일 수도 있죠.

중요한 건 이러한 무의식이 형태를 보전하면서 그대로 꿈으로 발현되는 게 아니라, 왜곡된다는 거예요. 사건과 대상, 생각과 이미지가 복합적으로 섞여 압축과 전치, 시각화, 상징화, 동일시 등의 복잡한 과정을 거쳐 왜곡되고 치환된 형태로 꿈으로 나타난다고 프로이트는 주장하죠. 그는 꿈이 부조리하다고 선언하면서, 꿈의 내용에 논리적 연관성이 결여되어 있다는 점을 지적해요. 꿈은 대개 앞뒤가 잘 맞지 않고, 그 속엔 현실과는 정반대인 엉뚱한 사건이 등장하고, 특별한 동기도 없이 대립하거나 불가능해 보이는 것들을 가능하게 하고, 낮 동안의 지식이나 윤리·도덕 등과 같은 가치에도 둔감한 경향을 보인다는 거죠. 하지만 이처럼 혼란스럽고 기이해서 무슨 꿈인지 알 수 없어보이는 꿈들도 결국엔 '소망 충족'을 지향하고 있다는 점을 그는 밝혀내고 있어요.

꿈의 왜곡과 관련해 그가 대표적인 예로 들고 있는 것이 바로 '시험 꿈'이죠. 아마 여러분 중에서도 가끔 시험을 망치는 끔찍한 꿈을 꾸는 분들이 많이 계실 텐데요, 프로이트는 '시험에서 망하는 꿈'은 시험에 합격한 사람만이 꾼다는 흥미로운 역설에 대해서 다음과 같이 설명하고 있어요.

시험을 치르고 졸업한 사람이라면 누구나 시험에 떨어져 시달리는 불안한 꿈을 꾼 적이 있을 것이다. 박사 학위를 딴 사람들에게 이 꿈은 박사 논문 구두시험에 합격하지 못했다고 비난받는 꿈으로 대체된다. 꿈속에서 이미 자신은 몇 년 전에 개업한 의사나 대학 강사라고 항의해봐야 헛일이다.

우리에게는 어린시절 잘못을 저지르고 벌을 받았던 많은 기억들이 있다. 이 기억들이 엄중한 시험이라는 '심판의 날'을 맞아 우리 안에서 생생하게 되살아난다. 신경증 환자들의 '시험에 대한 공포' 역시 이러한 어린시절의 두려움을 통해 강화된다. 학교를 졸업하고 어른이 된 이후 우리를 징계하는 사람은 이제 부모나 가정교사가 아니다. 냉혹한 책임감이 우리의 교육을 떠맡는다. 무엇인가를 잘못해 벌을 받을 것이라고 예상할 때마다 우리는 시험을 치르는 꿈을 꾼다. 이때 겁먹고 질리지 않는 사람은 별로 없을 것이다.

프로이트는 현실과 반대로 나타나는 이러한 꿈은 사실상 꿈이 선사하는 '위로'라고 이야기하죠. 우리가 꿈의 탓으로 돌리는 불안은 낮의 잔재에서 온 것으로, 시험 꿈은 불안이 부당하다는 증거를 과거에서 찾는 뚜렷한 사례라고 그는 설명해요. 그는 '시험에 실패한 사람은 결코 시험에서 망하는 꿈을 꾸지 않는다'라고 주장하면서, 스스로의 경험을 근거로 뒷받침하고 있죠. 프로이트는 실제로 박사 논문 구두시험을 치를 때 법의학 과목에서 낙방했는데, 이 과목은 한 번도 꿈속에서 자신을 괴롭힌 적이 없었다고 해요. 반면 그가 자신이 없어 불안한 마음으로 시험을 치렀으나 운 좋게도 무사히 시험에 통과한 과목들, 이를테면 식물학이나 동물학, 화학 시험을 치르는 꿈은 자주 꾸었다고 그는 이야기하죠.

우리는 흔히 나쁜 꿈을 꾸었을 때 '꿈은 반대다'라면서 위로하곤 하는데, 이 같은 프로이트의 설명은 꿈이 어떤 기전으로 현실과 반대로 나타나는지 보여주는 귀중한 설명이라 할 수 있어요. 즉 자신의 불안감이 부당하다는 것을 입증하고 살아갈 힘을 되찾는 복잡하고 미묘한 정신 작용의 결과물이 바로 이런 종류의 왜곡된 꿈이라는 거예요. 이런 꿈을 꿀 때 꿈 속에서는 무척 괴롭지만, 정작 꿈을 깨고 나면 꿈의 내용이 모두 현실과 반대임을 깨닫고 새삼스럽게 안도감과 위안을 얻게 되기 때문이죠. 그 힘으로 또 우리는 현실을 살아갈 수 있는 거고요. 이게 바로 꿈을 통해 소망 충족이 이루어지는 과정이죠.

자아는 그 자신의 집에서 주인이 아니다

이처럼 꿈의 내용이 비현실적이고 비논리적인 이유, 그리고 꿈의 내용이 내 의도와 정반대로 전개되는 까닭은 바로 꿈에 무의식이 개재해 있기 때문이죠. 무의식도 분명히 내 정신에 속하는 것이 맞아요. 하지만 아무리 해도 우리의 의식으로써는 무의식의 정체를 제대로 알 수도 없고, 무의식을 맘대로 조종할 수도 없기 때문에 우리는 꿈의 내용을 원하는 대로 정할 수가 없죠. 우리가 잠에 들면서 '오늘 밤엔 따뜻한 나라로 여행가는 꿈을 꿨으면 좋겠다' 혹은 '맛있는 걸 엄청나게 많이 먹는 꿈을 꿨으면 좋겠다' 등과 같이 어렴풋이 소망하곤 하지만 그대로 이루어지는 경우는 거의 없는 것처럼요. 이처럼 꿈이 내 맘대로 안 되는 건 우리의 정신 세계에서 무의식의 영역이 생각보다 크다는 것을 암시해요.

이와 관련해 "자아는 그 자신의 집에서 주인이 아니다(The ego is not master in its own house)."라는 프로이트의 명제는 많은 것을 시사합니다. 의식이 인간 정신 세계를 지배한다는 생각은 착각이며, 그 이면에 더욱 거대한 심연의 영역인 무의식이 주인으로서 영향력을 발휘하고 있다는 말이죠. 이러한 도발적인 선언은 인류의 지성사에 커다란 충격을 던져 주었어요. "나는 생각한다, 고로 존재한다(Cogito ergo sum)."라는 데카르트(René Descartes, 1596~1650)의 명제가 시사하듯 '인간은 의식에 따라 사고하고 행위하는 이성적인 존재'라는 이성 중심 사고가 수 세기를 지속해 오던 중, 프로이트가 던진 무의식 명제가 엄청난 파장을 일으켰던 거죠. 우리의 정신에서 의식이 차지하는 부분은 수면 위에 드러난 빙산의 일각 정도에 불과하고, 수면 아래에 거대한 무의식이 깊이 뿌리를 내린 채 우리의 사고와 행동에 큰 영향을 미치고 있다는 프로이트의 주장은 뜨거운 논쟁을 불러일으켰어요.

프로이트에 의해 집 주인 자리를 빼앗긴 자아, 즉 '에고(Ego)'는 현실적인 나의 모습으로, 대부분 의식의 영역에 존재한다고 설명되죠. 좀 더 이상적인 모습의 초자아, 즉 도덕이나 양심에 따라 판단을 내리는 '슈퍼에고(Super-ego)'는 의식과 무의식의 영역 전반에 걸쳐 있고요. 그런데 자아가 집주인이 아니라는 건, 에고 내지 슈퍼에고에 의해 통제 불가능한 무의식의 영역에 엄청난 잠재력의 또 다른 자아가 존재한다는 것을 시사하죠. 이것이 바로 '이드(Id)'예요. 이드는 일종의 정신적인 에너지가 저장돼 있는 곳으로 본능에 지배받죠. 즉 이드란, 먹고, 자고, 사랑하는 것처럼 삶을 영위하는 데 필요한 생물학적 충동이 깃들어 있는 곳이며, 쾌락의 원리에 지배받고, 논리적이라기보다는 즉각적이며 환

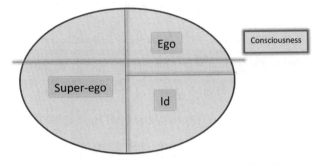

프로이트가 제시한 에고(Ego), 슈퍼에고(Super-ego), 이드(Id)의 위상과 의식의 단계

상 지향적인 경향을 띠죠. 프로이트는 특히 이드에 주목하는데, 이드의 영향력과 파괴력이 에고나 슈퍼에고에 비해 무척 강력하기 때문이에요. 사회에는 개인이 지켜야 할 도덕과 양심, 금기가 있는데, 어떤 사람의 성격에서 이드가 우세할 경우 반사회적인 물의를 빚을 위험이 커지겠죠. 이드의 쾌락 추구 경향을 현실에서 적절히 타협시키는 것이 에고이며, 이것은 슈퍼에고가 에고를 통제함으로써 가능한 일이라고 프로이트는 설명해요. 이런 이유로 우리의 욕망은 낮 동안에 의식의 도덕적 검열에 의해 통제 받고 그 모습을 감추고 있다가 밤에 의식이 잠들면 꿈을 통해 왜곡되거나 치환된 형태로 모습을 드러내게 되는 거죠. 이게 바로 꿈의 본질이에요.

꿈의 재료는 자신의 내면에 존재한다

프로이트가 왜 그토록 꿈에 집착했는지 아시겠죠? 그는 인간의 무의식을 이해하기 위해 꿈을 분석한 거예요. 그에 따르면 무의식은 의식과 대립 관계에 있기 때문에 의식의 통제가 풀리면 그제서야 활동을 시작하죠. 그는 인간의 무의식적인 요소가 잠을 자는 동안 꿈을 통해 표출되는 것으로 이해했어요. 사람은 자신이 의식하기 두려워하는 대상을 무의식 속으로 몰아넣어 억압하는데, 잠이 들면 낮 동안에 의식적으로 억압하려 했던 무의식적인 요소들이 꿈틀대며 꿈을 통해 모습을 드러내려 한다는 거예요. 프로이트는 자신의 핵심적인 주장을 다음과 같이 제시하고 있어요.

> 대부분의 사람들은 남에게 알리고 싶지 않은 소망이 있어 스스로를 억압한다. 이 억압 의도가 꿈을 왜곡시키고 소망 충족을 은폐하도록 한다. 이 억압 의도가 검열 행위를 낳는 근원이기도 하다. 종합하면, 꿈은 억압되고 억제된 소망의 위장된 충족이라고 말할 수 있다.

이처럼 꿈이 '억압되고 억제된 소망의 충족'이라면, 미래를 예언하는 '예지몽(豫知夢)'으로서의 기능은 설 공간이 없겠죠. 꿈의 재료는 자신의 내면에 존재하는 거니까요. 이와 관련해 프로이트는 이렇게 말하고 있어요.

과연 꿈의 가치는 미래를 예견하는 데 있는 것일까? 물론 그렇지 않을 것이다. 대신 꿈은 과거를 알려준다고 보는 편이 더 정확할 것이다. 꿈은, 어떤 의미에서든 과거를 가리키고 있다. 그렇다고 해서 꿈이 미래를 예시한다는 낡은 믿음에 진실로서의 가치가 전혀 없다고 말할 수는 없다. 꿈은 어떤 소망을 충족

된 것으로 보여주면서 우리를 미래로 이끈다. 그러나 꿈을 꾸는 사람이 받아들이는 이 미래는, 결코 깨지지 않는 소망에 의해 과거와 닮은 모습을 띨 수밖에 없을 것이다.

프로이트는 이처럼 꿈의 예지력을 부인하면서 그는 꿈이 미래보다는 과거의 경험, 구체적으로 어린 시절의 체험과 연관돼 있음을 강조하죠. 아동기의 경험이 꿈을 형성하는 무의식의 원천이 된다는 거예요.

그러면서 프로이트는 스스로의 경험을 들려주죠. 프로이트가 태어나자 한 노파가 엄마에게 "이 아기는 세계적인 인물이 될 것이다."라고 예언했다고 해요. 이러한 노파의 예언은 프로이트가 성장하면서 그의 생활을 지배하는 자기 실현적인 힘이 되었고, 또 프로이트의 어머니 역시 항상 그를 '나의 보배'라고 부르며 무한한 사랑과 신뢰로 보살펴 주었다고 하죠. 노파의 예언과 더불어 어머니에게 받은 깊은 사랑과 신뢰가 훗날 프로이트의 학문과 생활에 든든한 힘이 됐다는 것을 프로이트는 스스로 인정하고 있어요. "내가 언제나 훌륭한 사람이 되려고 열망한 건 바로 이 때문이었는지도 모른다."라는 멋진 문장과 함께 말이죠.

무의식은 의식의 영역을 포괄한다

프로이트는 심리학을 근대적인 학문으로 정립시키는 데 기여했어요. 프로이트는 분석의 대상을 무의식의 세계로까지 확장하면서 심리학의 새로운 지평을 열었죠. 프로이트 이전까지만 해도 무의식의 세계

프로이트가 8세 때 아버지와 찍은 사진. 어린 시절에 프로이트는 나이 차이가 많이 나는 아버지보다 상대적으로 젊은 어머니와 정서적으로 긴밀한 애착 관계를 형성했고, 이러한 경험이 훗날 그의 정신 분석 이론에 지대한 영향을 미쳤다.

는 관찰이나 실험을 통해 분석할 수 없으므로 과학의 대상이 될 수 없다는 생각이 지배적이었죠. 하지만 프로이트를 기점으로 심리학의 주된 연구 주제가 인간의 심리나 행동에 영향을 주는 외부적인 요인이 아니라 인간의 정신 자체로 바뀌었어요. 프로이트가 자신의 이론을 정신분석학(psychoanalysis)이라고 명명한 이유이기도 하죠.

프로이트의 무의식의 발견은 코페르니쿠스의 지동설이나 다윈의 진화론에 비견되는 인류 역사의 중대한 지적 혁명으로 평가받고 있어요. 지동설과 진화론이 각각 우주와 생명에 대한 설명의 근거를 신의 영역에서 과학의 영역으로 옮겨 놓은 것처럼, 프로이트의 『꿈의 해석』은 신화와 미신의 영역에 머물러 있던 꿈의 세계를 과학으로 옮겨 놓았다고 볼 수 있죠.

무의식의 발견은 이성 중심의 근대적인 사고에 균열을 일으켰다는 점에서도 센세이셔널 했어요. 인간이 이성에 의해서만 사고하고 행동하는 존재가 아니며, 이성으로 통제 불가능한 무의식에 지배당하는 존재라는 도발적인 주장이 당대 사람들의 인식에 충격을 가하면서 한때 그의 이론은 신랄하게 도전 받고 배척당하기도 했죠. 어찌보면 그의 이론은 인간을 전지전능한 인식의 주체에서, 본능과 충동에 지배당하기도 하는 동물의 지위로 끌어내렸다고도 해석할 수도 있으니까요. 하지만 프로이트는 주눅들거나 자신의 주장을 철회하지 않았어요. 그는 그럴수록 꿈의 세계에 더욱 날카로운 메스를 들이대고, 무의식의 영역을 면밀하게 파헤쳐 들여다 봄으로써 그 안에 내재한 날것 그대로의 인간 욕망을 발견해 내고 세상에 드러내 보이는 역할을 수행했어요. 그의 목적은 단지 하나였죠. 바로 인간이 스스로를 더욱 잘 이해할 수 있는 학문적 기반을 수립하는 데 기여하기 위함이었어요.

프로이트는 이 책의 결론부에서 다음과 같이 강조하면서 무의식에 대한 인식의 전환을 촉구하고 있습니다.

> 우리는 무의식을 심리적 삶의 보편적인 토대로 받아들여야 한다. 무의식의 문제는 의식적인 것을 포괄한다. 의식적인 모든 것은 무의식

의 단계를 거치는 반면, 무의식은 자신의 단계에 머물면서 심리적 기능의 완전한 가치를 요구할 수 있다. 무의식은 스스로 존재하는 심리적인 것이다. 우리가 외부 세계의 실재에 관해 알 수 없듯이 무의식의 내적 본성 역시 알 수가 없으며, 우리의 감각 기관이 적발한 외부 세계가 불완전하듯이 의식의 자료를 통해 파악된 무의식도 불완전하다.

무의식적인 것들을 합당하게 자리매김함으로써 의식과 꿈 사이의 오랜 대립을 해소하고 나면 과거 연구가들이 다루었던 일련의 꿈에 관한 문제들 역시 폐기될 수밖에 없다. 또한 꿈의 여러 활동에 대해 보였던 경이의 시선들 역시 철회돼야 한다. 꿈이 꿈만의 독자적 유물이라기보다는 낮에도 활동하는 무의식적 사고에 빚지고 있다는 쪽으로 인식의 지평을 넓혀야 하는 것이다.

다시 말해서 심리학은 무의식이 거의 전부라는 거죠. 그때까지만 해도 '무의식이 의식을 포괄한다'는 프로이트의 다소 급진적인 선언은 일부 사람들에게 거부감을 일으켰던 게 사실이에요. 하지만 프로이트는 위축되지 않고 자신의 입장을 진지하게 견지했어요. 『꿈의 해석』은 무려 여덟 번의 개정판이 출간됐는데, 이 과정에서 이론 자체에 대한 큰 수정 없이 부차적인 부분들을 보완하는 방식으로 개정이 이루어졌다는 것은 그의 이론이 굳건한 토대 위에 구축되었다는 방증이죠.

프로이트는 단지 세상의 이목을 끌기 위해서가 아니라 진정 인류에게 이로운 것이 무엇인가를 대중에게 납득시키고자 하는 학자로서의 결기를 갖고 있었어요. 그가 과감하고 적나라하게 인간의 내면을 파헤쳐서 제시했던 건, 인간을 격하시키기 위한 의도가 아니라, 사람들이 스스로를 더 잘 이해하고 더 나은 세상을 만들어 나가기를 바라는 진심에서 비롯된 것이었죠. 그의 이론은 '충동'과 '성적 욕구'라는 변수를 주로 강조한다는 측면에서 다소 편협하다는 비판도 받았지만, 실제로 부정하기 어려운 현실 설명력을 갖고 있다는 측면에서 인문학, 사회과학 등 다양한 학문 분과에서 연구의 대상이 되어 왔어요. 인간과 세계에 대해 이해하기 위해서는 인간의 심리와 내면 욕구에 귀 기울여야 하는 것이 인정하기 싫더라도 사실이기 때문이죠. 그는 반대파의 공격, 전쟁으로 가족을 잃는 아픔, 그리고 병마의 고통에 시달리면서도 흔들림 없이 자신의 학문 체계를 발전시키며 수많은 연구물들을 남겼어요. 그 결과 그의 이름을 빼놓고 심리학을 논하는 것이 불가능할 정도로 학계에서 중대한 위상을 차지하게 되었죠. 학문적 업적은 물론이고 굳건한 학자적 자세까지도 커다란 귀감이 되고 있기에 지금까지도 프로이트에 대한 연구가 활발히 진행되어 오고 있는 거겠죠?

자, 어떠신가요? 이제 꿈이라는 현상에 대해 어떻게 접근해야 할지 감이 좀 오시나요? 꿈을 단지 일상다반사로 넘기지 않고, 나의 성장과 발전을 위해 생산적으로 활용하기 위해서는 프로이트의 이론을 참고해 볼 가치가 충분하죠. 나의 무의식은 어떠한 불안을 품고 있는지, 불안을 떨쳐내기 위해 어떤 방어 기제를 작동하고 있는지, 꿈을 찬찬히 분석하면서 내면의 심연을 들여다보는 과정은 멘탈의 균형과 건강을 유지하는 데에도 큰 도움을 줄 거예요. 프로이트가 지적하듯 인간이 꿈을 꾼다는 것은 현실의 부조리와 불합리를 부분적으로나마 해소하며 소망 충족을 이루는 중요한 정신작용이니까요. 우리는 꿈을 통해 스스로를 더 잘 이해하고, 나의 욕망과 욕구를 깨닫고, 다시 살아갈 힘을 얻을 수 있죠. 꿈의 해석은 결국 우리 스스로가 더 잘 살기 위한 것이라는 프로이트의 대전제는 조금도 틀림이 없어요.

자, 이렇게『꿈의 해석』에 대해 살펴보고 나니 꿈이란 것이 이전과는 좀 색다르게 느껴지지 않나요? 오늘부터는 꿈을 꾸고 일어나면 꿈 내용을 잊어버리지 않도록 메모장에 잘 기록해 두는 습관을 가져 보는 건 어떨까요? 그리고 프로이트의『꿈의 해석』을 읽으면서 나의 내면과 무의식의 세계를 탐구해보는 소중한 시간 가져보시기를 권합니다.

6. 막스 베버, 『프로테스탄트 윤리와 자본주의 정신』(1905)

여러분, 요즘 신조어 중에 '자낳괴'라는 말 들어보셨나요?

'자본주의가 낳은 괴물'이라는 말의 줄임말이죠. 이게 무슨 뜻인지 정확히 알고 계시나요?

쉽게 말해 '돈 되는 일이면 물불 안가리고 뭐든 하는 사람'이라는 뜻이죠. 즉 일반적으로 사람들이 꺼려하는 일, 상식을 벗어나는 일, 도덕적 비난의 여지가 있는 행위에서부터 불법적인 일에 이르기까지 '돈을 벌기 위해 저런 것까지 한다'라는 평가를 들을 만한 행위를 서슴지 않고 하는 사람을 뜻해요. 예를 들면 장비 없이 맨몸으로 빌딩을 오르는 위험천만한 장면 등을 라이브 스트리밍으로 방송해 광고주와 시청자들에게서 후원을 받는 인플루언서, 허위·과장 광고로 무책임하게 물건을 팔아치우는 소위 '팔이피플', 누군가를 저격하는 자극적인 표제어로 일명 '어그로(aggro: 관심을 끌고 분란을 일으키기 위하여 인터넷 게시판 따위에 자극적인 내용의 글을 올리거나 악의적인 행동을 하는 일)'를 끌어 돈을 버는 일명 '사이버 렉카' 등이 있겠죠. 돈에 영혼을 팔아버린 이런 '자본주의가 낳은 괴물'들의 말로는 대부분 좋지 않죠. 스스로 비참한 결과를 맞이하거나, 대중에게 부정적인 영향을 미치거나, 누군가에게 상처와 피해를 입히거나, 스스로의 안전이나 양심 혹은 도덕성을 포기한 결과 인생이 나락으로 가는 경우가 많아요. 돈은 얼마나 강력한 힘을 가졌기에 인간들로 하여금 이렇게 자기 인생을 걸고 리스크가 큰 모험을 감행하게 하는 걸까요?

우리가 살고 있는 자본주의 사회에서 돈이 중요하다는 사실에 이의를 제기할 사람은 없겠죠. 건전한 경제관념과 상식을 갖는 건 반드시 필요한 일이기도 하고요. 하지만 돈에 대한 지나친 욕심이 부(富) 개념에 대한 왜곡된 관념과 맞물리면서 자본주의의 노예이자 괴물로 전락하는 사람들이 많아지면서 심각한 사회 문제로 대두되고 있죠.

"자본주의가 멸망하는 것보다 지구가 망하는 게 더 빠르다."라는 우스갯소리가 있을 만큼, 사유재산과 경제적 자유가 존중받는 자본주의 시스템은 대단히 강고하게 우리의 삶에 뿌리를 내리고 있죠. 아무리 자본주의의 괴물들이 세상을 어지럽혀도 자본주의는 위세를 멈추기는커녕 오히려 더욱 지배적인 영향력을 뻗치며 잠재적 '자낳괴'들의 영혼을 점점 더 빠른 속도로 집어삼키는 모양새를 취하고 있어요.

이런 상황에서 우리는 이런 근원적인 질문을 던지지 않을 수가 없죠.

자본주의는 과연 태생부터 탐욕스럽고, 무시무시한 시스템으로 기획되었을까요?

우리에게 공기처럼 익숙한 이 자본주의 체제는 과연 어떠한 과정을 거쳐 세상을 지배하게 되었을까요?

자본주의의 기원은 무엇이며, 그 특징은 무엇일까요?

자본주의의 기원에 대한 다양한 논의들

자본주의의 기원과 관련해서 지금까지 다양한 논의들이 존재해 왔어요. 자본주의의 기원에 대해서 파악하려면 자본주의의 개념 규정부터 명확히 할 필요가 있어요. 자본주의가 무엇을 의미하는지에 따라 그 기원에 대한 해석도 달라질 수밖에 없으니까요. 자본주의에 대한 개념 규정을 몇 가지 예로 들자면, 독일의 유대계 경제학자 오펜하이머(Franz Oppenheimer, 1864~1943)의 경우 '자본 및 그 이익에 의하여 주로 지배되고 있는 사회조직'이라고 정의한 바 있고, 역사학자 좀바르트(Werner Sombart, 1863~1941)의 경우 '영리추구, 그리고 자본가의 노동자에 대한 지배'라 규정한 바 있으며, 영국의 경제학자 시드니 웹(Sidney Webb, 1859~1947)의 경우 '생산수단의 사유제도와 사적 이익을 목적으로 하는 지배'라고 정의내린 바 있죠.

하지만 뭐니뭐니해도 우리에게 익숙한 자본주의의 개념은 독일의 철학자 칼 마르크스(Karl Heinrich Marx, 1818~1883)와 그 계승자들에 의해 정립된 의미에 가깝죠. 마르크스에 따르면 자본주의란 쉽게 말해 '생산 양식'이에요. 한편에는 생산수단을 소유한 '가진 자', 즉 자본가가 있고, 다른 한편에는 생산수단의 소유로부터 배제되어 자신의 노동력

칼 마르크스(Karl Heinrich Marx, 1818~1883)

을 시장에서 판매하여 생계를 꾸려가야 하는 '못 가진 자', 즉 노동자가 존재하며, 이 두 계급이 결합하여 시장을 위한 상품을 생산해 나가는 생산양식이 바로 자본주의라는 해석이죠.

마르크스는 이처럼 사회의 물질적·경제적 조건에 포커스를 맞추고, 물질이 사고와 행동을 변화시킨다는 유물론에 의거해 자본주의의 태동과 경과를 설명했어요. 그는 인간의 물질적·경제적 조건이 의식이나 사회제도를 규정한다고 전제하고, 인류의 역사가 단선적으로 진행된다고 주장하면서 생산력이 일정 수준에 도달했을 때 필연적으로 자본주의가 도래한다고 주장했어요. 그리고 자본가의 탐욕과 착취가 야기하는 자본주의의 내적 모순이 확대 재생산됨에 따라 노동자 계급이 혁명을 일으켜 체제 붕괴가 일어나고 궁극적으로 공산주의로 향하게 된다는 주장을 전개했고요.

여러분, 어떠신가요? 마르크스의 논리에 동의하시나요?

일단 역사 속에서 공산주의가 실패한 체제라는 사실이 수십 년 전 소련의 붕괴로 이미 증명된 상황에서 이제 와 마르크스 논의의 설득력을 논하는 건 어찌보면 무의미한 일일 수 있죠. 하지만 자본주의를 태동시킨 주된 변수로 물적 조건을 제시한 그의 논리 자체를 기각할 필요는 없을 거예요. 사회 현상은 다양한 변수들이 서로 상호작용하여 발생하는 총체적 결과이기 때문에, 어떤 특정한 변수를 강조하는 이론이라도 사회를 분석하는 데에 부분적으로나마 도움을 주기 때문이죠.

유물론 vs. 관념론

이러한 견지에서 우리가 자본주의를 이해하는 데 있어 도움이 될 또 다른 이론가를 소개하려고 합니다. 방금 소개한 마르크스의 유물론을 반박하면서 자신의 고유한 이론을 정립시킨 독일의 사회학자 막스 베버(Max Weber, 1864~1920)로, 그의 대표 저작인『프로테스탄트 윤리와 자본주의 정신(The Protestant Ethic and the Spirit of Capitalism)』(1905)에 자본주의의 기원과 특징에 대한 그의 사상이 잘 드러나 있습니다.

막스 베버(Max Weber, 1864~1920)

　　마르크스가 사회의 하부구조인 경제적 토대를 기반으로 사회 변동과 자본주의의 태동을 설명하려 한 것과 달리, 베버는 사회의 상부구조인 '정신 문화'로써 자본주의의 기원을 설명하고자 했어요. 이것이 바로 마르크스의 '유물론'에 대립되는 베버의 고유한 입장인 '관념론'이죠. 마르크스가 사람들이 자본주의적인 삶을 살게 되었기 때문에 자본주의적으로 생각하게 되었다고 주장한 것과 달리, 베버는 사람들이 자본주의적으로 생각하게 되었기 때문에 자본주의적인 삶을 살게 되었다고 주장합니다. 경제적 변화가 관념의 변화를 촉진한 게 아니라, 그 반대 방향, 즉 머릿속의 관념이 경제적 변화를 자극했다는 거죠.

　　베버는 마르크스를 위시한 당대의 학자들이 근대 자본주의의 '생산

양식' 측면에만 몰두해서 정작 중요한 자본주의의 '정신' 측면을 도외시하는 것을 비판하면서, 근대 자본주의 태동에 주요한 원동력으로 작용한 '자본주의 정신', 즉 '합리적인 경제 윤리'가 과연 어디에서 유래했는지를 분석해야 한다고 주장합니다.

자본주의는 왜 서구에만 존재하는가

베버는 "자본주의 정신이 자본주의의 태동과 발전을 이끌었다."라는 관념론적 가설을 세우고, 이를 검증하기 위해 역사 속에서 근거를 찾죠. 그는 이 책을 집필할 당시인 20세기 초에 자본주의가 서구에만 존재한다는 사실에 주목했어요. 이 책을 논문 형태로 연재할 당시인 1904년~1905년 경에는 산업혁명이 발발한 영국을 위시한 일부 서유럽 지역, 그리고 미국을 제외한 다른 지역에서는 자본주의의 흔적을 찾아볼 수 없었다는 거죠.

"어째서 일부의 서유럽 지역과 미국에만 자본주의가 뿌리내린 걸까? 과연 어떤 변수가 서구 일부 지역에서만 자본주의의 발전과 성숙을 촉진했을까?" 이러한 문제의식으로부터 그가 이끌어 낸 결론은 바로 이들 지역에서 융성했던 '청교도 정신', 즉 '프로테스탄트 윤리'가 바로 자본주의 발전을 이끌었다는 거예요.

그는 비교문명적 고찰을 통해 프로테스탄트의 여러 분파 중에서도 칼뱅주의(Calvinism)의 영향력이 중요하다는 점을 지적했어요. 네덜란드, 영국, 미국 등 칼뱅주의의 영향이 강한 나라에서는 근대 자본주의가 발달한 반면, 이탈리아와 스페인 등 가톨릭의 영향이 강한 국가에서는 자본주의의 발달이 늦었다는 점을 근거로 들면서 말이죠. 이러한 근거를 토대로 베버는 자본주의의 '정신'과 칼뱅주의 사이에 상관관계가 존재한다고 주장했어요.

자, 그렇다면 '칼뱅주의 프로테스탄트 윤리'란 무엇일까요?

마르틴 루터(Martin Luther, 1483~1546)

16세기 마르틴 루터(Martin Luther, 1483~1546)가 가톨릭에 대한 대대적인 저항운동, 즉 종교개혁이 일어나죠. 이 시기, "부패한 사제 없이도 하느님과 인간이 만날 수 있다."라는 교리를 갖는 교회(protestant church)로부터 지금의 개신교가 발흥하게 됩니다. 이러한 움직임 중 가장 파급력이 강한 교파를 이끈 사람이 바로 프랑스의 종교개혁가 장 칼뱅(Jean Calvin, 1509~1564)이었어요.

장 칼뱅(Jean Calvin, 1509~1564)

칼뱅주의의 핵심 사상은 '예정설(predestination)'이죠. 예정설은 각 개인이 오로지 신의 은총을 사모하며, 태초부터 확정된 운명을 따라 고독하게 자신의 길을 걷는 존재라고 가르쳐요. 선택을 받은 교인은 자신에게 맡겨진 본분을 다해 이 세상에서 신의 영광을 드높이기 위해 존재하는 도구로서의 성격을 갖고요. 이러한 예정설은 두 가지 방향으로 발전될 가능성을 내포합니다. 하나는 세상과 격리되어 오로지 신을 찬미하는 '수도원적 금욕주의'고, 다른 하나는 현세에서 소명의식에 따라 직업활동을 하면서 자신의 신앙을 입증하는 '현세적 금욕주의'죠. 칼뱅주의는 후자의 길을 걸었어요. 칼뱅주의는 '소명설'을 내세우면서 특히 부단한 직업노동이야말로 구원의 확신을 얻기 위한 가장 탁월한 수단임을 설파했어요. 그들은 직업생활이 신의 소명이며 거기에 신의 영광이 드러난다고 믿었죠. 이것은 직업노동을 통한 성실한 이윤추구를 장려하며 부의 획득과 축적을 신의 축복으로 여기게 만들었어요. 그들은 신의 영광을 위해 축적된 재산이 줄어들지 않도록 온전히 보전하고 나아가 부단한 노동을 통해 그것을 증식시키려 힘썼죠.

금욕에 기반한 합리성이 자본주의 정신의 기반

부의 축적이 신의 소명이라면 부정하거나 비양심적이거나 지나치게 탐욕스러운 태도는 용인되지 않을 것이기에, 현세적 금욕주의는 그간 전통적인 윤리에 의해 터부시되어 온 부의 획득과 축적을 정당화시키는 심리적 결과를 낳았죠. 그 결과 칼뱅주의 신도들은 근면한 노동, 금욕적 절제, 철저한 시간 관리, 재산 증식, 소명의식 등으로 스스로를 자신감 있게 무장하게 되었습니다. 베버에 따르면 바로 이러한 금욕주의가 바로 프로테스탄트의 핵심적인 윤리를 구성해요. 인류 역사상 늘 존재해 왔던 부에 대한 욕구가 자본주의를 탄생시킬 수 있었던 것은 바로 이러한 금욕에 기반한 합리성 덕분이었죠.

대부분의 기존 종교에서 부의 축적이 터부시되어 왔던 것과 달리, 지속적이며 체계적인 세속적 직업노동을 최고의 금욕주의의 실현 수단이자 동시에 신앙의 진실성에 대한 가장 확실하고 분명한 증거라고 보는 칼뱅주의 프로테스탄트의 종교적 입장이 바로 '자본주의 정신'이라 불리는 생활 태도를 형성시켰고, 이것이 자본주의의 핵심적인 동력으로 작용했다고 베버는 주장합니다.

베버가 말하는 자본주의의 '정신'은 단순한 '배금주의'나 '물질만능주의', 혹은 '무한대의 이익 추구'가 아니에요. 베버가 이야기하는 자본주의의 '정신'이란, 바로 '합리적 계산 능력과 경영 능력'을 의미한다는 점에 유념해야 해요.

> 사람들이 지독하게 비양심적으로 돈을 벌고 이익을 추구하고자 하는 것은 서구적인 척도로 보았을 때에 시민 자본주의의 발달이 '낙후되어' 있는 나라들의 전형적인 특징이자 하나의 보편적인 현상이다. 예컨대 독일과 달리 그런 나라들로부터 온 노동자들을 사용하는 이탈리아 같은 곳에서 공장들을 운영하는 모든 제조업자들이 알고 있듯이, 그런 노동자들의 '비양심적인 행동'은 그들의 나라들에서 자본주의가 발달하는 데 '주된 걸림돌' 중 하나였고, 이것은 어느 정도는 오늘날에도 마찬가지다. 자본주의에서는 제대로 훈련되지 않은 '자유의지'를 지닌 노동자들은 쓸모가 없고, 비양심적으로 행동하는 사업가도 설 자리가 없다.

이처럼 베버는 자본주의 정신에 대한 잘못된 통념과 고정관념을 바로잡으면서 자본주의 정신의 올바른 개념을 설명해요. 베버는 맹목적으로 이윤을 추구하며 타인에 대한 억압, 약탈까지도 불사하는 소위 '모험가적 자본주의'와 달리, '훈련된 노동자, 정기적 시장에 맞춰진 합리적인 산업조직'의 존재를 특징으로 하는 '합리적 자본주의'는 유독 서유럽 문명권에서만 자생적으로 발생했음을 역설합니다.

서유럽 문명권에서 자본주의를 태동시킨 칼뱅주의 프로테스탄티즘

베버가 이런 현상의 원인으로 지목한 것은 다른 문명권과는 달리 서유럽 문명권에서만 종교로서 프로테스탄티즘을 신봉했다는 사실이었죠. 종교에 깊은 관심을 가진 종교사회학자로서 베버는 여러 종교를 연구하면서 프로테스탄티즘, 특히 칼뱅주의가 다른 종교 사상과 달리 부의 추구를 정당화한다는 점을 포착해냈어요. 칼뱅주의는 인간의 운명이 태초부터 정해져 있으며, 직업 노동과 부의 축적을 신의 섭리로 받아들일 때 구원 받을 수 있다는 예정설을 담고 있죠. 즉 이윤을 추구하는 것이 신의 섭리로서 해석되기 때문에 부를 축적하는 것이 도덕적으로 허용될 뿐 아니라 신성한 것으로까지 여겨지는데, 이는 금욕적 노동을 중시하는 서구 기독교 전통에서도 매우 특수한 것이었어요.

어떤 직업의 유익성의 정도와 하느님이 기뻐하는 정도는 첫 번째로는 도덕적인 관점에서 평가되었고, 두 번째로는 그 직업이 생산해 내는 재화가 사회 전체에서 지니는 중요성의 정도에 의거해서 평가되었으며, 세 번째로는 개인경제적 이해관계와 관련해서 개인의 경제적인 '이윤'의 정도에 의해 평가되었는데, 이 중에서 실천적인 관점에서 가장 중요한 것은 세 번째였다. 하느님이 자신들의 삶의 모든 부분에서 작용한다고 믿은 청교도들은, "하느님이 어느 신자에게 이윤을 획득할 수 있는 기회를 주었다면, 거기에는 반드시 하느님의 뜻이 있을 것이고, 따라서 독실한 신자라면 당연히 그런 기회를 사용해서 이윤을 획득하여 하느님의 뜻이 이루어지게 해야 한다."라고 생각했기 때문이다.

베버에 따르면 이러한 칼뱅주의 프로테스탄티즘은 서유럽에서 합리적 자본주의의 잉태를 자극했죠. 즉 직업 노동을 강조하고 부의 추구를 장려함으로써 근대적 자본 축적을 가능하게 만드는 토대를 구축했다는 거예요. 베버는 이를 통해 돈벌이를 자신의 물질적 생활 욕구를 만족시키기 위한 '수단'이 아니라 삶의 '목적' 자체로 여기는 '자본주의 정신'이 발현됐다고 역설하고 있어요.

즉 베버가 말하는 '자본주의 정신'이란, 직업 노동을 통해 조직적이고 체계적으로 일하고, 자본을 증식시키고, 지속적으로 돈을 벌며, 물질적인 부를 자신의 가치를 증명해주는 표지로 이해하는 가치관을 의미합니다. 그리고 이런 가치관은 개신교 윤리가 탈종교화 또는 세속화되어서 생긴 가치관임을 그는 강조하죠. 서구 일부 지역에서 개신교 윤리가 종교를 떠나 모든 사람이 인정하고 따르는 보편적인 윤리가 되면서, 이런 가치관을 중심으로 자신의 삶을 체계적이고 합리적으로 조직하며 '자본주의 정신'을 삶 속에서 구현한 사람들은 인간으로서 인정받고 존경받게 되었음을 베버는 지적하고 있어요.

청교도적인 인생관이 영향을 미친 모든 곳에서는 시민 계층의 합리적인 경제적 생활양식으로의 발전이 촉진되었고, 이것은 이러한 인생관이 자본 축적을 촉진시킨 것보다 훨씬 더 중요한 것이었다. 청교도적인 인생관은 합리적인 경제적 생활양식의 가장 본질적인 주역이었고, 무엇보다도 사회적으로 가장 일관되게 그러한 생활양식을 담아낸 주역이었다. 청교도적 인생관은 근대적인 '경제적 인간'의 요람이었다. 근대적인 자본주의 정신, 좀 더 일반적으로는 근대적인 문화 전반의 본질적인 구성요소들 중의 하나는 직업을 소명으로 여기는 사상을 토대로 해서 인간의 삶을 합리적으로 조직하는 것이었고, 그런 식으로 조직된 생활양식은 기독교적인 금욕주의의 정신으로부터 출현했다는 것이 우리의 논의를 통해 증명하고자 한 것이었다.

여러분, 어떠신가요? '세속적 금욕주의'로 대변되는 프로테스탄트의 윤리가 자본주의 발달의 원동력이 되었다는 베버의 주장에 설득력이 있다고 여겨지시나요?

'자본주의 정신'은 사라지고 '자본주의'만 남은 현실

자, 그럼 우리가 살아가고 있는 지금 시점에서는 베버의 주장을 어떻게 받아들일 수 있을까요?

근대 자본주의가 태동하던 무렵과 현대 사이에는 시간의 격차만큼이나 많은 차이가 존재하죠. 베버는 20세기 초인 당시에도 이러한 현실을 분명히 인식하고 이렇게 적고 있어요. "청교도들은 직업에 전념하는 인간이 되기를 '원했던' 반면에, 우리 현대인들은 그런 인간이 '될 수밖에 없는' 현실을 살고 있다."라고 말이죠. 우리는 생존을 위해 금욕적 직업 윤리를 끊임없이 교육 받고 거기에 맞춰 살아가고 있지만, 사실 금욕주의와 자본주의 정신이라는 거창한 관념은 이미 사라진 지 오래고 자본주의만 남아 버린 게 현실이죠. 오늘날 대부분의 사람들이 일하는 까닭은 결국 심플하게 돈 때문이지 '신의 영광을 위해' 직장을 다니는 사람은 드물 테니까요. 그는 자본주의 정신이 어디서 나왔는지를 보여 주는 데서 그치지 않고, 당대의 현주소를 진단하고 앞날을 예측하는 작업까지 수행하고 있죠.

> 오늘날 인간이 갇혀 있는 이 쇠창살 안에서 금욕주의는 사라져 버렸고, 이것이 일시적인 현상일지, 아니면 영속적으로 이어질 현상일지는 아무도 알 수 없다. 어쨌든 이제 역사 속에서 승리해서 하나의 강력한 틀과 기제로 굳건하게 자리를 잡은 자본주의는 금욕주의라는 지지대가 필요하지 않다. 이 금욕주의의 상속자로서 처음에는 금욕주의를 기분 좋게 이어받아서 장밋빛 전망을 내놓았던 계몽주의도 이제는 결국 빛을 잃어가고 있는 것으로 보이고, '소명으로서의 직업' 사상도 옛 종교와 신앙의 망령이 되어 우리의 삶 속에서 서성이고 있을 뿐 실질적인 힘을 발휘하지는 못하고 있다.

베버는 오늘날의 사람들이 직업을 최고의 정신 문화적인 가치들과 직접적으로 연결하는 것이 불가능해졌기 때문에 직업에 어떤 의미를 부여하고자 하는 시도를 단념해 버린다고 지적하죠. 극단적으로 말해 요즘의 직업이란 그저 '돈벌이 수단'일 뿐이라는 거예요. 영리 추구에 부여돼 있던 종교적이고 윤리적인 의미가 거의 사라지게 된 오늘날, 영리를 추구하는 행위는 순전히 '경쟁욕'과 결부되어 마치 '스포츠'와 같은 양상을 띠게 된다는 점을 베버는 경고하고 있어요.

베버의 종교적 분석에 크게 설득력을 못 느끼더라도, 오늘날 돈벌이가 '스포츠'가 되어버렸다는 현실 진단에는 대체로 다들 공감할 거예요. 일례로 최근에 일어났던 '코인 광풍'이 보여주듯, 투자 행태도 건전한 의식에 기반한 것이 아닌, 마치 게임 같은 투기 형태로 변모해 가는 양상을 띠고 있죠. 이건 노동이 신성하다는 의식과는 거리가 먼 한탕주의의 반영이고요. 현대인들은 마치 경마에 큰 돈을 건 사람처럼 늘 불안하고 초조해 하죠. 더 빨리, 더 많은 재산을 모아야 한다는 강박관념 때문이에요. 가만히 있으면 단지 정체되는 것이 아니라 남들에게 뒤처져 '벼락거지'가 되어 버릴지도 모른다는 편집중적 스트레스에서 자유로운 사람이 거의 없는 것이 현실이죠.

이러한 현상이 과연 탈종교화 때문인지, 아니면 자본주의에 내재한 어떤 고유한 특성 때문인지는 보는 사람의 시각에 따라 달리 해석될 수 있을 거예요. 사회 현상의 인과 관계에 어떤 단일하고 확정적인 정답은 없으니까요. 하지만 프로테스탄트 윤리에 대한 베버의 종교적 분석이 현실의 일면을 적실성 있게 진단하는 설명력을 갖고 있다면, 자본주의의 태동과 경과를 설명하는 하나의 이론으로서 충분히 참고할 만한 가치가 있다는 의미일 거예요.

베버는 바로 이 점에 대해서도 분명히 인식하고 있어요. 자신이 비판하는 마르크스의 유물론에 오류가 존재하듯, 그에 반박하여 자신이 내세우는 관념론조차도 자본주의의 인과 관계에 대한 최종적이고 유일한 결론이 결코 될 수 없다는 점을요. 결국 베버는 사회 현상을 적확히 분석하고 예측하기 위해서는 어떤 특정한 이론을 비판하여 기각시키는 게 목표가 되어서는 안 되며, 오류의 지적과 비판을 통해 이론을 보완하고 발전적으로 종합하는 것이 중요하다고 본 거죠.

이 책을 제대로 읽어내기 위해서는 특정한 종교에 사로잡히기보다는 베버가 명증히 보여주고자 하는 실증적 사회과학의 방법론과 가설 검증 과정에 집중해야 해요. 베버는 철저히 과학적인 연구를 지향했어요. 단지 서술적이거나 귀납적인 방식으로는 사회현상의 인과 관계를 명확히 증명해낼 수 없다는 견지에서 말이죠. 그는 마치 과학실험을 행하듯 자신의 가설을 비교문명적인 견지에서 검증해내며 사회현상을 설명하는 이론을 구축했습니다.

자, 여러분은 자본주의의 기원에 대해 어떻게 설명하시겠어요? 무엇이 자본주의의 태동과 발전을 촉진했다고 생각하시나요? 거듭 말했듯 자본주의의 기원과 경과에 대한 해석은 연구를 수행하는 자의 관점에 따라 달라질 수 있죠. 사회 현상은 다양한 변수의 상호작용의 결과이며 인과 관계에는 정답이 없기 때문에, 타당한 가설 검증을 수행하는 다양한 이론들을 참고하며 나만의 관점을 바로세우는 것이 가장 중요합니다. 막스 베버의『프로테스탄트 윤리와 자본주의 정신』을 차근차근 읽으면서, 자본주의에 대한 여러분만의 관점을 정립해 보는 시간 가져보시는 건 어떨까요?

7. 라인홀드 니부어,
『도덕적 인간과 비도덕적 사회』(1932)

　여러분, 어떤 지역 주민들이 피켓을 들고 무언가를 반대하는 시위를 벌이는 광경을 보신 적이 있나요? 주로 쓰레기 소각장이나 원자력 발전소, 방사성 폐기물 처리장 등 비선호시설의 입지 선정 문제를 둘러싸고 이러한 시위가 벌어지곤 하죠. 주민들이 자기가 사는 지역에 공해를 유발하거나 땅값을 떨어뜨리는 시설이 들어오는 것을 반대하는 것을 가리켜 '님비(NIMBY: Not in My Back Yard) 현상'이라고 합니다. 님비 현상과는 반대로, 지하철역, 기차역, 병원, 버스터미널 등의 선호시설을 자기네 지역으로 끌어오려 하는 '핌피(PIMFY: Please in My Front Yard) 현상'도 주변에서 흔히 볼 수 있는 일이 되었죠. 님비 현상과 핌피 현상 모두 공익보다 집단의 사적인 이익을 앞세우는 집단 이기주의를 상징하는 용어로 널리 알려져 있습니다. 시위를 벌이는 주민 개개인이

얼마나 점잖고 도덕적인 사람들인가의 여부와는 별개로, 그들이 합세하여 벌이는 집단 이익의 추구는 매우 집요하고 공격적인 양상을 띠는 것이 사실이죠. 뭉치면 더욱 용감해지기 때문일까요? 아니면 개인보다 집단의 본성이 더욱 악하고 이기적이기 때문일까요?

라인홀드 니부어(Karl Paul Reinhold Niebuhr, 1892~1971)

개인보다 집단과 사회가 본질적으로 비도덕적이라면, 그러한 하자를 어떻게 보완하고 극복할 수 있을까요? 이 같은 인간의 본성과 사회의 본질에 대한 근원적인 물음에 대한 답을 모색하는 학자가 있습니다. 바로 미국의 신학자이자 국제정치학자인 라인홀드 니부어(Karl Paul

Reinhold Niebuhr, 1892~1971)입니다. 그는 자신의 대표 저작『도덕적 인간과 비도덕적 사회(Moral Man and Immoral Society)』(1932)를 통해 인간이 이루는 집단과 사회가 왜 더욱 낮은 도덕성을 보이는지, 그리고 이러한 문제는 어떻게 해결할 수 있는지의 문제에 대해 깊이 고찰합니다.

인간은 이기적이며, 집단은 훨씬 더 이기적이다

우선 이 책이 어떠한 시대적 배경 속에서 쓰여졌는지부터 살펴볼게요. 이 책은 1932년에 출간됐어요. 당시의 시대상을 떠올려 본다면 '사회가 비도덕적'이라고 못박는 니부어의 단호한 주장이 충분히 이해가 갈 거예요. 1919년 베르사유 조약으로 제1차 세계대전이 마무리되고 '평화 원칙'에 의거하여 이듬해 국제연맹(League of Nations)이 탄생하면서 1920년대 전반에 걸쳐 전 세계에 낙관주의의 기운이 팽배해 있었죠. 하지만 1930년대로 접어들면서 많은 이들의 사고를 지배하던 이상주의적 세계관에 먹구름이 드리우기 시작했어요. 국제연맹은 세계 곳곳에서 터지는 분쟁에 무력한 모습을 보이며 한계를 드러냈고, 경제적으로는 전례 없는 대공황이 터지는 한편, 정치적으로는 나치즘(Nazism)과 파시즘(Fascism)이라는 새로운 현상이 나타났던 거죠.

1918년 12월 25일 뉴욕타임스(New York Times)에 게재된 국제연맹 홍보 기사

이처럼 1930년대 초반은 세계가 정치적·경제적으로 전대미문의 새로운 위기에 봉착한 시기였어요. 이 책의 저자인 니부어가 바로 이러한 전환기적 위기에 당도하여 인류 사회가 나아갈 올바른 길에 대해 고민했던 거죠. 그는 1920년대를 거치면서 스스로 모순을 드러낸 낙관주의와 이상주의를 비판하면서, 신학자로서 기독교적 관점에서 위기를 타개하기 위한 현실적인 분석과 처방을 제시하고 있어요. 그 치열한 작

업의 결과물이 바로 이 책, 『도덕적 인간과 비도덕적 사회』입니다.

이 책의 주된 키워드는 '현실주의'예요. 니부어의 현실주의 사상은 인간이 이기적인 존재라는 인간 본성에 대한 규정에 뿌리를 두고 있어요. 그는 인간이 근본적으로 원죄를 지닌 존재이며, 인간의 본성 속에 권력을 향한 욕망이 깊숙이 내재해 있다고 보았어요. 이 때문에 인간의 이성과 과학만으로는 윤리와 도덕의 문제를 해결할 수가 없다고 그는 지적하죠. 그는 자만심과 자기애에 대한 반성과 성찰, 신(神)의 윤리를 실현하려는 종교적 노력을 통해 인간이 원죄를 극복하려고 끊임없이 노력해야 하며, 특히 민주주의와 같은 정치적 기제를 통해 인간 스스로 권력욕을 지속적으로 견제하고 억제해야 한다고 역설했어요. 당시의 혼란상 속에서 그가 나치즘을 척결하기 위해 전쟁이 불가피하다고 주장하고, 특히 신흥 강대국으로 떠오른 미국이 참전해야 한다고 목소리를 높였던 건 바로 이러한 논리에 기반해 있던 거죠. 즉 물리적인 강제력 없이 평화를 달성한다는 건 순진한 망상에 불과하다는 것이 그의 현실주의를 구성하는 기본 생각이었어요.

이 같은 니부어의 현실주의적 시각에 따르면 인간 개개인도 딱히 도덕적으로 완전무결한 존재는 아니죠. 사람이 간혹 자신의 이해관계보다 타인의 이해관계를 앞세우는 순간들도 있긴 하지만, 기본적으로 자신의 안위를 최우선으로 여기는 이기적인 존재라는 대명제에는 변함이 없으니까요. 그럼에도 불구하고 그가 이 책의 제목에서 굳이 인간을 '도덕적'이라고 표현한 것에는, '상대적으로'라는 전제가 숨겨져 있다는 걸 간과해서는 안 돼요. 사회에 비해서는 '상대적으로' 도덕적이라는 의미죠. 인간이 학습에 의해서 정의 관념을 습득하거나 공감 능력을 발달시킬 수 있는 존재인 데 반해, 사회는 그렇지 못하다는 점에서 비도덕적인 실체로 규정되고 있어요. 여기서 사회란 인종, 민족, 계급, 국가 등 개인을 넘어서는 다양한 형태의 집단들을 포괄하죠. 개인이 일단 집단에 편입되면 더욱 이기적이고 비도덕적인 성향을 띠게 되고, 따라서 사회는 개인보다 훨씬 비도덕적으로 편향된다는 것이 이 책의 핵심 주장이죠. 실제로 니부어도 인정했듯이, 이 책의 제목은 『도덕적 인간과 비도덕적 사회』보다는 『비도덕적 인간과 훨씬 더 비도덕적인 사회(Immoral Man and Even More Immoral Society)』가 더욱 잘 어울리는 게 사실이에요.

니부어가 이 책에서 탐구하고 있는 핵심 주제는 크게 다음의 두 가지예요.

첫째, 인간 사회가 왜 비도덕적인가에 대한 분석,
둘째, 인간 사회의 비도덕성을 극복하기 위한 제언.

그럼 지금부터 각 주제에 대해 니부어가 어떤 주장을 펴고 있는지 자세히 들여다볼게요.

인간 사회는 왜 비도덕적인가

우선 '인간 사회가 왜 비도덕적인가?'를 설명하기 위해 니부어는 많은 지면을 할애하고 있어요. 니부어가 보기에 인간 집단은 윤리적 관계보다 힘의 역학 관계에 의해 규정되는 정치적 관계가 지배적이죠. 이에 따르면 집단 사이에 작용하는 운동의 강제성을 부정할 수가 없어요. 니부어는 집단과 집단 사이에서 이익의 충돌이 발생할 경우, 조정과 협상에 의해서 문제가 해결되는 게 아니라, 집단이 갖고 있는 힘에 의거해서 해결되는 것이 일반적이라는 점을 분명히 지적합니다. 당시 자유주의적 사회학자나 교육학자, 신학자들은 이러한 개인의 도덕성과 집단의 도덕성 간의 차이를 도외시하고, 인간의 합리성을 통해 집단적 이기주의를 견제하고 '조정과 타협'을 통해 문제를 해결할 수 있다는 주장을 펴고 있었는데, 니부어는 이들의 견해가 잘못된 생각이라고 비판했어요. 니부어에 따르면 '조정과 타협'으로 대변되는 합리성이란 기득권층의 합리성일 수밖에 없고, 무엇보다 집단 간의 힘의 불균형으로 야기된 문제는 그 힘의 불균형이 그대로 남아있는 한 절대로 해결될 수가 없기 때문이죠. 힘의 불균형으로 인해 끊임없이 재생산되는 기득권층의 '도덕적 정당화'가 집단 행동의 비도덕성과 위선성을 빚어내는 원천이라고 주장하면서, 니부어는 이렇게 지적하고 있어요.

> 개인들에게는 인간의 집단 행위를 양심에 대한 폭행으로 만드는 도덕률이 있다. 따라서 그들은 참된 사실들에 대한 낭만적이고 도덕적인 해석을 창안해 내고, 또 집단적 행동의 참된 성격을 드러내기보다는 오히려 불명확하게 만들고 싶어한다. 종종 그들은 자신들이 범한 잔인성에 대해서와 마찬가지로 그들이 고통받는 잔인성에 대해서도 도덕적 정당성을 부여하고자 한다. 인간의 집단적 행동의 위선이 자기 정당화로서뿐만 아니라 인간 행위 일반에 대한 도덕적 정당화로서도

그 위선적 성격을 드러낸다는 사실은 인간 정신의 비극이며, 인간의
집단적 생활을 개인적인 이상에 일치시킬 수 없음을 상징한다.
개인으로서 사람들은 그들이 서로 사랑하고 봉사해야 한다는 것과 서
로 간의 정의를 확립해야 한다는 사실을 믿고 있다. 그런데 인종적·
경제적·국가적 집단에 속한 구성원으로서의 개인들은 집단의 힘이
명하는 것이면 무엇이든지 한다.

이처럼 구성원들의 충성심과 이타심이 오직 집단으로만 향하게 만
드는 집단 고유의 응집력 때문에 집단이 더욱 이기적이고 위선적인 성
향을 띠게 된다고 니부어는 지적하고 있어요. 집단이 커질수록 그 안에
속한 개인의 힘으로 집단의 오류를 바로잡기가 어렵기 때문에 더더욱
그런 속성은 강화된다고 덧붙이면서 말이죠.

집단의 이기성과 비도덕성을 보여주는 대표적인 사례로 언급되는
것이 바로 민족국가(nation state)죠. 니부어는 민족의 이기심이 대중의
맹목적인 애국심, 그리고 지배 계급의 책략과 결합하여 더욱 강력해진
다고 주장해요. 정부를 장악한 지배 계급은 자신의 이익과 이해관계를
최대한 관철시키기 위해 국민들의 행동과 사상 체계를 통일시키고, 선
동을 통해 감정을 자극함으로써 집단 이기주의를 고양시킨다는 거죠.
이것이 바로 개인의 이타주의가 국가의 이기주의로 전환되는 '애국심
의 역설'이에요. 니부어는 다음과 같이 지적하고 있습니다.

애국심에는 윤리적 역설(ethical paradox)이 내재되어 있다. 왜냐하면
애국심은 개인의 희생적인 이타심을 국가의 이기심으로 전환해 버리

기 때문이다.

국가에 대한 충성심을 저열한 충성심이나 지역에 한정된 향토애에 비교해 보면, 그것은 고차원적인 형태의 이타주의(altruism)임이 분명하다. 따라서 국가에 대한 충성심은 여타의 모든 이타적 충동의 원천임과 동시에 국가에 대한 개인의 비판적 태도를 완전히 말살해 버리는 열정의 형태로 드러나는 일이 자주 있다. 이와 같은 헌신적인 충성의 맹목적인 성격이야말로 국가권력의 기초이며, 또한 도덕적 제한을 받지 않고 무한대로 권력을 사용할 수 있는 자유의 토대이다.

이리하여 개인의 비이기성은 국가의 이기성으로 전환된다. 바로 이때문에 개인들의 사회적 동정심의 확산만으로 인류의 사회문제를 해결해 보려는 희망은 결국 헛된 망상이 되는 것이다. 이타적 열정을 이처럼 민족주의, 좀 심하게는 국수주의로 바꾸기는 쉬워도, 인류 전체를 향한 열정으로 바꾸기는 정말로 어렵다. 왜냐하면 인류 공동체에 대한 충성심이라는 것은 너무 막연하기 때문이다.

이처럼 개인의 이타심이나 사회적 동정심이 확산되면 인류 전체의 문제가 해결될 수 있으리라고 믿는 것은 비현실적인 망상에 불과하다고 니부어는 주장하죠. 한편 국가가 국제사회의 발전을 위해 노력한다고 해서 인류의 문제가 해결될 수 있는 것도 아니라고 그는 지적해요. 왜냐하면 국가의 노력은 아무리 고상하게 치장하더라도 실질적으로는 대부분 국익을 위한 것이기 때문이죠.

이러한 위선적인 국가 이익 추구의 사례로 니부어가 들고 있는 것이 바로 19세기 말 미국-스페인 전쟁(Spanish-American War, 1898)에서

미국-스페인 전쟁(Spanish-American War, 1898) 중 산후안 고지에서의 전투 모습

드러난 미국의 행태예요. 당시 신흥 강국으로 떠오른 미국이 아메리카 대륙에서 스페인을 몰아내기 위해 카리브해를 장악했던 것은 누가 봐도 명백히 제국주의적 충동의 발현이었죠. 하지만 당시 매킨리(William McKinley, Jr., 1843~1901) 미국 대통령은 전쟁을 일으킨 자국의 행위를 '인류에 대한 의무를 완수하려는 진지하고 희생적인 노력'으로 묘사하며, 모두가 곧 이에 감사를 표할 것이라고 선언하여 논란의 중심에 섰죠. 또 미국의 한 지식인은 '우리가 쿠바에서 했던 일은 피정복민에게 이득이 되는 일, 예를 들면 위생 상태의 개선과 같이 그들에게 유익한 일만을 위한 정복이었다는 점에서 역사의 신기원을 열어 놓는 단초가 될 것'이라는 식으로 자화자찬하기도 했고요. 니부어는 당시 미국이 표면적으로 내세운 반제국주의(反帝國主義, Anti-imperialism)가 사실 위선적인 국가이익을 추구하기 위한 수단이었다고 비판하면서도, 바로 이러한 위선이 국제 관계의 법칙임을 인정하죠.

모든 사회 집단은 제국주의적 야심을 발전시키는 경향이 있다. 이 야심은 그 집단의 지도자들과 특권 계급의 탐욕에 의해 가중되기는 하지만, 그렇다고 그것이 유일한 원인은 아니다. 모든 집단은 개인과 마찬가지로, 생존의 본능에 뿌리를 두면서 동시에 그것을 넘어서려고 하는 팽창적인 욕망을 갖고 있다. 삶에 대한 의지(will-to-live)는 권력 의지로 전환된다. 자연은 아주 가끔 공격의 도구가 될 수 없는 방어용 무기들을 제공해 준다. 상상력이 자신의 이상으로 세운 권력과 영예를 결코 실현할 수 없는 일반 사람들의 좌절감은 그들로 하여금 자발적으로 자신들의 집단의 제국주의적 야심을 위한 도구나 희생물이 되게끔 한다. 좌절된 개인적 야심이 그들이 속한 국가의 권력과 강대함에서 일정한 만족을 얻게 하는 것이다. 경쟁하는 국가 집단들의 권력 의지는 바로 국제적 무정부 상태를 야기하는 원인이다.

니부어가 지적하듯 집단이 마치 생물처럼 고유한 생존 본능을 갖고 있고, 그로부터 팽창적 욕망과 권력 의지가 뻗쳐 나가는 거라면, 이들과 세트를 이루는 위선과 비도덕성 또한 집단의 본질적인 성향으로 받아들일 수밖에 없겠죠. 그렇다면 필연적으로 따라오는 질문은 바로 "집단의 비도덕성을 어떻게 극복할 수 있는가?"의 문제가 될 거예요. 이것이 바로 이 책을 구성하는 또 하나의 핵심적인 이슈죠.

인간 사회의 비도덕성을 어떻게 극복할 것인가

집단의 비도덕성을 어떻게 극복할 것인가? 참 어려운 문제가 아닐 수 없죠. 앞서 살펴봤듯 집단의 비도덕성은 집단에 내재해 있는 고유한 본질과도 같은 것이기에 비도덕적인 집단을 도덕적인 실체로 단번에 탈바꿈시키는 건 불가능에 가까운 게 사실이죠. 니부어가 관심 있었던 건 도덕적 사회를 '뿅!' 하고 탄생시키는 작업이 아니었어요. 집단의 비도덕성은 디폴트로 받아들이더라도, 그러한 비도덕성을 조금이라도 완화하고 사람들이 좀 더 평화롭게 살아갈 수 있는 방안을 그는 찾고 있었던 거죠.

니부어는 문제 해결의 방도를 찾기 위해 문제의 근원을 탐색했어요. 그가 사회 혼란과 무질서의 원인으로 지목한 것은 바로 계급 갈등이었어요. 그는 현대의 산업사회에서 경제력이 정치적 권위나 군사력에 비해 더욱 강력한 통제력을 갖는다는 사실을 발견하고, 경제적 지배 계급이 때로 국가의 제도를 자신의 목적에 복종시키거나 국가의 권위를 완전히 무시하는 등의 사례들이 발생하고 있음을 포착했죠. 경제적 지배 계급의 이익이 국내 정책을 넘어 외교 정책에까지 침투해서 국제 분쟁의 씨앗이 되고 있다는 점 또한 그는 발견했어요. 이를테면 산업자본가들이 더 많은 부를 창출하기 위해 타국 정부를 상대로 원료와 시장에 대한 자신들의 요구를 관철시키려 하거나, 지구상의 미개발 지역에 대한 이권을 둘러싸고 비우호적인 충돌을 감행하는 등 경제력이 촉발하는 국제적 무질서와 사회적 혼란이 날로 증가하고 있다고 니부어는 평가합니다.

지배 계급은 자국 국민들과 타국 국민들의 희생을 대가로 특권을 취하고 이를 더욱 공고화시키면서 계급갈등과 국제분쟁을 심화시키는데, 이 과정이 너무나 체계적이고 교묘해서 그들의 계급적 특권을 무너뜨리기가 어렵다는 점을 니부어는 지적하죠.

> 특권적인 지배 계급의 도덕적 태도는 전반적으로 자기 기만과 위선이라는 특징을 지닌다. 자신의 특수 이익을 일반 이익 및 보편적 가치와 의식적으로 혹은 무의식적으로 동일시하는 것은 이미 국가의 태도를 고찰할 때 살펴본 것이지만 계급의 태도에도 그대로 적용될 수 있다. 특권 계급이 비특권 계급에 비해 더 위선적인 이유는, 자신의 특권을 평등한 정의라는 합리적 이상에 의해 옹호하기 위해 특권이 전체의 선에 뭔가 기여할 수 있다는 것을 증명하려 하기 때문이다. 특권의 불평등 상태는 합리적 변호에 의해서는 정당화될 수 없을 만큼 심화되어 있기 때문에, 특권 계급은 온갖 머리를 짜내어 일반적으로 보편적 가치는 자신들의 특권 자체에서 비롯된다는 이론, 그리고 자신들의 특권이 보편적 이익에 봉사한다는 이론을 옹호할 수 있는 교묘한 증거와 논증을 창안해 내려고 노력한다.

　　이처럼 지배 계급은 항상 자신들이 정의와 평화를 추구한다는 대의를 내세우는데, 대중은 본능적으로 폭력을 싫어하기 때문에 지배 계급의 현상 유지 계획에 쉽게 동조하게 된다고 니부어는 지적해요. 즉 지배 계급은 자신들을 가장 순수하고 정의로운 평화주의자로 포장하고 대중들은 너무나 간단하게 이러한 겉치레에 속아 넘어가지만, 사실상 그 배후에는 지배 계급의 계급적 특권과 이기주의, 그리고 위선이 작동하고 있다는 거예요.

이처럼 문제의 발단이 계급 갈등이라면, '정의와 평화를 진정으로 실현할 수 있는 능력과 의지를 가진 계급이 지배하는 세상은 좀 다르지 않을까?'라는 발상이 가능하죠. 계급적 특권을 취하는 데 골몰하지 않고, 공익과 대의를 위해 헌신할 수 있는 계급이 지배 계급이 된다면 상황은 좀 더 나아질 테니까요. 이게 바로 니부어가 프롤레타리아 계급의 잠재력에 관심을 기울인 이유예요. 프롤레타리아 계급, 즉 무산 계급이란 '생산 수단을 갖고 있지 않아서 생존을 위해 부득이 자신의 노동력을 판매해야 하는 현대 임금 노동자'를 의미하죠. 니부어는 프롤레타리아 계급이 기존 지배 계급의 위선과 자기 기만을 가장 예리하게 인식하는 계급으로서 사회를 더 나은 방향으로 이끌어나갈 수 있는 잠재력을 가진 세력이라고 주장했어요.

하지만 프롤레타리아 계급에도 한계가 있음을 니부어는 분명히 지적하고 있어요. 그에 따르면 프롤레타리아 계급의 경우 부르주아 계급 특유의 가식과 위선은 없지만, 부르주아의 가식을 벗겨내는 과정에서 '도덕적 냉소주의'를 장착하게 된다는 점이 문제죠. 뿐만 아니라 프롤레타리아 계급 내면에도 복합적인 사고와 감정들, 이를테면 복수심, 보상 심리, 그리고 특유의 계급 이기주의 등이 존재하는데, 사회 발전을 위한 노력에 방해가 되는 이러한 요소들을 극복하지 못하면 이상의 실현은 요원해질 수밖에 없다는 점을 니부어는 날카롭게 지적하고 있어요.

나아가 니부어는 프롤레타리아 혁명이 일어날 가능성 자체를 낮게 보았고, 만약 혁명이 일어난다 해도 성공할 가능성 또한 크지 않다고 봤어요. 소련과 같은 농업 사회나 제3세계에서라면 모를까, 사회의 복잡성이 나날이 커지는 서구 사회에서는 혁명이 성공할 가능성이 낮다고 평가한 거죠. 니부어가 보기에 프롤레타리아 혁명의 비전은 지나치게 단순했고, 애국주의나 민족주의와 같은 정치적 이데올로기에 비해 취약했음은 물론, 프롤레타리아 계급 내부 분열 문제도 심화되는 등 여러 한계가 노정되고 있었어요. 나아가 니부어는 만에 하나 프롤레타리아 혁명이 성공하더라도 사회 정의와 평등한 평화가 유지될 가능성은 더더욱 낮다고 평가절하하죠. 공산주의 사회 또한 하나의 집단인 이상, 집단이 갖는 본질적인 특성인 비도덕성과 계급 갈등으로부터 자유로울 수 없을 뿐만 아니라, 결정적으로 공산주의 사회가 이러한 문제를 자체적으로 해결할 시스템을 결여하고 있다고 그는 신랄하게 비판해요. 소련에서 혁명이 일어난 후 국가가 사라지기는커녕 오히려 관료 집단이 비대해지고 국가 권력 또한 강화된 현실의 사례를 근거로 들면서 말이죠. 이처럼 특권 계급과 프롤레타리아 계급 모두를 비판하는 양비론적 시각을 보이면서 그는 다시 원점으로 돌아와서 "집단의 비도덕성을 극복할 수 있는 진짜 방안은 무엇인가?"에 대해 담담하게 논하고 있어요.

정치적 힘을 통한 집단 비도덕성의 극복

결론적으로 그가 주장하는 것은 집단이 '정치적 힘'을 통해서 비도덕성을 극복할 수 있다는 거예요. 즉 인간 집단과 사회가 적절한 강제력을 구사하며 정의를 달성해 나가야 한다는 거죠. 여기서 강제력이란 폭력적·비폭력적 수단을 모두 포함해요. 그는 이기적인 인간 본성에 기반을 둔 집단의 본질을 고려할 때, 집단 및 집단 간 관계에서 평화와 안정을 도모하기 위해서는 불가피하게 일정 수준의 강제력을 동원해야 한다고 보고 있어요. 지극히 사적인 집단을 제외한 대부분의 조직들은 집단 자체의 이해관계를 갖고 있기 때문에 도덕성이 아닌 이기적 충동에 의거해 움직이기 쉽다는 정치적 속성을 갖고 있다고 그는 지적하죠. 그는 정치 과정에서 강제력, 특히 폭력을 회피하는 것이 선(善)이요, 정의(正義)라고 보는 시각을 순진한 위선에 불과하다고 보면서 강하게 비판하는 현실주의적 면모를 보입니다.

그는 폭력적 강제력과 비폭력적 강제력 둘 중에 어떤 것이 더 윤리적인가에 대한 판단도 섣불리 내려서는 안 된다고 경고하죠. 그는 집단에 동원된 폭력과 비폭력의 도덕성에 대한 상대적인 판단은 선험적으로는 불가능하며, 경험적으로 각각의 결과를 고려해야만 내려질 수 있다는 입장을 견지해요. 사람들은 대개 막연하게 "부득이하게 강제력을 동원해야 한다면 비폭력적인 수단이 그래도 좀 더 낫지 않을까?"라고 생각하기 쉽지만, 사실 비폭력적인 강제력이 폭력적 강제력보다 더욱 파괴적인 결과를 야기할 수 있다는 점을 고려하면 어느 쪽이 더 도덕적인가의 문제는 개인의 도덕성을 판단하듯 심플하게 판단할 수 있는 영역의 문제가 아니라는 점을 니부어는 지적하고 있어요.

폭력은 선험적인 근거들을 이유로 배제될 수 없다. 이는 직접적인 폭력의 결과를 비폭력의 결과와 구별할 수 없는 경우가 많다는 사실을 고려할 때 더욱 그러하다. 따라서 폭력과 비폭력 간의 차이는 비록 의미 있는 구별이긴 해도 절대적인 것은 아니므로, 이런 구별을 할 때는 항상 세심한 주의를 기울여야 할 것이다.

예를 들어 비폭력을 주장했던 간디의 영국 면화 배격 운동은 결과적으로 맨체스터 지방의 어린이들이 영양실조에 걸리게끔 했으며, 세계 대전 중 연합국의 독일 봉쇄는 수많은 독일 어린이를 기아에 시달리게 했다.

생명과 재산에 결정적인 위협을 가하지 않고서, 그리고 잘못한 사람뿐만 아니라 잘못이 없는 사람도 함께 위협하지 않고서 한 집단을 강제하기란 사실상 불가능하다. 이와 같은 것들이 바로 복잡한 집단 간의 관계에 담겨 있는 요소들이다. 그리고 이런 이유들로 인해서 개인 관계의 윤리를 무비판적으로 집단 관계에 적용해서는 안 되는 것이다.

"개인 간의 윤리가 집단 관계에 적용될 수 없다. 즉 집단 관계에 적용되는 고유한 윤리 체계가 따로 존재한다." 이것이 바로 니부어의 핵심적인 주장이죠. 니부어가 강제력의 필요성을 역설했다고 해서 그를 폭력 옹호자로 오해하면 안 돼요. 그는 다만 개인의 신념이 아닌 사회 정의를 달성하기 위해서는 그 정당성을 설득하는 것뿐 아니라 그것을 실현시킬 수 있는 정치적 힘의 관계도 면밀하게 고려해야 한다고 강조했던 거죠. 그가 나치즘을 막기 위해 미국의 참전이라는 폭력적 수단의 활용을 촉구했던 것은 폭력 그 자체를 위한 것이 아니라 당시 현실적으로 나치즘이라는 부정의를 막을 수 있는 거의 유일한 대안이 미국의 힘이라고 판단한 정치적 고려에 의거한 것임을 이해해야 하죠.

니부어는 현대 사회가 복잡한 양상을 띠는 만큼 하나의 이론이나 원칙으로 사회 갈등과 대립을 해소할 수 없기 때문에 사회 정의를 구현하기 위해서는 다차원적인 정치적 고려가 반드시 필요하다고 주장했어요. 이를테면 인류 사회의 정의 구현을 위해 공산주의가 표방하는 폭력적인 혁명이 현실적 대안이 될 수 없다는 점을 그는 지적하면서도, 공산주의의 이상이 사회적 평등과 정의의 실현에 기여하는 바가 있다는 점은 인정했어요. 그는 폭력적인 혁명이 사회 정의라는 궁극적인 목적을 달성해 가는 과정에서 폭력적 수단에 매몰될 위험이 다분하므로 이성적으로 통제할 필요가 있다고 주장했죠. 그러면서도 이성이 사회 정의를 실현하려는 혁명의 이상을 완전히 질식사시켜서는 안 된다는 점을 강조했어요. 그만큼 집단 간의 정치 과정은 대단히 복잡하고 세심한 고려와 판단이 필요한 영역이라는 거죠. 이러한 니부어의 지적은 여러 정치적 주체들의 입장을 대의에 비추어 세심하게 고려하고 그들 간의 우선 순위를 설정하되 조화롭게 운용해 나가는 것이 집단의 건전성과 지속 가능성에 유의미한 영향을 미친다는 것을 시사한다고 볼 수 있어요.

니부어에 따르면 집단 간의 관계는 개인 간의 관계와는 별개인 고유의 작동 원리를 가지고 있죠. 집단 간의 관계에서 각 집단의 이해관계와 이기주의가 충돌할 경우 종교, 교육, 이성, 양심 등의 개인 윤리적 접근으로는 갈등을 해결할 수 없기 때문에, 불가피하게 집단 간의 투쟁과 같은 강제력이 동원될 수 밖에 없다는 것이 니부어의 핵심적인 생각이고요. 하지만 니부어는 가급적 강제적 수단의 사용을 최소화하고 폭력의 동원에 신중해야 한다는 점을 강조하죠. 사회 집단의 악(惡)을 견제하기 위해 강제력을 사용할 경우 당장은 폭력을 억제할 수 있을지 모르지만 그 결과 다른 폭력이 나타나는 악순환이 계속되기 때문이에요.

중요한 것은 '강제 없이 완전히 평화롭고 정의로운 사회를 건설하는 것'이 아니라, '강제력을 가능한 한 비폭력적으로 운용하여 충분한 정의를 실현하는 것'이라는 니부어의 지적은 집단 간의 이해 갈등과 충돌이 더욱 복잡하고 파괴적인 양상을 띠어가는 오늘날의 현대 사회에도 시사하는 바가 큽니다.

인간 사회의 정치 과정에는 무엇이 절대적으로 옳다는 정답이 존재하지 않기 때문에 결국 이러한 논의는 "정의란 무엇인가?"라는 철학적인 질문으로 귀결될 수밖에 없죠. 무엇이 선이고, 무엇이 정의이며, 무엇이 바람직한 것인가에 대한 판단은 보는 이의 시각에 따라 달라지는 상대적인 측면이 있기 때문에 끊임없는 토의와 숙고를 통해 모두의 이성에 합치하는 방향으로 기준을 세워가는 민주적 과정이 중요한 거고요. 결국 인간 사회의 작동 원리는 처음부터 끝까지 다양한 형태의 정치 행위로 채워진다는 점이 여기에서도 입증되죠. 이 책은 "인간이 정치적 존재로서 정치적 삶의 공간에서 어떠한 정치 과정을 통해 정의를 실현해 나갈 수 있는가?"라는 문제와 관련한 중대한 화두를 던지고 있다는 측면에서 대단히 가치있다고 볼 수 있어요.

여러분도 이 책, 니부어의 『도덕적 인간과 비도덕적 사회』를 찬찬히 읽으며 사회 정의를 구현해 나갈 수 있는 바람직한 방향에 대해 스스로의 생각을 정립해 보는 소중한 시간 가져보셨으면 합니다.

8. 존 메이너드 케인스,
『고용, 이자 및 화폐의 일반 이론』(1936)

여러분, 다우존스 산업평균지수(Dow Jones Industrial Average Index), 나스닥 종합주가지수(NASDAQ Composite Index), S&P 500지수(Standard & Poor's 500 Index)와 같은 주가지수 그래프를 보신 적이 있나요? 이러한 주가지수 그래프들을 보면 공통적으로 지수의 시작점에서부터 현재에 이르기까지 장기적으로 주가지수 추세가 우상향해 온 모습을 발견할 수 있죠. 하지만 이런 그래프들을 좀 더 클로즈업해서 들여다보면 단기적으로 주가지수가 들쑥날쑥 상승과 하락을 반복하는 모습을 볼 수 있어요. 경제 성장은 호황과 불황의 주기적인 반복을 거치며 점진적으로 이루어져 왔다는 사실을 이로부터 확인할 수 있죠. 특히 호황은 장기간에 걸쳐 천천히 이루어지는 반면 불황은 단기간에 급격히 이루어지므로 사람들에게 더 큰 타격을 미친다는 경험적 사실에

근거하여, 경제 발전을 위해서는 불황을 어떻게 타개해 내느냐가 관건이라는 점 또한 우리는 알 수 있습니다.

연구에 따르면 사람들의 체감 경기는 실제 경기보다 대체로 비관적이라고 하죠. 주변을 둘러보면 자영업자, 직장인, 백수 등 너나 할 것 없이 모두가 항상 불경기라고 느끼는 현상을 쉽게 관찰할 수 있고요. 경제의 고도화에 따라 성장률이 둔화되면서 이러한 경향은 더욱 심화되고 있죠. 사람들이 불황에 더욱 민감해질수록 그 이름이 더욱 자주 소환되는 경제학자가 있습니다. 바로 '불황의 경제학'의 아버지인 존 메이너드 케인스(John Maynard Keynes, 1883~1946)입니다.

존 메이너드 케인스(John Maynard Keynes, 1883~1946)

장기적으로 우리 모두는 죽는다

1936년에 출간된『고용, 이자 및 화폐의 일반 이론(The General Theory of Employment, Interest and Money)』(1936)의 저자 존 메이너드 케인스는 앞서 1장에서 소개한『국부론(An Inquiry into the Nature and Causes of the Wealth of Nations)』(1776)의 저자 애덤 스미스(Adam Smith, 1723~1790)와 더불어 경제학의 원류이자 양대산맥으로 평가받는 위대한 경제학자예요. 케인스는 자신보다 한 세기 앞서 근대 경제학을 수립한 애덤 스미스의 이론을 '특정한 상황에서만 성립되는 특수한 이론'이라고 비판하면서, 기존의 경제학 이론을 '일반적인 상황에서 통용될 수 있는 이론'으로 보완하고 종합한다는 견지에서『고용, 이자 및 화폐의 일반 이론』을 만들어 세상을 바꾸어 놓았어요. 케인스의『고용, 이자 및 화폐의 일반 이론』이 어떠한 배경에서 탄생했는가를 이해하기 위해서는 케인스에 앞서 한 시대를 풍미했던 경제학자 애덤 스미스 이야기를 우선 하지 않을 수가 없어요.

애덤 스미스는 인류 역사상 최초의 상업자본주의가 태동해 성행하던 18세기 후반에『국부론』을 집필해 세상에 내놓았죠. 그는 '보이지 않는 손(invisible hand)'이라는 유명한 개념을 통해 개인과 기업을 비롯한 모든 경제 행위자가 모두 각자 자신의 이익을 위하여 자발적으로 열심히 일하고 저축하고 투자하면 경제가 발전하면서 빈곤이 사라지게 될 것이라는 주장을 펼쳤어요. 하지만 스미스의 예측은 절반만 맞았죠. 그가 예측한 대로 자본주의는 맹위를 떨치며 놀라운 경제 발전에 기여했지만, 그 이면에는 빈부 격차의 확대, 그리고 불황과 실업이라는 '시장의 실패(market failure)'가 도사리고 있었던 거예요.

1825년 영국에서 최초의 근대적 불황이 발생한 이래 약 10년을 주기로 불황이 계속 발생했어요. 특히 1870년대 초부터 시작된 전 세계적 대불황은 무려 20여 년 동안이나 지속되었고요. 대불황이 장기화 되면서 제국주의와 독과점이 확대되는 결과가 초래됐죠. 하지만 이때까지만 해도 자본주의에 대한 근본적인 회의가 제기되진 않았어요. 아직은 각국 정부가 콘트롤할 수 있는 수준의 충격이었기 때문이죠.

통제 불가능한 수준의 충격이 전 세계를 강타한 사건은 바로 1929년에 발발한 대공황(Great Depression)이었어요. 이로 인해 시장 경제에 대한 대중의 신뢰가 곤두박질쳤죠. 주식시장이 폭락하고, 공장에는 재고가 쌓이고, 기업은 도산하고, 자영업자들은 망하고, 거리에 나앉은 실업자가 넘쳐났어요. 그럼에도 애덤 스미스의 고전 경제학(Classical Economics)을 신봉하던 당시 주류 경제학자들은 이렇게 이야기했죠. "지금은 비록 경제가 최악이지만, 가만히 기다리면 다시 저절로 좋아질 것이다." 그러나 케인스가 보기에 대공황은 저절로 치유될 가벼운 불경기가 아니었어요. 그는 이렇게 일갈했죠.

"장기적으로 우리는 모두 죽는다. 우리가 죽은 뒤에 경기가 살아난들 무슨 소용이 있는가?"

이처럼 대공황의 여파가 전 세계를 잠식하던 혼란의 한가운데인 1936년에 출간되어 세상을 바꾸어 놓은 책이 바로 케인스의 『고용, 이자 및 화폐의 일반 이론』입니다.

『고용, 이자 및 화폐의 일반 이론』, 책의 제목이 참 길고 어렵죠? '고용', '이자', '화폐'에 대해서 얘기하고 있는 건 알겠는데, 과연 어떤 주장

대공황기 무료 급식소에 줄을 선 시카고의 실업자들(1931년)

을 펼치고 있는 걸까요? 일단 '고용'이 맨 앞에 와 있는 걸 보면, 책의 주
된 관심이 '고용'에 있다는 건 분명해 보이죠? 맞아요. 이 책은 1930년
대 대량 실업에 허덕이던 대공황의 한복판에서 쓰여진 만큼, 일하고 싶
어도 일자리를 찾지 못하는 실업자가 대거 발생하는 원인을 밝히고 대
책을 제시하는 것이 핵심적인 주제예요. '고용' 뒤의 '이자'와 '화폐'는
'고용'에 비해 비교적 부차적인 주제들이고요. 실업률이 치솟고 경기가
침체되는 불황 상태에서는 이자율을 낮추거나 시중에 통화량을 늘려
도 소비와 투자가 활성화되지 않는다는 점을 강조하기 위해 '고용' 뒤에
'이자'와 '화폐'를 붙인 거죠.

일반적인 상황에서 통용되는 경제이론

자, 그럼 『고용, 이자 및 화폐의 일반 이론』의 핵심 내용을 살펴볼까요?

케인스의 『고용, 이자 및 화폐의 일반 이론』의 대전제는, 바로 자본주의 시장경제는 외부의 간섭과 지원이 없으면 실업자가 필연적으로 발생할 수 밖에 없는 구조라는 거예요. 즉 일할 능력과 의지를 갖춘 사람들이 모두 일자리를 찾아 일하는 '완전 고용(完全雇傭, full employment) 상태'는 대단히 특수하고 예외적인 현상이고, 실업자가 어느 정도 존재하는 게 일반적인 현상이라는 주장이죠. 사실 우리가 상식적으로 생각해 봐도 사회 내에 실업자가 단 한 명도 존재하지 않는 상황은 가정하기 어려운 비현실적인 상황이죠. 케인스는 자유방임주의가 상정하는 것과 같이 자본주의가 늘 완전 고용을 자연스럽게 달성할 수 있는 조정 능력을 갖췄다는 주장을 반박하며 애덤 스미스를 정면으로 들이받은 거예요. 케인스는 책의 도입부에서 다음과 같이 지적하고 있습니다.

> 나는 '일반'이라는 접두어를 강조하면서 이 책을 『고용, 이자 및 화폐의 일반 이론』이라 부르기로 하였다. 책의 제목을 이렇게 정한 목적은, 나의 논의와 결론의 성격을, 같은 주제에 관한 고전파 이론의 그것과 대비시키고자 함에 있다. 나는 고전파의 전통 속에서 자라왔으며, 그 이론은 지난 백 년 동안에 있어서도 그랬듯이 현 세대에 있어서도 지배 계급과 학자 계급의 실천적 및 이론적 경제 사상을 지배하고 있다. 나는 고전파 이론의 공준(公準)들은 오직 특수한 경우에 한하여 타당하고, 일반적인 경우에는 타당하지 않다는 것을 주장하고자 한다.

왜냐하면, 고전파 이론이 상정하고 있는 상태는 존재 가능한 여러 균형 상태들 중 하나의 한계점에 불과하기 때문이다. 뿐만 아니라 고전파이론이 상정하고 있는 그 특수한 경우의 성격은 우리가 실제로 살고 있는 경쟁사회의 그것과는 매우 다를 것이며, 따라서 우리가 그 교리를 경험의 세계에 적용하려 할 때에는 사람을 오도하고 재해를 자아내는 결과를 빚게 되는 것이다.

이 책의 제목에 포함된 '일반 이론'의 의미가 이제 명확해졌죠? 완전 고용 상태는 예외적인 현상이고, '불완전 고용(不完全雇傭, under-employment) 상태', 즉 실업자가 존재하는 것이 일반적인 현상이라는 주장이 담겨있는 제목인 거죠.

케인스는 당대 영국과 같이 성숙한 자본주의 경제에서 필연적으로 실업자가 발생하게 되는 까닭으로 크게 다음의 세 가지를 들고 있어요.

첫째, 경제주체들이 소비만 하지 않고, 저축도 하기 때문이다.

둘째, 투자의 리스크가 대체로 크기 때문이다.

셋째, 노동자들이 노동 의욕을 갖게 되는 최소한의 임금 수준이 존재하기 때문이다.

자, 그럼 구체적으로 케인스의 이 세 가지 주장이 어떤 근거에 기반하고 있는지 각각 살펴볼게요.

저축의 역설(Paradox of Thrift)

첫째, 경제 주체들이 소비만 하지 않고, 저축도 하기 때문이다.

이 주장은 언뜻 봐선 좀 의아하죠? 우리는 흔히 저축을 바람직한 행위로 인식하고 있으니까요. 마치 내일이 없는 것처럼 수중의 돈을 다 탕진하지 않고, 미래를 대비해 저축하는 건, 어릴 때부터 어른들이 칭찬하고 장려했던 '착한 행동' 아닌가요? 하지만 특이하게도 케인스는 저축을 사회 전체의 거시적인 견지에서 봤을 때 꼭 바람직하다고 볼 수만은 없다고 지적했어요. 케인스에 따르면, 경제주체들이 노동이나 자산운용을 통해 소득을 획득했으면, 그만큼 상품이나 서비스를 구매하는 데 돈을 써야 경제가 돌아가는데, 저축을 많이 하고 소비를 유예할수록 물건이 안 팔리고, 재고가 쌓이고, 그만큼 기업이 고용과 투자를 꺼리게 되면서 실업이 발생하기 때문에 저축이 능사가 아니라는 거예요. 하지만 자본주의 사회에서는 모두가 자기 수중의 가처분 소득을 자유롭게 운용할 수 있기 때문에, 개인이 저축하겠다는 결정을 그 누구도 막을 수가 없죠. 케인스는 이게 바로 자본주의 사회가 갖는 모순이라고 보았어요.

> 개개인의 저축 행위의 의미는, 말하자면, '오늘 만찬을 갖지 말자'라는 의사결정과 같다. 그러나 그것은 일주일 후에 혹은 일 년 후에 만찬을 갖자고 하거나, 구두를 사자거나, 혹은 어떤 특정 시일에 어떤 특정 재화를 소비하자는 의사결정을 기약하는 것은 아니다. 따라서 그것은 오늘의 만찬을 즐기는 일을 억압할 뿐이며, 장래에 있어서의 어떤 소비 행위를 예비하는 것은 아니다. 즉 그것은 현재의 소비 수요를 장래

8. 존 메이너드 케인스, 『고용, 이자 및 화폐의 일반 이론』(1936)   153

의 소비 수요로 대체하는 것이 아니다. 그것은 단지 수요의 순감소일 뿐이다. 뿐만 아니라 장래 소비의 기대는 현재 소비의 경험에 크게 의존하는 것이기 때문에, 후자의 감퇴는 전자를 억압할 가능성이 많으며, 그 결과 저축 행위는 단순히 소비재의 가격만을 억압하고 현존 자본의 한계효율에 영향을 미치지 않는 것이 아니라, 실제로 후자 또한 억압하는 경향이 있을 것이다. 이렇게 되는 경우에는, 저축 행위는 현재의 소비 수요와 아울러 현재의 투자 수요도 감소시키게 될 것이다.

이게 바로 그 유명한 '저축의 역설'이에요. 즉 저축은 개인 차원에서는 미덕이지만 이것이 소비를 위축시키고 투자로 연결되지 않으면 수요가 위축되어 산출과 고용을 감소시키므로 사회 차원에서는 악덕이 된다는 거죠. 이처럼 케인스는 경제를 굴러가게 만드는 핵심 요인은 '공급'이 아니라 '수요'라고 지목했어요. 재화나 서비스를 구매하겠다는 수요만 존재하면, 여기에 맞추어 공급은 얼마든지 따라갈 수 있다고 보았기 때문이죠. 하지만 반대로 공급만 존재하고 수요가 없으면, 기업이 생산규모를 줄이고 고용도 줄여서 대량 실업이 발생하면서 경제가 파탄나게 된다는 거예요. 이건 공급이 수요를 초과하면 자연스럽게 재화나 서비스 가격이 내려가면서 수요를 상대적으로 증대시켜서 결국 균형점에 도달한다는 애덤 스미스의 자유방임주의 경제학을 정면으로 반박하는 주장이죠.

케인스는 이처럼 '공급' 중심의 경제학을 비판하면서 '수요'가 궁극적으로 경제발전을 이끄는 핵심 요인임을 강조했어요. 케인스가 말하는 '수요'란 사회 전체의 수요로, 가계의 소비와 기업의 투자와 정부의 지출을 의미하죠. 가계에서 물품과 서비스를 활발하게 소비하면, 기업이 투자를 늘리고 생산 규모와 고용도 늘리면서 총생산을 증대시키는 선순환 구조가 성립되면서 경제가 발전한다는 것이 케인스의 기본적인 논리예요. 그런데 가계가 저축을 많이 하고 소비를 줄이면 총수요가 줄어들고, 이에 따라 기업이 생산 규모를 줄이고 고용을 꺼리게 되면서 사회 전체적인 총생산도 감소하게 된다는 거죠. 사회 구성원 모두가 '욜로(YOLO: 'You Only Live Once'의 준말로, 현재의 만족에 큰 가치를 두는 라이프 스타일을 의미)족'이 아닌 이상, 불확실성이 증대될 경우 소비량보다 저축량이 늘어나는 것을 누구도 막을 수가 없기 때문에 불완전 고용의 상황은 일상적으로 발생할 수밖에 없죠. 이상이 바로 케인스가 자본주의 체제 하에서 완전 고용이 아닌 불완전 고용 상황이 일반적인 상황이라고 본 근거예요.

자본주의 하의 투자 심리 위축

자본주의 체제 하에서 불완전 고용이 일반적인 상황일 수밖에 없는 두 번째 이유는, 바로 투자의 리스크(risk)가 크기 때문이에요.

케인스는 자본주의가 기본적으로 투자 환경의 불확실성과 위험성이 큰 체제이기 때문에, 투자 리스크는 높아지고 투자 수익률은 낮아짐에 따라, 자연히 투자 심리가 위축되기 쉽다고 보았어요. 기업은 투자의 예상 수익률을 고려해 투자 여부를 결정하는데, 자본주의 경제에서는 좋은 투자 기회가 이미 다 소진돼서 수익률이 낮은 투자 기회들만 남아 있는 게 일반적인 상황이라는 점 또한 지적했죠. 다른 사람들이 귀신같이 이미 좋은 투자 건을 다 선점해서, 투자 리스크가 크고 수익률은 낮은 투자 건만 남아있는 게 일반적인 상황이기 때문에, 기업가들이 개중에 괜찮은 투자 건을 골라 투자를 한다고 하더라도 이것만으로는 완전 고용을 보장할 만큼의 투자가 이루어지지 않는다고 케인스는 주장했어요.

임금의 하방경직성(downward rigidity)

자본주의 체제 하에서 불완전 고용이 일반적인 상황일 수밖에 없는 세 번째 이유는, 바로 노동자들이 노동 의욕을 갖게 되는 최소한의 임금 수준이 존재하기 때문이에요.

케인스는 현재의 임금 수준에서 일하겠다는 용의를 갖고 있는 사람보다, 실제로 취업에 성공하는 사람의 수가 무조건 더 적을 수밖에 없다고 봤어요. 이유는 간단해요. 앞서 살펴봤듯이 사람들은 소비만 하지 않고 저축도 하기 때문에, 총수요가 완전 고용을 보장할 만큼 충분하지 않은 것이 일반적인 상황이기 때문이죠.

이러한 케인스의 주장에 대해 혹자는 이렇게 반박할 수도 있을 거예요. "일하고 싶어하는 실업자들이 더 많으면, 그중에 더 낮은 임금을 받고도 취업하겠다는 사람들이 있을 것이므로, 시간이 흐르면 자연히 임금 수준이 하락하게 되고, 그렇게 되면 기업들이 더 많은 근로자를 고용하게 되어 실업률은 낮아지지 않을까?" 케인스는 이러한 반박에 대해 순진한 생각이라고 비판하며 이렇게 말했어요.

"임금 수준이란 노동자의 자존심이다. 노동자들은 자기가 받는 급여는 자신의 노동에 대한 정당한 대가여야 한다고 생각하기 때문에, 스스로 생각하는 것 이하로 임금이 낮아지면 일하기보다는 차라리 백수로 노는 것을 선택할 것이다."

이러한 논리로, 케인스는 임금 수준이 일정 수준 이하로 낮아지지 않는 '하방경직성'을 띤다고 주장했어요. 이를 통해 그는 노동시장이 수요-공급의 원리에 따라 자연히 균형을 찾게 된다는 애덤 스미스의 주장을 반박했어요. 현실에서는 균형이 달성되어 완전 고용이 이루어진다는 것은 불가능에 가깝고, 실업자가 남아있는 불완전 고용의 상태가 일반적이라는 거죠.

정부의 적극적 역할 강조

자, 그럼 이쯤에서 케인스가 주장하는 바를 정리해 볼까요? 일반적인 상황에서 사회에는 실업자가 늘 존재하므로 소비 수요가 부족하고, 기업은 생산설비를 놀리고 있는 상황이므로 설비에 투자할 유인이 적어 투자 수요도 부족하죠. 따라서 총수요의 부족으로 말미암아 재고가 발생하므로 기업은 생산 규모를 축소하고 고용도 줄이게 되면서 실업률은 더욱 높아지고요. 이에 따라 가계 소득이 감소하면서 소비 수요는 더욱 줄어들고, 경제 전체가 불황의 늪으로 더욱 깊숙이 침잠하게 되는 악순환의 가능성이 열리게 되는 거죠. 이러한 '불황 상태의 악순환(vicious circle of recessionary state)'을 막을 수 있는 방법은 없을까요?

케인스에 따르면, 방법은 있어요. 바로 정부가 나서는 거죠. 아까 케인스 경제학의 핵심은 '공급'이 아니라 '수요'라고 말씀드렸죠? 정부가 나서서 부족한 민간 부문의 '수요'를 보충해주면 불완전 고용 상태에서 벗어날 수 있다고 케인스는 주장해요. 정부는 세금만 걷힌다면 공공 지출의 크기와 집행처를 정할 수 있는 권한이 있죠. 세금이 안 걷혀도 빚을 내서 적자 재정을 통해 공공 지출을 늘릴 수도 있고요. 케인스는 대불황 상태에서는 정부가 일시적으로라도 적자 재정을 감수하고 재정 지출을 확대해서 민간의 소비를 진작시켜야 한다고 주장했어요. 이렇게 마중물 붓기를 통해 경기가 서서히 회복되기 시작하면 민간 투자 증가를 유발해서 완전 고용을 회복할 수 있다는 논리죠. 불황에서도 정부가 손놓고 기다리고 있으면 저절로 균형이 회복되어 완전 고용이 달성될 거라는 애덤 스미스의 주장을 케인스는 거부하고, 정부의 적극적인 개입을 촉구한 거예요.

민간의 소비 수요를 진작시키기 위한 정부의 확장적 재정 정책의 쉬운 예로, 코로나19(COVID-19) 확산 국면에서 각국 정부가 앞다투어 펼쳤던 재난지원금 정책을 들 수 있어요. 민간 소비가 위축되면서 영세 자영업자와 소기업이 무너지고 '불황 상태의 악순환'에 빠져드는 상황에서, 정부가 적극적으로 나서서 가계에 현금을 쥐어주면서 돈을 쓰도록 유도한 건, 케인스의 처방을 현실에서 응용한 좋은 예라고 볼 수 있죠.

이 외에도 케인스는 정부 개입을 통한 완전 고용 달성의 해법은 다양하다고 봤어요.

첫째, 부유층으로부터 저소득층으로 부를 이전하는 거죠. 이러한 논리의 근저에는 앞서 설명한 '저축의 역설'이 깔려 있어요. 부유층은 상대적으로 저축 성향이 크고, 저소득층은 소비 성향이 크기 때문에, 부유층에서 저소득층으로 부의 재분배가 이뤄지면 경제 전체의 평균적인 소비 성향이 상승하게 되어 총수요를 끌어 올릴 수 있다는 논리죠. 대부분의 복지정책이 이러한 케인스의 논리에 기반해 있어요.

둘째, 정부가 나서서 투자를 활성화시킬 수 있는 환경을 적극적으로 조성하는 거예요. 아까 설명한 바와 같이, 민간 투자가 부진한 까닭은 투자의 리스크가 커서 예상 수익률이 낮기 때문이므로, 정부가 나서서 투자에 우호적인 환경을 만들든지, 투자 환경의 불확실성과 위험성을 줄이는 조치를 마련함으로써 투자수요를 끌어올릴 수 있다는 거죠.

셋째, 정부가 직접 투자에 나서는 방안도 있죠. 정부는 가처분 소득이나 이자율 등의 영향을 많이 받는 민간에 비해 장기적인 견지에서 자유롭게 투자할 수 있는 주체이기 때문에, 불황이라는 위기 상황에서 적극적으로 나서야 한다고 케인스는 주장했어요. 정부가 나서서 예산을 가지고 댐을 건설한다거나 도로를 닦는 공공사업을 벌여 공공일자리를 대거 창출하는 등의 방식이 가능하겠죠. 1930년대 대공황기에 미국 루스벨트(Franklin Delano Roosevelt, 1882~1945) 대통령이 시행한 뉴딜(New Deal) 정책이 대표적인 실례고요. 케인스는 정부가 일으키는 투자지출이 직접적으로 총수요를 끌어올리는 효과 이외에도, 민간 기업들로 하여금 경제의 앞날에 긍정적인 전망을 갖게 만드는 간접적인 효과 또한 유발한다고 분석했어요. 그는 이처럼 정부의 공공 투자가 민간 투자를 견인함으로써 사회 전체의 총수요가 증대되어 경기 침체 국면에서 빠져나올 수 있다는 논리를 폈죠.

뉴딜 정책의 일환으로 실시된 테네시강 유역 개발공사

승수 효과(乘數效果, fiscal multiplier)

케인스는 "불황기에 정부가 늘린 지출 증가분은 본래 지출액의 몇 배에 해당하는 국민소득 증대 효과를 낳는다."라고 주장했어요. 이걸 '승수 효과'라고 해요. 이를테면 이런 거죠. 정부가 경기 부양을 위해 항만을 건설한다고 해 볼까요? 이 공사에 고용되어 급여를 받은 노동자들은 그 중 일부를 저축하고 나머지는 소비하겠죠? 소비된 돈은 또 누군가의 호주머니에 소득으로 들어갈 것이고, 또 이 중 일부는 저축이 되고 나머지는 소비에 사용될 거예요. 이런 식으로 다수의 사회 구성원들을 거치며 연쇄적인 소비 증대 효과가 발생하는 거죠. 이렇게 창출된 소득의 총합은 처음에 정부가 지출한 돈의 몇 배가 된다는 것이 바로 승수 효과예요.

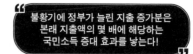
불황기에 정부가 늘린 지출 증가분은
본래 지출액의 몇 배에 해당하는
국민소득 증대 효과를 낳는다!

케인스

승수 효과(fiscal multiplier)
승수가 5일 경우
정부가 1억원을 쓰면 사회 전체적으로
5억원을 쓴 효과가 나타나므로
정부 재정은 -1억원이지만
사회 전체적으로 +4억원이므로
이득이라는 논리

케인스의 승수 효과

승수 효과는 클수록 좋겠죠. 사람들이 저축을 조금만 하고 소비를 많이 할수록 승수 효과는 커지기 때문에, '소비는 미덕, 저축은 악덕'이라는 '저축의 역설'이 도출되는 거고요.

승수 효과가 잘 나타나기만 한다면, 이론적으로 확대 재정 정책은 경기 침체기의 만병통치약이 될 수 있겠죠? 국가 예산 자금이 바로 풀린다는 측면에서 그 효과가 직접적이니까요. 그러면 경제가 대침체에 빠져 소비가 죽고 투자심리가 얼어붙을 때 정부가 나서서 민간에 뿌리기만 하면 모든 게 다 해결될까요? 결코 그렇지 않죠. 현실은 이론과 다르기 때문에 문제가 발생하는 거예요. 실제로 1990년대 일본을 강타했던 경기 침체기에 일본 정부가 대대적으로 공공 투자를 늘렸지만 경기 회복에 별 도움이 되지 않았던 사례를 생각해 볼 수 있어요. 무엇이 현실에서의 승수 효과 도출을 방해했을까요?

첫째, 사람들이 국가가 쥐어준 현금을 쓰지 않고 대부분 저축해 버렸기 때문이에요. 워낙 경기가 나쁘고 미래의 불확실성이 크다보니 민간에 풀린 돈이 소비로 연결되지 않고 거의 저축으로 빠져버린 거죠.

둘째, 정부 지출이 민간 투자를 촉진하기는커녕 밀어냈기 때문이죠. 이걸 '구축 효과(驅逐效果, crowding-out effect)'라고 불러요. 정부가 지출을 늘리기 위해 국채(정부가 일정 기간 후에 이자와 원금을 지급한다는 증서)를 발행하는 등의 방식으로 빚을 내면, 이것이 시중의 이자율을 상승시키는 효과를 발생시켜서 결과적으로 민간의 투자가 위축되어 버리게 되죠.

이처럼 현실은 이론이 깔끔하게 적용될 만큼 심플하지가 않아요. 현실의 경제 문제는 어느 하나의 이론으로 해결할 수가 없죠. 그래서 실제 현실에서는 최적의 정책 효과를 거두기 위해 여러 가지 이론을 조합한 형태로 정책을 입안하고 실행하는 경우가 많아요. 케인스의 이론도 여타 이론들과 마찬가지로 완전무결한 이론은 아니라는 게 밝혀졌죠. 즉 케인스의 이론은 '불황의 경제학'으로 대공황 시기 그 효과를 입증받기도 했지만, 그 이후 일어난 또 다른 경기 침체 국면에서는 전혀 힘을 쓰지 못했다는 사실이 드러난 거예요.

케인스 이론의 한계

실제로 전후 승승장구하던 케인스 경제학의 명성이 실추된 주요 사

스태그플레이션

건이 있었어요. 바로 1973년 발생한 1차 오일 쇼크(oil shock)죠. 미국의 도움을 받은 이스라엘과의 전쟁에서 역전패를 당한 중동 산유국들이 합심해 서방 국가들에 원유 수출을 금지하기로 결의하면서 서구 경제에 큰 충격을 준 사건이에요. 그 결과 원유 공급 감소로 석유 가격이 네 배가량 상승하면서 경제 전반적으로 물가가 상승했죠. 이에 따라 사람들의 소비생활은 위축되고 경제는 급속도로 침체되었고요. 물가 상승(inflation)과 경기 침체(stagnation)가 동시에 발생하는 스태그플레이션(stagflation)이 나타난 거예요.

유례 없는 스태그플레이션으로 인해 케인스 학파는 진퇴양난에 빠졌어요. 케인스 학파는 당시 경제 정책을 좌우하고 있었는데, 당면한 문제를 해결하려고 보니 이도저도 안 되는 상황이었던 거예요. 즉, 물가 상승을 막으려면 경기 침체가 심해지고, 반대로 침체와 실업을 피하려면 더 가파른 물가 인상을 감수해야 하는 상황이었던 거죠. 게다가 그들이 핵심적으로 사용하던 복잡한 계량경제 모형의 예측력이 오일쇼크 이후로 부정확해지는 문제 또한 발생했어요. 이로 인해 경기 침체가 언제 어느 정도 강도로 발생할지, 그리고 정부의 확장정책 효과가 어느 정도 나올지 등에 대한 예측이 어려워지면서 현실에 맞는 정책을 입안하는 데 난항을 겪게 되었죠.

그 이후 케인스 경제학을 비판하는 신고전파 경제학(Neoclassical Economics)이 득세했어요. 스태그플레이션의 상황에서 케인스 이론의 설명력이 떨어졌기 때문에 이를 대체하는 새로운 이론이 정책 입안에 있어 각광받았던 거죠. 이후 케인스 학파는 자신들을 향한 신고전파의 비판 일부를 받아들이고 새케인스 경제학(New Keynesian Economics)으로 스스로를 재정비했고요. 이처럼 경제학 이론은 시대에 대응하는 과정에서 득세하거나, 입지를 상실하거나, 수정·보완 및 종합을 통해 거듭나는 도전과 응전의 역사 속에서 발전해 왔어요. 결국 특정한 경제 사조는 특정한 시대 상황의 산물이기 때문에 현재의 경제 정책을 만드는 데 유용하게 활용하기 위해서는 여러 학파의 현실 설명력을 고려한 종합적인 판단이 필요한 거죠.

케인스 이론은 코로나19 팬데믹 국면에서 많은 정부들의 정책 입안에 참고가 되었지만 사실 재난지원금의 효과가 별로 없었다는 비판에 당면하기도 했죠. 또한 케인스 이론 자체에도 논란의 여지가 되는 부분이 여럿 있는 게 사실이에요. 대표적인 것이 바로 '저축'에 관한 생각이죠.

케인스는 저축이 총수요의 부족을 야기해 경기 침체의 원인이 된다고 주장했지만, 사실 이러한 주장은 설득력이 별로 없죠. 저축한 소득이 모두 불타 없어지거나 증발해 버린다면 모를까, 저축해 둔 돈은 반드시 나중에 소비나 투자에 쓰이게 되니까요. 저축 자체를 악덕으로 보기보다는, 저축된 돈이 가치 있게 쓰이도록 유도하는 게 더욱 바람직한 정부의 역할이겠죠. 투자를 위한 차입과 저축을 연결시켜 주는 것이 바로 금융이기 때문에, 금융이 본연의 역할을 잘 수행한다면 저축분은 오히려 더욱 발전적인 투자로 연결될 수 있어 경제성장에 보탬이 될 수 있을 거예요. 케인스가 저축을 낭비로 보았던 건, 그의 이론이 시간을 중요한 변수로 포함하지 않고 단기를 상정하는 정태적(static)인 이론이기 때문이에요. 좀 더 동태적(dynamic)이고 장기적인 경제 성장 과정을 고려한다면 케인스의 걱정은 기우(杞憂)에 가깝다고 볼 수 있죠.

자, 어떠신가요? 현실의 경제 정책에 많은 통찰과 시사점을 제공해 온 케인스의 이론에 공감이 가시나요? 어떤 점에서 설득력이 있고, 어떤 점에서 수정되어야 한다고 보시나요? 어떤 경제학 이론도 현실에 대한 완벽하고 완결적인 해답이자 처방전이 아니기 때문에 수정되고 보완될 여지가 분명히 존재하죠. 여러분도 이 책『고용, 이자 및 화폐의 일반 이론』을 읽으면서 현실에 비추어 케인스의 경제학 이론을 어떻게 평가하고 보완할 수 있을 것인지에 대해 스스로의 생각을 정립해 보는 귀중한 시간을 가져보시기를 바랍니다.

9. 에드워드 핼릿 카, 『20년의 위기』 (1939)

"역사란 역사가와 그의 사실들 사이의 지속적인 상호작용의 과정이며, 현재와 과거 사이의 끊임없는 대화다(History is a continuous process of interaction between the historian and his facts, an unending dialogue between the present and the past)."

'역사를 해석하는 관점'인 '사관(史觀)'에 대해서 논할 때 빠지지 않고 등장하는 유명한 문구죠. 이 문구의 원작자가 누구인지 알고 계시나요? 바로 영국의 정치학자이자 역사가인 에드워드 핼릿 카(Edward Hallett Carr, 1892~1982)입니다. 그는 역사가 '과거에 일어났던 객관적 사실의 복원'이라는 실증주의 사관에 맞서서, 역사란 과거의 일을 역사가가 주관적으로 취사선택하고 재구성한 결과물이라고 주장했어요.

이 때문에 역사학 이론 서적의 서론부에서 '역사를 어떻게 이해할 것인가?'라는 질문에 대한 여러 대안 중의 하나로서 그의 이름이 자주 언급되는 거죠.

에드워드 핼릿 카(Edward Hallett Carr, 1892~1982)

이 문구에서 알 수 있듯, 카는 '현재'를 중시한 학자예요. 그는 학문이 지나간 과거에 갇혀서도 안 되고, 오지 않은 미래에 대한 뜬구름잡는 공상에 사로잡혀서도 안 된다고 주장했어요. 현재를 중시하는 사고는 '현실주의(realism)'로 발현되죠. 현실주의는 '지금, 여기'에서 어떤 일이 일어나고 있는지에 대한 명증한 인식에 기반해요. 카가 자신의 고유한 현실주의적 관점을 바탕으로 저술한 국제정치학 개론서가 바로 이 책, 『20년의 위기(Twenty Years' Crisis: 1919-1939: An Introduction to Study of International Relations)』(1939)입니다.

제2차 세계대전의 발발을 예측하다

카는 학문이 현상을 적실성 있게 분석하고 미래를 정확히 예측하는 역할에 충실해야 한다고 강조했습니다. 그러면서 그는 자신의 저작 『20년의 위기』를 통해 자신이 살고 있던 1930년대의 국제정세를 현실적으로 진단하고 미래를 예측했어요. 간단히 말하면, 그는 제1차 세계대전이 종결된 후 대세를 이루던 국제정치에 대한 이상주의(idealism)와 낙관론을 신랄하게 비판하면서, 냉철한 현실감각을 갖추지 못하면 또다시 인류는 대재앙을 맞이하게 될 것이라고 경고했죠. 그리고 그의 예측은 적중했어요. 또 다른 전쟁, 즉 제2차 세계대전이 발발한 거죠. 그가 이 책의 집필을 마무리하고 교열 작업 단계에 있던 1939년 9월 경의 일이었어요. 그는 당면한 현실에 맞추어 이 책의 원래 제목이었던 『유토피아와 현실(Utopia and Reality)』을 황급히 『20년의 위기』로 수정한 뒤 책을 출간했어요.

이 책의 제목에 포함된 '20년'이란, 바로 양차 대전 사이의 기간인 1919년에서 1939년 사이의 20년, 즉 두 전쟁 사이의 기간인 '전간기(戰間期, Interwar period)'를 의미해요. 제2차 세계대전이 터지면서 결과적으로 '전간기'라는 용어가 새롭게 만들어진 거죠. 카는 전쟁이 한번으로 끝나지 않고 또 다른 비극이 뒤따르게 된 건, 이상주의가 더이상 통하지 않는 현실의 변화를 외면하며 '눈 가리고 아웅' 하듯 이상주의에 천착한 강대국들의 '허세'와 '오만' 때문이라고 분석했어요.

이상주의가 통했던 시대란, 전 세계 경제가 성장일로를 달리며 팽창하던 19세기를 의미하죠. 당시까지만 해도 지구상에 미개척지가 많이 남아있어 산업화와 제국주의의 팽창하는 압력을 받아낼 공간이 있었기 때문에 이러한 지속적인 경제 성장이 가능했던 거예요. 선진국들은 앞다투어 후진국의 값싼 노동력을 활용해 부를 증대시키고 시장을 확대해 나갔죠. 적자생존의 원리에 따라 자유경쟁에서 우위를 점한 선진국들은 '바로 지금이 모든 이익이 조화롭게 분배되어 있는 상태'라고 모두를 세뇌시키길 원했을 거예요. 많은 것을 누리고 있는 지금 이대로 현상 유지(status quo)가 영원하기를 바라면서요. 하지만 팽창과 번영은 오래 지속되지 못했죠. 더이상 지구상에 주인 없는 땅이 존재하지 않게 되면서 제국주의 국가들이 주도하던 경제 성장과 팽창에 제동이 걸려버린 거죠. 얼마 남지 않은 미개척지를 두고 피 튀기는 쟁탈전이 일어났고 이들 국가 내부에서는 폭동과 소요가 끊이지 않았어요. 경제 발전의 야욕으로 전 지구의 땅이 포화상태가 된 그 시점부터, 바로 '이익 충돌의 시대'가 본격적으로 개막한 거죠. 그리고 뒤이어 제1차 세계대전이 발발했어요. 영원한 성장이 계속될 거라는 환상은 전쟁의 포화와 함께 연기처럼 사라져 버렸고요. 카는 이러한 현상에 대해 다음과 같이 지적하고 있어요.

무엇보다 중요한 것은 세계 어디에도 값싼 노동력과 높은 이윤율을 보장해 줄 새로운 진출 지역이 더이상 없었다는 점이다. 전쟁 이전의 경제적 압력을 해소해 주었던 이민길은 이제 막혔고 살길을 찾아 떠나던 이민길은 강제로 추방 당한 난민들이 차지했다. '경제 민족주의'라고 불린, 그러나 보다 복합적인 새로운 현상이 세계를 휩쓸었다. 이와 같은 근본적인 이익의 충돌은 세계의 모든 사람들의 눈에 명백히 보였다. 다만 영어 사용권 국가의 경제적 사고방식을 지배한 골수 이상주의자들만 예외였다. 남을 해치는 것이 누구에게도 이득이 되지 않는다는 19세기 진부한 사상의 공허함이 명백히 드러났다. 이상주의의 기본전제가 무너진 것이다.

현실주의의 눈으로 이상주의를 비판하다

즉 카에 따르면 19세기 자유주의가 기세를 뻗칠 수 있었던 물질적 조건이 사라지게 되면서 세계 곳곳에서 긴장과 갈등이 누적되다 제1차 세계대전이 발발했고, 이는 이상주의의 기본전제가 붕괴했음을 의미합니다. 잔혹하고 냉엄한 현실 앞에서 한가로이 이상을 논하는 것처럼 철없고 공허한 일도 없겠죠. 이어 카는 다음과 같이 책의 논의 전개 방향에 대해 설명하고 있어요.

각국이 세계 전체의 이익을 추구함으로써 동시에 개별 국가의 이익을 얻는 것도 불가능해졌고, 개별 국가의 이득을 추구함으로써 세계 전체의 이익을 극대화하는 것도 불가능해졌다. 19세기 자유주의에서 가능했던 도덕과 이성의 종합은 불가능하다. 오늘날 세계 위기의 내부적 의의는 이익의 조화를 핵심으로 한 이상주의의 전체 구조가 붕괴했다는 것이다. 오늘의 세대는 새로운 출발점을 찾아야 한다. 그러나 그러기 전에, 그리고 파멸의 구렁텅이에서 벗어나기 전에 그 붕괴를 가져온 구조적 결함을 먼저 따져 봐야 한다. 최선의 방법은 이상주의의 전제에 대한 현실주의의 비판을 살펴보는 것이다.

이처럼 카는 현실주의의 렌즈를 통해 당면한 문제에 대해 제대로 분석할 수 있다고 봤어요. 변화한 현실에 맞게 사고방식과 행동 방침을 바꾸려면 뭐가 잘못됐는지를 알아야 하기 때문이죠. 카는 전후 강대국이 내세우던 '국제 질서'나 '국제 단결' 따위의 이상주의적인 단어들은 허세에 찌든 공염불에 불과하다고 비판했어요. 현실주의의 시각으로 봤을 때 그러한 원칙들은 단지 특정 시점에 특정 국가의 이익을 대변하는 정책의 무의식적 반영일 뿐이기 때문이죠. 그들이 내세우는 것처럼 '법과 질서'를 유지하는 것이 원리적으로는 나쁠 리가 없지만, 그 같은 추상적 원칙들을 구체적인 정치적 상황에 적용하는 순간 그것이 이기적인 기득권의 위장에 불과하다는 진실이 드러나 버리게 된다면서 카는 이상주의를 신랄하게 비판했어요.

이상주의의 대표적인 실패 사례는 바로 '국제연맹(The League of Nations, 1920~1946)'이죠. 국제연맹은 제1차 세계대전 종전 이듬해인 1920년 미국 대통령 우드로 윌슨이 제안하여 설립된 국제기구예요. 애초 기획에 따르면 국제연맹은 마치 정부가 국내적 질서를 유지하듯 국제사회의 '지도집단' 역할을 수행하며 질서 있는 '국제사회'를 유지·발전시키는 것을 목적으로 했죠. 하지만 1930년대 들어 국제연맹이 당초 계획한 대로의 역할을 제대로 수행해내지 못하고 있다는 징후들이 발견되기 시작했어요. 1931년 일본이 만주사변을 일으키고, 1935년 이탈리아가 에티오피아를 침공했을 때 국제연맹은 아무런 목소리를 내지 못했죠. 결국 강대국들의 묵인 속에 이러한 긴장과 갈등의 증폭이 누적되고, 히틀러(Adolf Hitler, 1889~1945)의 등장을 거쳐 불과 20년 만에 제2차 세계대전으로 치닫는 걸 국제연맹은 막아내지 못했던 거예요.

국제사회에는 국가에 해당하는 권력기구가 없죠. 어떠한 국제기구도 특정한 국가를 제재할 수단을 갖고 있지 못해요. 국제기구와 국제법은 특정 사건에 대해 권고만 할 수 있을 뿐 국가를 상대로 실제적인 법 집행을 할 힘이 거의 없어요. 이처럼 국제사회는 국가 간의 분쟁을 제어할 물리력을 사실상 결여하고 있죠. 현실을 제대로 봐야 한다는 거예요. 국제연맹이 국제 평화와 질서 유지에 기여하기 위해 설립되었다는 취지야 좋다고 쳐도, 실제로 그게 실현 가능한가의 여부는 다른 차원의 문제라는 거죠. 국제연맹이 앞으로 모든 걸 다 해결해 줄 거라는 안일한 생각은 결국 의도한 바와 달리 제2차 세계대전의 발발에 불을 지폈으니까요. 카는 이러한 상황을 예견하며 이상주의자들에게 경고하고 있었던 거죠.

정치사상은 현실과 이상 모두에 기반해야 한다

자, 그렇다면 카는 현실주의가 유일한 해법이라고 봤을까요? 냉엄

아돌프 히틀러(Adolf Hitler, 1889~1945)

한 현실을 있는 그대로 바라보는 것이 최종적이고 완결적인 목적지라고 본 걸까요? 결코 그렇지 않았어요. 카는 순수한 현실주의가 최종의지향점이 될 수는 없다고 강조했어요. 그에 따르면 '이상주의가 빛 좋은개살구에 불과하다'라는 것을 폭로하는 현실주의적 비판은 현실정치를 올바르게 인식하기 위한 '필요조건'일 뿐이죠. 왜냐하면 현실주의는논리적으로는 맞을지 몰라도 사상을 행동으로 옮기는 실마리를 제공하지 못하기 때문이에요. 정치에서 어떤 일은 바꿀 수 없고, 어떠한 흐름에는 저항할 수 없다는 현실적이고도 비관적인 전망을 갖게 되면, 이는 곧 그를 바꾸거나 그것에 저항하고자 하는 데에 의도나 관심이 없음을 말하는 것에 지나지 않는다고 그는 지적해요. "철두철미한 현실주의자가 되는 것은 절대 불가능하다는 것이 정치학에서 얻을 수 있는 가장 확실하고 또 가장 이상한 교훈이다."라는 오묘한 뉘앙스의 선언은 현실주의에 대한 그의 확신이 최소한 절반 정도만 유효함을 시사하죠. 그는 다음과 같이 주장합니다.

> 우리는 모든 건전한 정치사상은 이상과 현실 모두에 기반해야 한다는 결론에 이르게 된다. 이상주의가 공허하고 특권층의 기득권을 대변하는, 참을 수 없는 겉치레가 되면 현실주의는 그 가면을 벗기는 중요한 역할을 한다. 그러나 순수한 현실주의는 적나라한 권력투쟁 외에는 대안적인 모습을 제공하지 못하기 때문에 국제사회란 불가능해진다. 현실주의라는 무기로 오늘날 유행하는 유토피아를 파괴하고 나면 우리는 새로운 우리의 유토피아를 건설하지 않을 수 없다. 물론 이 또한 언젠가는 현실주의라는 무기의 표적이 되겠지만, 인간의 의지는 끊임없이 현실주의의 논리적 결론에서 탈출하여 새로운 국제 질서의 모습을 추구한다. 그리고 그것이 정치적 모습으로 구체화되면 곧 자기이익과 위선으로 오염되고 또다시 현실주의의 공격을 받게 되는 것이다.
> 어떠한 이상도 제도화되면 더이상 이상이 아니라 이기적인 이해관계의 한 표현으로 전락하여 새로운 이상에 의해 타도의 대상이 되는 것

이다. 이처럼 양립할 수 없는 세력 간의 끊임없는 상호작용이 바로 정치다. 모든 정치적 상황은 이상과 현실, 도덕과 권력이라는 서로 양립할 수 없는 두 요소를 모두 포함한다.

바로 이거예요. 카는 정치의 상호작용 측면을 강조하면서, 건전한 정치사상은 이상과 현실 모두에 기반해야 한다고 역설했어요. 어느 쪽에도 치우침이 없어야 한다는 거죠. 과거와 현재, 그 어느 쪽에도 일방적으로 경도되지 않는 균형을 강조한 그의 역사관과도 상통하는 면이 있죠? 핵심은 바로 '균형적 사고'예요.

현실 정치의 핵심은 권력과 도덕 사이의 균형

구체적으로 카는 현실 정치가 '권력'과 '도덕' 사이에서 균형을 잘 잡아야 한다고 강조했어요. '권력'은 현실주의를, '도덕'은 이상주의를 표상하죠. 카에 따르면 권력과 도덕 어느 쪽에도 경도되지 말아야 하는 까닭은, '권력 없는 도덕'은 무력하고, '도덕 없는 권력'은 취약하기 때문이에요. 이처럼 권력과 도덕 모두를 의식해야만 하는 까닭은, 정치 사회가 본질적으로 이중적인 특성을 갖고 있기 때문이죠. 카는 모든 국가가 '적대 vs. 우호', '주장 vs. 복종'과 같이 상충하는 대립적 인간 본성 위에 건설되기 때문에 이러한 이중성을 받아들여야만 올바른 분석과 예측이 가능하다고 지적해요. 유토피아와 현실, 이상과 제도, 도덕과 권력은 처음부터 국가의 불가결한 이중적 속성이기 때문이죠.

그렇다면 한 가지 중요한 결론이 가능하다. 정치 현실에서 자기주장의 요소를 제거하여, 도덕 기반만으로도 정치체제를 세울 수 있다고 믿는 이상주의자는 본질을 크게 잘못 짚은 것이다. 이타주의란 환상일 뿐이다. 또한 모든 정치적 행위는 자기주장에 기반한다고 믿는 현실주의자도 잘못되기는 마찬가지다. 이러한 잘못은 일상용어에도 잘 나타나고 있다.

캐틀린 교수는 '정치적 인간', 즉 '호모 폴리티쿠스(homo politicus)'를 '자신의 목적을 보다 용이하게 달성하기 위해 다른 사람들의 의지를 자신의 의지에 따르게 하기를 원하는 사람'이라고 정의한다. 그러나 이러한 용어는 본질을 호도하고 있다. 정치를 권력과 떼어서 생각하는 것은 물론 불가능하다. 그러나 '정치적 인간'을 권력밖에 모르는 사람으로 보는 것은, '경제적 인간' 즉 '호모 이코노미쿠스(homo eco-nomicus)'를 돈밖에 모르는 사람으로 정의하는 것과 마찬가지로 비현실적이다. 하나의 신화에 지나지 않는 것이다. 정치행위란 도덕과 권력의 조정 위에 존재해야 한다.

이처럼 카는 도덕과 권력 간의 균형을 강조하면서, 이상과 현실이라는 양 측면에 모두 기반해서 새로운 국제도덕을 모색해야 한다고 주장해요. 제1차 세계대전의 포화 속에 기존의 모든 질서가 무너지고, 국제도덕이 '용광로' 속에 들어가 있는 상황에서, 카는 개별 국가의 선을 세계사회의 선과 조화시킬 수 있는 새로운 국제도덕을 주조해 내는 일이 시급하다고 역설하죠. "무너진 국제 질서를 복구시킬 수 있는 힘은 과연 무엇인가?"라는 물음에 대한 해답을 찾는 일이 바로 이 책의 주된 과업이에요. 다시 말해, 이 책의 핵심적인 주제는 바로 변화된 현실 속에서 적실성 있는 국제도덕을 모색하는 방법에 대한 제안이죠.

바람직한 국제도덕을 모색하는 일은 그 시작부터가 대단히 어렵죠. 카에 따르면, 국제도덕이라는 것 자체가 근원적인 약점을 가지고 있기 때문이에요. 국내도덕과 달리 국제도덕이 난해한 까닭은, 국제사회가 갖는 독특한 특성에 기인해요. 이 특성이란, 첫째, 국제사회의 구성국가들이 현실적으로 평등하지 않다는 것이고, 둘째, 모든 사회의 전제조건인 '전체는 부분에 앞선다'라는 원칙이 국제사회에서는 적용되지 않는다는 거죠. 국제사회의 구성원인 국가들 사이에서 오로지 '힘'이라는 변수가 모든 것을 좌우하기 때문에 '평등의 원칙'이 적용될 수 없고, '전체의 이익을 위해 부분의 이익이 희생될 수 있다'라는 도덕률 또한 적용될 수가 없다는 거예요. 이처럼 카는 국내사회와 국제사회의 차이점을 부각시키면서 국제사회에서 도덕이 성립하기 어렵다는 점을 강조하고 있어요.

강대국의 역할과 책임을 강조

그렇다면 어떤 원칙을 정당한 국제도덕으로 바로 세울 수 있는가? 강대국들이 스스로의 이익을 도덕이란 이름으로 포장해도 순순히 받아들여지던 시대는 이미 지나가 버렸죠. 강대국들이 추구하던 '현상 유지'가 좌절되고 본격적인 '이익 충돌의 시대'가 개막한 시대적 전환 속에서, "모두가 수긍하고 존중할 만한 국제도덕은 어떤 모습을 띠어야 하는가?"라고 카는 묻고 있어요. 그러면서 국내사회와 국제사회의 차이점에도 불구하고 국제도덕은 국내도덕과 유사한 요건과 기반을 갖추지 않으면 안 된다고 목소리를 높이며 대안을 모색하고 있죠.

> 국내사회의 경우 '주고받기 식의 거래', 즉 '못 가진 자들의 복종을 대가로 한 가진 자의 자기 희생'은 주로 기존의 질서를 유지함으로써 가장 많은 이익을 보는 사람들이 한다. 국제사회의 경우 현상에 만족하고 있는 강대국의 정치가들이나 논객들의 주장은 이와 다르다. 그들은 주고받는 거래 과정이 단지 기존 질서의 틀 속에서 이루어져야 하며 질서를 유지하기 위해 모두가 함께 희생해야 한다고 믿는다. 이든 (Robert Anthony Eden) 수상은 국제평화는 '모든 국가가 참여하는 국제 질서 위에 가능하며', 이를 위해서 '모든 나라가 자국의 이익을 위해 합당한 기여'를 해야 한다고 주장했다.
> 이와 같은 주장에 내포된 오류야말로 현실적인 국제도덕의 발달에 치명적인 장애가 된다. 주고받는 거래 과정은 기존 질서에 대한 도전을 직접 상대해야 한다. 기존 질서의 이득을 가장 많이 누리는 국가가 그러한 질서가 장기적으로 지속되길 바란다면 충분한 양보를 통해 이득을 적게 누리는 국가들도 그 질서를 용납할 수 있게 해야 한다.

즉 한 국가 안에서 도덕과 질서를 수립하고 유지하는 주도권이 강자에게 있듯, 국제도덕 영역에서도 질서를 수립하고 유지하는 주도권을 강대국이 적극적으로 행사해야 한다는 거죠. 카는 국내사회에서 정부가 그 권한의 기반으로서 권력을 필요로 하는 동시에 피지배자의 동의라는 도덕적 기반을 필요로 하는 것처럼, 국제 질서도 상당한 정도의 일반적 동의를 필요로 한다는 점을 강조해요. 다른 국가들의 동의와 인정을 얻는 초강대국이라는 존재 기반 위에서만 새로운 국제 질서와 새로운 조화가 성립될 수 있다는 것을 카는 주장하죠. 즉 그는 아무런 실질적 힘이 없는 국제연맹과 같은 뜬구름 잡는 이상론을 거부하고, 초강대국의 주도적 역할을 촉구하며 보다 현실적인 대안을 모색한 거예요. 초강대국이 세계정부에 준하는 역할을 떠맡는 건, 다른 나라들에게 일방적인 선의를 베풀거나 희생한다는 차원이 아니라, 자신이 기득권으로 이득을 누리고 있는 현재의 질서를 유지해 나간다는 차원에서 접근해야 한다는 거죠. 카는 이 또한 하나의 유토피아임을 인정하지만, 이것은 최근의 추세를 직접적으로 반영한 것이기에 '국제연맹' 같은 판타지보다는 훨씬 더 현실적이라고 주장하죠. 바로 이것이 새로운 국제 질서를 회복하기 위해 카가 제시한 균형적인 해결책이에요.

> 권력이 국제 관계를 전적으로 지배하는 한, 다른 모든 이득을 군사적 필요에 종속시키는 것은 위기를 악화시키고 전쟁의 전체주의적 성격을 강화시킬 것이다. 반면 일단 권력문제가 해결되면 도덕이 그 역할을 재개하여 상황이 절망적이지만은 않게 될 것이다. 경제적 이익이 사회적 목적에 종속된다는 것을 솔직히 인정하고 경제적으로 좋은 것이 항상 도덕적으로도 좋은 것이 아니라는 것을 인정하는 것은 이제 국내사회뿐만 아니라 국제사회에도 적용되어야 한다. 국가경제에서 이윤 동기를 점차 제거하는 것은 외교정책으로부터도 이윤동기를 제

거하는 것에 조금은 도움이 될 것이다.

1918년 이후 영국과 미국 정부는 일부 어려운 국가에 '구제금융'을 제공하였다. 그러면서도 경제적 보상을 거의 기대하지 않았다. 제1차 세계대전 이후 수출을 증진시킬 목적으로 외국에 차관을 제공하는 일은 이제 많은 나라에서 익숙한 정책이 되었다. 후일 이와 같은 정책은 주로 군사적 고려에 의해 지배되었다. 우리가 정치적 목적을 위해 생산성이 떨어지는 산업을 보조하면 할수록, 또 고용의 창출이 최대한의 이윤보다 중요한 경제정책의 목표가 될수록, 그러한 사회적 목적이 한 국가 내에 머무르지 않고, 영국의 정책이 영국의 도시인 올드햄(Oldham)이나 자로우(Jarrow)의 복지뿐만 아니라 다른 나라 지방의 복지도 고려하는 일이 쉬워질 것이다. 국가정책에 대한 우리의 시야를 넓히는 것은 결국 국제정책에 대한 우리의 시야를 넓히는 것을 도와줄 것이며, 앞에서 말한 바와 같이 희생이라는 동기에 호소하는 것이 항상 실패로 끝나지는 않게 될 것이다.

여러분, 어떠신가요? 카가 제시한 이상과 현실의 절충안에 대해 동의하시나요?

카는 이 책을 집필할 당시 신흥 강대국으로 떠오르고 있던 미국을 염두에 두고 '강대국의 역할과 책임'에 대해 논하고 있죠. 미국은 유럽 대륙을 잠식한 제1차 세계대전의 참화로부터 자유로웠고, 또 유럽 지역에 군수 물자를 조달하면서 비약적으로 경제를 성장시킬 수 있었어요. 세계대전은 그동안 전 세계의 경제권을 쥐고 있던 영국으로부터 새로운 강대국인 미국으로 패권이 이동하는 전환점이 되었던 거죠. 미국은 특히 제2차 세계대전 후 냉전 체제에서 자유주의 이데올로기의 선봉장으로 우뚝 섰고, 이후 소련을 위시한 공산주의 체제가 붕괴되면서 비로소 그 어떤 나라도 넘볼 수 없는 세계 유일 초강대국의 입지를 분명히 하게 되었어요. 결과적으로 세계대전 이후의 역사는 카가 조심스럽게 예견했던 '팍스 아메리카나(pax americana)', 즉 미국의 세계 지배가 현실화되는 과정이었다고 봐도 과언이 아니죠.

과학을 지향하는 국제정치학을 정립하다

카는 예측에 능한 학자였어요. 그는 제2차 세계대전의 발발과 미국의 패권적 지배 모두를 정확히 예견했죠. 현실을 제대로 분석하고 미래를 정확히 예측하는 것, 바로 이게 사회과학의 바람직한 역할이에요. 이처럼 카의 현실 진단과 예견이 실제로 맞아떨어졌다는 것은 그의 이론이 좋은 이론이라는 하나의 방증이죠. 이상과 현실 사이의 균형잡힌 사고는 어느 한쪽에 치우친 사고방식보다 현실 설명력과 예측력 측면에서 우월하다는 것을 카가 잘 보여주고 있습니다.

카의 이론이 현실 설명력과 예측력 차원에서 돋보이는 까닭은, 그의 국제정치학이 '과학(science)'을 지향했기 때문이에요. 그는 국제 관계 연구가 엄밀한 사실 관계 분석과 인과 관계 분석에 기반한 과학을 추구해야 한다는 입장을 견지했죠. 또한 '권력(power)'이라는 정치적 개념을 국제 관계 분석의 핵심기제로 도입함으로써 국제정치 연구가 여타 다른 학문과 차별성을 확보하고 독자적인 학문체계로 발전할 수 있는 계기를 마련했어요. 그래서 이 책에는 '국제관계학 입문(An Introduction to Study of International Relations)'이라는 부제가 붙어 있죠. 사실 카 이전의 시대에 국제정치란 외교관들의 전유물이자 밀실외교의 산물 이라는 인식이 강했는데, 그의 연구를 기점으로 국제정치학은 보다 체계적이고 과학적인 학문으로 입지를 다지게 되었죠. 개념과 가설을 명확히 하고, 면밀한 사례 분석을 통해 근거를 제시하고, 검증된 가설로써 현상을 분석하고 미래를 정확히 예측하는 그의 사회과학 연구방법론은 오늘날에도 많은 가르침을 전해주고 있어요. 무엇보다 그의 이론은 주요한 역사적 사건의 흐름을 실제로 예측해냈다는 점에서 꾸준한 관심과 연구의 대상이 되고 있죠.

자, 어떠신가요? "국제정치학자는 현실에 발을 딛고, 미래에의 꿈과 오늘의 현실을 연결시키기 위한 노력을 아끼지 말아야 한다."라는 카의 주장이 와닿나요? "눈앞의 현상을 명증히 인식하고, 현실에 맞추어 사고하고 행동하되, 이상을 포기할 필요는 없다. 오히려 이상에 가까이 다가가려는 노력을 경주해야 한다."라는 카의 제언은 오늘날 우리가 당면한 국제적 이슈를 해결하는 데에 있어서도 의미 있는 시사점을 던져 주고 있죠. 국제사회에는 일사불란하게 정책을 집행할 세계정부가 존재하지 않기 때문에, 테러, 전쟁, 기아, 난민, 자연 재해, 환경오염 등의 국제 문제들을 해결하는 데 있어서도 혼란과 시행착오가 클 수밖에 없어요. 국제 문제의 해결을 위해서는 도덕이 중요한 역할을 해야 하지만, 현실은 힘의 논리에 따라 움직이니까요. 이 과정에서 어떻게 인류가 유토피아를 지향하면서도 현실의 문제에 적실성 있게 대응할 수 있는가에 대한 해답으로 참고해 볼 만한 이론이 바로 카의 이론이라고 할 수 있어요.

여러분도 이 책『20년의 위기』를 읽으면서 지금의 우리가 당면한 여러 국제적 위기 상황을 어떻게 슬기롭게 극복할 수 있을지, 이상과 현실의 균형에 의거한 바람직한 대안을 모색해보는 의미 있는 시간 가져보시기를 바랍니다.

10. 에리히 프롬, 『자유로부터의 도피』(1941)

여러분은 '자유'가 뭐라고 생각하시나요?

하기 싫은 일로부터 벗어나는 것?
하고 싶은 일만 하면서 사는 것?
아무런 속박과 제약이 없는 상태?

다양한 의견들이 있을 수 있겠지만, 대략적으로 우리의 머릿속에
떠오르는 '자유'라는 개념은 우리가 원치 않는 대상으로부터 분리되는
상태, 즉 '~으로부터의 자유(freedom from~)'라는 공통적인 이미지를 갖
죠. 이건 그만큼 우리의 일상에서 우리를 옭아매고 구속하는 의무와 규
제가 많다는 현실의 반영이기도 하고요.

하지만 우리에게 막상 무제한의 자유가 주어지면 스스로 버거움을 느끼기도 하는 게 참 재밌죠. '참을 수 없는 자유의 무거움'이라 해야 할 까요? 자유를 콘트롤하지 못한 나머지 탈선이나 방종으로 이어지는 안 타까운 경우도 많이 보게 되죠. 그래서 많은 사람들은 이런 경우에 스 스로 자유를 제한하는 속박 장치를 두는 모습을 보이기도 하죠. 이를테 면 살을 빼기 위해 하루 섭취 칼로리를 엄격히 제한한다거나, 혹은 자발 적으로 단식원에 들어간다거나, 이른 아침에 외국어 학원 수업에 등록 해서 반강제로 아침형 루틴을 만든다거나, 용돈이나 월급을 탕진하기 전에 일정 저축액이 계좌에서 자동으로 빠져나가게 만드는 등의 다양 한 방식을 통해 자기가 가진 자유에 제동을 걸어 본 경험이 다들 한 번 씩은 있을 거예요. 이처럼 우리가 스스로 자유를 제한하는 동기는 바로 '더 나은 삶'을 위한 욕구죠. 이처럼 우리는 자유를 달성하려 애쓰기도 하고, 자유로 인한 방종으로 번뇌하기도 하고, 또 획득한 자유를 스스로 일정 부분 포기하기도 하면서 살아가고 있어요.

사회 구성원들은 왜 자유를 스스로 포기하는가

그런데 이처럼 "개인의 삶에서 일정 부분 자유를 스스로 포기하는 성향이 나타난다면, 이러한 개인들이 모여서 이루어진 사회 차원에서 도 그러한 성향이 발현되지 않을까?" 하는 문제를 제기해 볼 수 있죠. 막 대한 자유가 부여된 사회의 구성원들은 과연 어떤 반응을 보일까요? 그 들은 과연 어떠한 상황과 맥락에서 자유를 스스로 포기하려 하는 성향을 보일까요? 그리고 이러한 구성원들의 성향이 집단화되면 사회 전체적으로는 어떤 결과가 초래될까요? 그리고 그러한 구성원들의 행위와 판단 이면에는 어떠한 심리적 작동 원리가 내재해 있을까요? 이처럼 개인 차원의 심리를 넘어 사회적 상황에서 구성원들이 보이는 행위의 양태와 그 기저에 깔려 있는 심리를 분석하는 학문이 바로 사회심리학(social psychology)이에요.

사회심리학자 에리히 프롬(Erich Seligmann Fromm, 1900~1980)은 과연 사회적 상황에서 자유에 대응하는 구성원들의 행위와 심리에 대해 어떻게 분석하고 있을까요? 이와 관련한 그의 논의를 그의 대표 저작인 『자유로부터의 도피(Escape from Freedom)』(1941)에서 확인할 수 있습니다.

이 책의 핵심적인 관심사는 "과연 무엇이 사회 구성원들로 하여금 자유를 스스로 포기하도록 이끄는가?"에 대한 사회심리학적인 분석이에요. 특히 에리히 프롬은 제1차 세계대전 이후 독일의 국민들이 자유를 스스로 적절히 제한하는 수준을 넘어 비정상적인 권위와 나치즘(Nazism)의 노예가 되기를 자처했던 특정한 시공간의 현상에 주목하고 있어요. 『자유로부터의 도피』는 제2차 세계대전이 한창 진행 중이던 1941년에 처음으로 출간되었죠. 독일 출신의 유대인 프롬은 제1차 세계대전 이후 발호한 나치즘으로 인해 미국으로 망명해야만 했던 만큼, 나치즘에 취해 비인간성에 무감각해진 독일 사회 구성원들의 심리 분석에 집요하게 천착했어요. 그는 나치즘을 광적으로 지지했던 대중의 심리를 분석하면서, "어쩌면 인간에게는 자유에 대한 갈망 이외에도 무언가에 복종하고 예속되고자 하는 본능적인 욕구가 있는 것은 아닐

에리히 프롬(Erich Seligmann Fromm, 1900~1980)

까?"라는 의문을 던지고 이에 대한 답을 찾고 있어요.

근대적 불안에 대한 처방 1: 나치즘

나치즘은 전체주의(totalitarianism)에 극단적인 민족주의와 인종주의가 결합된 독일의 민족사회주의를 뜻하죠. 나치의 총통 히틀러(Adolf Hitler, 1889~1945)는 유대인에 대한 적의를 노골적으로 드러내면서 독일 국민이 게르만 민족 중심으로 궐기해 세계의 질서를 재편하고, 인류의 진보를 위해 합심해야 한다고 목소리를 높였어요. "인종적으로 우월한 강자만이 세계를 지배할 수 있다. 따라서 우월한 게르만족이 그 과업을 떠맡는 것이 세계사적 사명이다."라는 나치의 주장은 일반적인 상식과 논리에 배치되는 궤변이지만, 당시 독일 국민들은 나치즘에 집단 최면이 걸린 채 대학살과 야만적 폭력에 가담했죠. 날마다 수많은 유대인이 수용소로 끌려갔고 가스실에서 억울한 죽음을 당했어요. 나치의 집단적 광기에 취한 독일은 제2차 세계대전을 일으키고 홀로코스트(holocaust)라는 잔혹한 전쟁 범죄를 자행했죠.

나치 독일에 의한 유대인 대학살이 자행된 아우슈비츠(Auschwitz) 강제 수용소

에리히 프롬은 "수백만의 독일 사람들이 그들 선조들이 자유를 위하여 싸운 것과 같은 열성으로 스스로 자유를 포기하였으며, 자유를 찾는 대신 그로부터 도피하는 길을 찾았다."라며 다소 자조적인 어조로 당시의 사회상을 비판하고 있어요. 나치즘에 열광한 독일 국민은 스스로 자유를 포기하는 것을 넘어 노예 상태로 도피하는 비정상적인 행태를 보였다는 것이죠. 그들의 선조들이 신(神) 중심의 중세적 속박을 타파하고 개인의 자유와 독립을 쟁취하기 위해 무려 4백여 년이 넘는 지난한 투쟁을 벌였음에도 불구하고, 막상 자유를 얻게 된 후손들은 너무나 허무하게도 그러한 자유를 버거워하며 스스로 포기하고 심지어 나치즘이라는 지옥으로 도망가는 퇴행의 몸짓을 보였다는 거예요. 이러한 모순적 행태는 과연 어디에 기인하는가? 이것이 바로 에리히 프롬의 중대한 화두예요.

프롬의 작업은 나치즘에 대한 논의에 갇히지 않고, 자유로부터의 도피를 촉발하는 '불안'이라는 감정에 대한 역사적·사회적 분석으로까지 뻗어 나가죠. 그에 따르면 현대인의 도피적 경향은 '불안'에 기인해요. 그는 개인이 자유를 쟁취하게 된 시기를 중세적 질서가 무너지고 자본주의가 싹트던 15~16세기 무렵으로 보고 있어요. 중세의 예속과 속박이 부여했던 안정감과 귀속감이 사라지면서 인간은 자유로워졌지만 훨씬 더 고독해지면서 극도의 '불안'에 휩싸이게 되었다고 그는 주장하죠.

'불안'이라는 감정을 해석하기 위해 프롬은 프로이트(Sigmund Freud, 1856~1939)의 정신분석학을 참고하기도 하지만, 프로이트의 정신분석학적 연구의 한계를 뛰어 넘는 면모를 보이죠. '불안'을 시공간을 초월한 인간의 보편적 감정으로 해석한 프로이트와 달리, 프롬은 '불안'이 철저하게 '사회적 현상'이라고 주장했어요. 프로이트의 정신분석학과 차별화되는 프롬의 사회심리학적 분석틀은 인간의 본성이 특정 역사의 상황과 맥락에 의해 좌우된다고 보았죠. 즉 인간의 성격은 개인과 타인, 그리고 사회와의 관계 속의 상호작용에 의해 형성된다는 거예요. 프롬에 따르면 '불안'이란 개인적인 기질이 아니라 매우 근대적이며 사회적인 현상이죠. 근대 이전의 사회에서 사람들은 혈연과 지연에 따라 결정되는 '원초적 유대'에 의해 규정되었는데, 이러한 끈끈한 유대 관계는 구성원들의 개성을 억압하기도 했지만 동시에 구성원들에게 안정감과 귀속감을 제공하기도 했죠. 그런데 근대 사회의 출현과 함께 끈끈한 유대관계가 해체되고 개체화(individuation)가 진행되면서 개인들은 그 이전의 사람들이 한번도 느껴보지 못했던 '고독'과 '불안'이라는 감정을 집단적으로 느끼게 되었다는 거예요. 15~16세기 무렵 개인이 자유를 쟁취하는 동시에 '불안'에 시달리기 시작하는 과정을 프롬은 다음과 같이 묘사하고 있습니다.

> 15~16세기에 사회·경제의 변화가 개인에게 어떤 작용을 했는지에 대한 논의를 종합해 보자. 우리는 여기서 자유의 다의성을 엿볼 수 있다. 개인은 경제적·정치적 속박에서 자유롭게 된다. 또 새로운 조직 안에서 활동적이고 독립된 역할을 하면서 적극적인 자유를 취할 수 있다. 그러나 동시에 전부터 안정감과 귀속감을 주었던 속박에서 풀려난다. 인간이 중심이 되었던 좁고 밀폐된 세계에서의 삶은 마침표를 찍는다. 세계는 광막하고도 공포에 찬 것이 된다. 인간은 폐쇄된 세계에서 갖고 있던 고정된 지위를 잃고 자기 생활의 의미에 답할 방도를 잃어버린다. 그 결과 자기 자신이나 생활의 목표에 대한 의혹이 엄습해 온다. 그는 강력한 초인간적인 자본이나 시장의 힘에 위협을 받는다. 또 동료와의 관계도 서로 마음속에 경쟁심이 깔려 있어 적의

에 찬 서먹서먹한 것이 되었다. 그는 자유로워졌다 —그러나 고독으로 고립된 채 주위의 위협을 받고 있는 것이다. 르네상스 시대의 자본가가 가졌던 부(富)나 힘도 없고, 타인이나 세계와 하나가 되었던 느낌도 잃어버리고, 스스로 무력감과 불안감에 좌절감을 느낀다. 영원히 사라진 천국을 뒤로 하고 개인은 혼자서 세계 앞에 맞선다— 그는 끝없는 공포에 찬 세계에 방치된 이방인이다. 새로운 자유는 필연적으로 동요, 무력, 회의, 고독, 불안의 감정을 자아낸다.

에리히 프롬은 이처럼 '동요', '무력', '회의', '고독', '불안'이라는 감정이 바로 인간으로 하여금 자유로부터 도피하게 만드는 주된 심리적 요인이라고 강조하고 있어요.

근대적 불안에 대한 처방 2: 종교개혁

근대적 불안에 대한 처방이라는 또 하나의 사례로 프롬이 들고 있는 것이 바로 종교개혁이죠. 마르틴 루터(Martin Luther, 1483~1546)의 신학은 중세의 질서가 무너지면서 원초적 유대로부터 분리되어 나온 신자들이 대면해야 했던 근대적 불안에 대한 해법으로 제시됐어요. 종교개혁 당시 루터가 설교의 타겟으로 삼은 사회 계급은 자기 존재의 의미에 대해 회의를 느끼며 극도의 불안감에 사로잡혀 있던 사람들이었어요. 루터는 이들의 정신 세계를 지배하고 있는 불안의 실체를 정확히 꼬집어 보여주면서 그들에게 해법을 제시했죠. 그 해법이란 바로 '권위에 대한 무조건적인 복종'이었어요. 루터는 불안을 느끼는 신자들에게 "자신의 무의미함을 인정하고, 스스로 보잘 것 없는 존재임을 받아들여 자신의 힘을 포기하게 되면, 전능한 신에게 받아들여질 것을 기대할 수 있다."라고 설파했어요. 완전하고 무조건적인 복종의 관계를 제시한 거죠. 루터는 "자신을 내세우지 않는 지극히 겸손한 태도로 자세를 낮춰 자아가 지닌 모든 결점과 의혹을 함께 없애버리면, 신자는 자기 존재가 보잘 것 없다는 느낌에서 해방되어 신의 영광에 동참할 수 있다."라고 주장하면서 사람들을 교회의 권위에서 해방시켰지만, 그보다 훨씬 압제적인 권위에 복종시켰다고 프롬은 분석하고 있어요.

종교개혁과 나치즘은 일견 연결고리가 없어보이지만, 프롬에 따르면 이 둘은 근대적 불안에 대한 처방으로 제시됐다는 측면에서 공통적이죠. 자유는 근대인에게 독립성과 합리성을 부여했지만, 다른 한편으로 개인의 고독감과 불안감을 증대시켰어요. 근대적 개인이 자유로 인한 불안감을 감당하지 못할 때 오히려 자유라는 부담을 피해 의존과 복종이라는 예속 상태로 되돌아가게 되는 모습을 보이게 된다는 점을 프롬은 역사적 사례를 들어 지적하고 있는 거죠.

에리히 프롬에 따르면 이처럼 근대 이후 개인의 정치적·경제적 자유가 확대되는 사회적 과정의 결과로 구성원들의 불안 심리가 형성되면서 근현대인 특유의 성격구조가 만들어지죠. 수백 년 동안 치열하게 투쟁한 결과 인간은 물질적 부를 쌓고, 민주주의를 쟁취하고, 세계대전의 참화를 딛고 전체주의를 극복하는 데에도 성공했어요. 하지만 에리히 프롬에 따르면 인간은 여전히 불안하죠. 불안한 인간은 여전히 자유를 버거워하면서 온갖 부류의 독재자들에게 자신의 자유를 넘겨주거나, 스스로 기계의 작은 톱니바퀴가 되어 편하게 살기를 택하거나, 자동 인형처럼 수동적으로 반응하며 별 생각 없이 살고 싶은 유혹에 사로잡히고 있다는 거예요.

'~로부터의 자유' vs. '~에 대한 자유'

프롬에 따르면 자유로 인한 무력감, 회의감, 그리고 불안감 모두 인생을 마비시키죠. 그래서 사람은 살기 위해서 자유로부터 달아나려고 한다고 그는 분석해요. 하지만 여기서 중요한 것은, 이때의 자유란 그가 원치 않는 그 무엇으로부터 분리된 상태, 즉 흔히 우리가 떠올리는 형태의 자유인 '~로부터의 자유(freedom from~)'이기 때문에, 여기에서 도피한다면 그는 또 다시 새로운 속박, 즉 '~로의 예속(subordination to~)' 상태로 몰릴 수밖에 없다는 거죠. 이처럼 도피는 그의 상실된 안정을 회복시키지 않고, 다만 분열된 존재로서의 자아를 망각하기 위한 수단에 불과할 뿐이에요. 그는 개인적 자아의 완전성을 희생시켜 결국 또 하나의 유약한 안정을 발견하지만, 결국 이 또한 언젠가는 벗어나고 싶을 불안정한 도피처일 뿐이란 거죠. 이게 바로 '~로부터의 자유'가 인간을 속박과 불행으로 이끄는 일련의 과정이에요. "도망친 곳에 낙원은 없다."라는 말의 의미가 잘 드러나는 대목이죠.

즉 자유의 속성이 '~로부터의 자유'인 이상, 안정감과 귀속감의 부재로 불안과 고독이 극대화되고 도피 성향이 자극받는 악순환을 피할 수 없다는 거예요. 그렇다면 대안은 무엇인가?

에리히 프롬이 소극적 자유, 즉 '~로부터의 자유'에 대비시키고 있는 형태의 자유는 바로 적극적 자유, 즉 '~에 대한 자유(freedom to~)'예요.

'~에 대한 자유', 어떠신가요? 좀 모호한 느낌이죠? '~로부터의 자유'라 하면 어떤 의미인지 좀 더 익숙하고 잘 와닿는 반면에, '~에 대한 자유'라고 하면 어떤 느낌인지 쉽게 그려지지 않을 거예요. 여러분이 이해하기 쉽도록 예를 들어 볼게요.

요즘 많은 사람들의 꿈은 '빠른 은퇴'죠. 일명 '파이어(FIRE: 'Financial Independence, Retire Early'의 준말로, 경제적 독립과 조기 은퇴를 추구하는 지향성을 의미)족'이 되어 일에 매이지 않고 자유로운 일상을 누리고 싶은 것이 모두의 로망이죠. 상상해 보세요. 경제적 자유를 달성하고 내가 하고 싶은 것만 하면서 마음껏 내 시간을 쓸 수 있다고 하면 너무나도 행복하겠죠? 그러려면 지금부터 열심히 일을 하면서 목표한 만큼의 부를 축적해 나가야 할 거예요. 자, 그런데 바로 여기에 많은 이들이 간과하기 쉬운 맹점이 있어요. 이 단계에서 대다수는 이런 목표를 세울 거예요. "최대한 빨리 노동하는 삶에서 벗어나자!" 이렇게 현재로부터의 도피를 목표로 속도전에 진입하면, 순간순간의 재미와 의미를 잃고 맹목적으로 직진하는 로봇이 되어버리기 십상이죠. 행복에 다가가기는커녕 도리어 불행해지게 된다는 거예요. 그렇게 목표를 달성하고 "파이어~!"를 외치며 비로소 노동에서 벗어나게 되면 어떨까요? 이제 진정한 행복을 누리게 될까요? 결코 그렇지 않아요. 무엇으로부터 도망쳐서 도달한 곳은 마치 진공상태와도 같아서, 처음에야 좋겠지만 곧 무료하고 무기력해지면서 또다른 도피처를 찾게 될 거예요. 이게 바로 소극적 자유의 한계죠. '~로부터의 자유', 즉 '내가 원치 않는 그 무엇으로부터 벗어나는 것'에 초점을 두다 보면 삶은 끊임 없는 도피의 여정이 되어버릴 수밖에 없어요. 고독하고, 우울해지고, "내가 진짜 원하는 게 뭐지?"하는 의문만 끊임없이 들고, 행복은 잡히지 않는 신기루처럼 더욱 멀게 느껴지면서 불안해질 수밖에 없겠죠.

핵심은 '지금, 여기'에서 자유롭고 행복할 수 있는 길을 찾는 거예요. 내가 어떨 때 가장 자유롭고 행복한가를 정확히 알기 위해서는 적극적으로 몸을 움직여 부딪치고 경험해 보아야만 하죠. 먼 하늘만 올려다보며 보이지 않는 파랑새를 쫓는 게 아니라, 지금 내가 발 딛고 서 있는 시공간 속에서 가치를 찾고 보람을 느끼며 자아를 실현하려 노력해야 해요. 행복은 마치 점들이 이어져 선을 만들듯이 순간순간의 충만한 감정이 모여서 이루어지는 거죠. 자유도 마찬가지예요. 앞만 보고 직진해서 마침표를 찍는 게 자유가 아니라, 끊임없는 도전과 성취를 통해 나의 가능성을 실현하면서 나만의 인생 항로를 올곧게 개척해 나가는 과정이 바로 진정한 자유라고 할 수 있죠. 다시 말해 경제적 자유란 '돈을 빨리 모아서 일에서 벗어나는 것'이 아니라, '자아 실현의 과정을 통해 내가 원하는 라이프 스타일에 가까이 다가가는 것'이라고 보는 게 더욱 바람직해요. 더욱 완결적이고, 지속 가능하며, 완성도 높죠. 이게 바로 적극적인 자유, 즉 '~에 대한 자유'예요.

에리히 프롬에 따르면 '~에 대한 자유'를 달성하기 위한 핵심은 바로 '자발적인 행위'죠. '자발적인 행위'란, '소극적이고 수동적인 도피 행위'의 대척점에 서있는 반대 개념이에요. 그는 인간이 자발적인 활동을 통해 자아를 실현하는 과정을 통해 진정한 자유에 가까이 다가갈 수 있다며 다음과 같이 주장하고 있어요.

우리의 분석이, 자유가 불가피하게 순환하여 필연코 새로운 의존으로 이끌어간다는 결론을 내리게 될 것인가? 모든 제1차적인 속박에서 자유롭게 되었다는 것은 개인을 아주 고독하게 고립시키니, 불가피하게 새로운 속박으로 도피해야만 할 것인가? 독립과 자유는 고독과 공포와 동일한 것일까? 혹은 개인이 독립한 자아로서 존재하면서도 고독하지 않고 세계나 타인이나 자연과 새로 결부되는 것 같은 적극적인 자유의 상태가 있을 것인가?

우리는 하나의 적극적인 해답, 바로 자유가 성장하는 과정은 악순환이 아니며, 사람은 자유로우면서도 고독하지 않고, 비판적이면서도 회의에 차지 않고, 독립되어 있으면서도 인류의 전체를 구성하는 부분으로서 존재할 수 있음을 믿는다. 이와 같은 자유는 자아를 실현한 자기 자신이라는 데서 획득하게 된다. 자아의 실현이란 무엇일까? 우리는 자아의 실현은 단순히 사고의 행위에서만이 아니라, 인격 전체의 실현, 감정이고 지적인 여러 능력의 적극적인 표현으로 성취된다고 믿는다. 이러한 능력은 누구에게나 구비되어 있으며, 표현됨으로써 비로소 현실이 된다. 다시 말해, 모든 적극적인 자유는 통합된 인격의 '자발적인 행위' 속에 존재한다.

자발적인 자아 실현 행위가 진정한 자유의 핵심

'자발적인 행위'가 무엇인지 잘 안 와닿는다면, 어린아이의 행동을 눈여겨 보세요. 어린 아이들에게는 아무런 가식 없이 스스로 느끼고 생각하고 표현하는 능력이 있죠. 이게 바로 '자발성'이에요. 어린 아이들의 '자발성'은 그들이 이야기하고 생각하는 동안에, 또 그들의 얼굴에 표현되는 감정 속에서 발견할 수 있죠. 만약 대부분의 사람을 사로잡는 어린 아이들의 매력이 무엇인가 하고 묻는다면, 바로 '자발성'임에 틀림없을 거라고 에리히 프롬은 강조하고 있어요.

꼭 어린 아이가 아니어도, 어른들도 자발성을 스스로의 내면에서 발견할 수 있는 순간들이 있죠. 예를 들면 하나의 풍경을 자발적으로 참신하게 지각할 때, 어떤 일을 생각하는 동안에 어떤 진리가 비쳐올 때, 형식에 맞지 않는 어떤 감각적인 쾌락을 느낄 때, 또 타인에 대한 애정이 솟아날 때 등의 여러 순간에 우리는 모두 자발적인 활동이란 무엇인가를 느낄 수 있어요. 이것들은 동시에 순수한 행복의 순간이기도 하죠. 만일 이러한 경험이 우리의 일상에서 자주, 자연스럽게 일어난다면, 인간의 생활은 훨씬 더 자유롭고 행복해질 거예요.

에리히 프롬에 따르면 자발적인 활동은 자아 실현뿐만 아니라 세계와의 연결성 유지를 위해서도 반드시 필요하죠. 그는 '~로부터의 자유', 즉 소극적인 자유가 개인을 원자화시켜 고독하게 만들고, 이에 따라 개인과 세계와의 관계가 멀고 신뢰할 수 없는 것이 되어버리며, 결국 그들의 자아가 약화되어 줄곧 위협받는다는 것을 지적해요. 그러면서 그는 자발적인 활동이 자아를 분해시키지 않고도 고독의 공포를 극복할 수 있는 가장 중요한 방안이라고 강조하죠. 왜냐하면 사람이 자아를 자발적으로 실현한다는 것은 인격의 통일성을 유지하면서 그 자신을 새롭게 외부 세계로 결부시키는 것이기 때문이에요.

만일 개인이 자발적인 활동으로 자아를 실현하여 자기 자신을 외부 세계와 연결시킨다면, 그는 고립된 원자는 아닌 것이다. 즉 그와 외부 세계는 전체를 구성하는 한 부분이 된다. 이렇게 정당한 지위를 획득함으로써 그 자신이나 인생의 의미에 대한 의혹이 소멸한다. 이러한 의혹은 분리와 생의 좌절에서 생긴 것으로, 강박적이거나 자동적이 아니라 자발적으로 살아갈 수 있을 때 사라진다. 그는 자신을 활동적·창조적인 개인으로 느껴 인생의 의미가 또 하나 있다는 것, 그것은 사는 행위 그 자체임을 인정한다.

만일 개인이 자기 자신이나 인생에 있어서의 자신의 위치에 대한 근본적인 회의를 극복한다면, 만일 그가 자발적인 행위를 통해서 세계를 포용하는 관계를 유지한다면, 그는 개인으로서 힘을 획득하여 안정을 얻는다. 그러나 이 안정은 외부 세계에 대한 새로운 관계가 제1차적 속박이 되듯이, 이전의 개인적 단계에서 특징적이었던 안정과는 다른 것이다. 새로운 안정은 개인이 외부의 보다 높은 힘으로부터 부여받는 것 같은 보호를 기초로 하지 않는다. 또한 생의 비극적인 성질이 배제된 것과 같은 안정도 아니다. 새로운 안정은 역동적이다. 그것은 보호에서가 아니라, 인간의 자발적인 활동에 기인하고 있다. 인간의 자발적인 활동으로 순간마다 획득되는 안정이다. 그것은 자유만이 줄 수 있으며, 환상을 필요로 하는 여러 조건을 배제하고 있기 때문에 아무런 환상을 필요로 하지 않는다.

에리히 프롬에 따르면 이러한 자발성을 구성하는 가장 소중한 행위는 사랑이죠. 사랑이란 자아를 상대 속으로 용해시키는 것도, 상대를 소유해 버리는 것도 아니에요. 상대를 자발적으로 긍정하면서, 다시 말해 개인적 자아를 보존시키는 가운데 자신을 다른 사람과 결합시키는 행위죠. 이게 바로 사랑의 역동성이에요. 즉 사랑은 분리를 극복하려는 요구에서 생겨나며, 일체로 이끄는 것이고, 그러면서도 개인의 개성을 배제하지 않는 것이죠.

그는 사랑 외에도 창조적인 작업이나, 관능적 쾌락의 실현, 또는 공동체의 정치적 활동에의 참여 등과 같은 모든 자발적인 행위를 해법으로 제시하면서, 자아의 개성을 확보하면서도 자아를 타인이나 자연에 결부시키는 활동을 많이 함으로써 진정한 자유를 누릴 것을 제안하고 있어요. 자유 속에 존재하고 있는 근본적인 분열, 즉 개성의 탄생 이면에 발생하는 고독이라는 고통은 인간의 자발적인 행위를 통해 보다 높은 차원으로 승화될 수 있다는 거죠.

자, 여러분 어떠신가요?

우리는 대개 '자유'라고 하면 '내가 원치 않는 그 무언가로부터 벗어나는' 소극적 자유를 떠올리기 쉽지만, 에리히 프롬의 논의를 듣고 보니 그러한 소극적 자유가 얼마나 불완전하며, 또 얼마나 위험할 수도 있는 것인지 아시겠죠?

교통과 통신의 발달, 그리고 자유주의적 사상의 진전으로 인해 개인의 자유가 갈수록 증대되고 있는 시대죠. 이런 때일수록 우리는 프롬의 경고를 진지하게 되새길 필요가 있어요. "우리는 과연 자유로 인한 현대적 불안에 맞설 수 있는 주체인가?" 스스로를 반성하고 진지하게 성찰하면서 진정한 자유를 누릴 수 있는 역량을 키워가는 자세가 필요합니다.

　우리 모두 자유를 원하죠. 하지만 중요한 건 자유란 단어 그 자체가 아니라, 그것이 어떠한 자유인가, 즉 '~로부터의 자유'인가, 아니면 '~에 대한 자유'인가를 명확히 규정하고, 더 높은 차원의 자유를 지향함으로써 자아 실현과 행복을 동시에 달성해 나가는 것임을 이제 아시겠죠?

　자, 여러분은 어떤 자유를 지향하시나요? 에리히 프롬의 『자유로부터의 도피』를 찬찬히 읽어보면서, 내가 원하는 자유와 삶의 방향성에 대한 생각을 다듬어 보는 소중한 시간 가져보시기를 권합니다.

11. 데이비드 리스먼, 『고독한 군중』(1950)

여러분, 혼자 있는 것 좋아하시나요?

또는 혼자 뭔가를 하는 것 좋아하시나요?

'혼밥(혼자 밥 먹기)', '혼술(혼자 술 마시기)'에서 시작해서 '혼여(혼자 여행)', '혼캉스(혼자 호캉스)', '혼캠(혼자 캠핑)', '혼등(혼자 등산)'과 같은 다양한 1인 활동이 점차 보편화 되어 가고 있는 요즈음이죠. 십 년 전만 해도 혼자 놀이공원에 가거나 혼자 고깃집에서 고기를 구워먹는 등의 일들이 주위 사람들의 어색한 시선을 사로잡았던 것과 달리, 요즈음에는 혼자서 밖에서 무언가를 한다는 건 전혀 새삼스러울 게 없는 보통의 일이 되어가고 있어요. 아마 여러분도 혼자 식당이나 영화관에 가서 1인 밥상이나 1인 영화표를 사진으로 찍어서 #혼밥, #혼영 등의 태그와 함께 SNS에 당당하게 업로드 한 경험이 다들 한 번씩은 있을 거예요.

바야흐로 '외롭지만 혼자 있고 싶은' 시대죠. 참으로 역설적이게 도 사실 혼자 밥을 먹거나 영화를 보러가서 사진을 찍어 SNS에 올리는 건, 결국 주변 사람들에게 '나 좀 봐달라'는 메시지를 전하고 있는 것이 나 다름 없어요. 그 기저에는 외로움이라는 심리가 깔려 있고요. 그 순 간의 고독을 충만히 즐기고 있다면 사진을 찍어 올릴 겨를도 없을 테지 만, 혼자 무언가를 하면서 공허하고 외롭기 때문에 주변 사람들에게 사 진을 공유함으로써 세상과 연결되는 느낌을 갖고자 하는 거죠. 어때요? '혼자 있고 싶지만 외롭진 않고 싶은 심리'에 대한 꽤나 정확한 분석이 죠?

이러한 시대적 트렌드를 무려 수십 년 전에 정확하게 간파하고 문 제를 분석해 해법을 제시한 사회학자가 있습니다. 바로『고독한 군 중(The Lonely Crowd: A Study of the Changing American Character)』 (1950)의 저자인 데이비드 리스먼(David Riesman, 1909~2002)입니다. 책의 제목이 시사하듯, 이 책은 자본주의 사회를 살아가는 현대인들이 다양한 집단에 속해 타인들과 부대끼면서도 늘 고립감을 느낀다는 점 을 지적하고 있죠. '고독'과 '군중'의 조합이라는 모순 어법에도 불구하 고 너무나 공감가는 이 제목 뒤에는 과연 어떤 내용이 숨어 있을까요? 지금부터 자세히 살펴보겠습니다.

변화하는 사회적 성격에 대한 연구

이 책의 부제는 '변화하는 미국의 성격에 대한 연구(A Study of the

데이비드 리스먼(David Riesman, 1909~2002)

Changing American Character)'로, 1950년에 초판이 출간됐어요. 저자
인 리스먼은 이 책에서 20세기 중반 무렵 미국인의 성격과 미국의 사회
의식이 어떻게 형성되고 나타나는지 분석하고자 했죠. 당시 미국은 제
2차 세계대전을 치르던 유럽 국가들에 전략 물자 등을 조달하면서 군
수산업을 중심으로 생산성이 폭발적으로 증대한 상황이었어요. 즉 세
계대전 과정에서 유럽의 전통 패권국들은 전쟁의 참화 속에 내리막을
걷게 된 반면, 신흥 공업국 미국은 경제 대국으로 우뚝 서는 동시에 세
계 질서를 주도하는 강력한 패권까지 거머쥐게 된 거죠. 전례 없는 고
도의 산업화 단계에 진입하며 급격한 사회 변동을 겪고 있던 그 시기,

리스먼은 미국의 사회 변동에 따라 미국인들의 성격과 의식 구조 또한 현격하게 변화해 가고 있음을 포착하고 심도 있는 분석에 착수한 거예요. 그 연구의 결과물이 바로 이 책, 『고독한 군중』이고요.

리스먼은 이 책에서 중점적으로 분석하고자 하는 주제가 무엇인지 책의 도입부에서 다음과 같이 분명히 밝히고 있어요.

이 책에서 논하려는 것은 '사회적 성격'이다. 서로 다른 지역과 시대와 집단에 속하는 인간이 지닌 '사회적 성격'의 차이점을 다뤄보고자 한다. 우리는 이미 기성사회의 사상을 이루고 있는 각기 다른 '사회적 성격' 유형이 그 사회의 노동과 오락과 정치, 그리고 육아 등 여러 사회적 활동 면에서 펼쳐지는 과정을 고찰하게 될 것이다. 특히 19세기 미국의 사상을 이뤄온 '사회적 성격'이 그와는 전혀 다른 종류의 '사회적 성격'으로 점차 대치되어가는 과정을 고찰대상으로 삼았다. 그와 같은 변화가 어째서 일어났으며, 어떻게 일어났는가, 그리고 그러한 변화가 생활의 중요한 영역에 어떤 영향을 가져왔는가. 그 점을 고찰하는 것이 이 책의 주제이다.

그런데 여기서 우리가 말하는 '사회적 성격'이란 무엇일까? 먼저 그 뜻부터 밝혀보자. '사회적 성격'이란 '성격' 속에 포함되어 있는 온갖 사회 집단 사이의 공통된 성격을 가리키며, 그것은 대부분의 현대 사회과학자들이 규정짓듯이 그러한 사회 집단들의 경험에서 나온 산물이다. '사회적 성격'이란 온갖 계급, 집단, 지역, 국가의 성격을 가리킨다. 우리가 이 책에서 쓰는 개념은 바로 이런 의미다.

이처럼 리스먼은 사회의 변화와 사회 구성원들의 생활 양식의 변화 양상을 '사회적 성격'이라는 개념을 통해 파헤치고 있어요. 그에 따르면 '사회적 성격'은 '주요 사회 집단 사이의 공통된 성격'으로 사회 집단들의 경험에서 나온 산물이죠. 온갖 계급, 집단, 지역, 국가의 성격을 가리키는 용어예요.

그는 역사적으로 사회적 성격이 '전통지향형', '내부지향형', '타인지향형'의 세 유형을 거쳐 변화해 왔다고 주장합니다. 우선 '전통지향형'은 중세 봉건 시대의 사회적 성격으로, 사회 구성원이 전통과 과거를 추종하는 데서 주요 행위 기준을 찾는 유형이죠. 다음으로 '내부지향형'은 19세기 공업화 시대 주류를 형성했던 사회적 성격으로, 가족 안에서 학습된 도덕과 가치관이 행위기준을 이루는 유형이고요. 한편 '타인지향형'은 이 책이 쓰일 당시인 20세기 중반 무렵 미국 대도시 상류 중산층에서 두드러지게 나타난 사회적 성격으로, 또래집단과 매스미디어 등이 갖는 가치 체계로부터 영향을 받아 행동하는 유형을 가리키죠.

이중 리스먼의 관심은 세 번째 유형인 '타인지향형'에 쏠려 있어요. 이 책의 제목인 '고독한 군중'은 '타인지향형'의 사회적 성격 유형을 대변하는 실체라고 볼 수 있죠. 산업화에 따라 대중사회가 본격화됨에 따라 개개인의 유니크한 개성보다 원만한 대인관계와 사회성이 더욱 중시되면서 타인으로부터 인정받고 싶어하는 심리적 욕구가 커졌다고 리스먼은 진단하고 있어요. 타인의 관심사를 포착하기 위해 촉각을 곤두세우고 공동체나 조직으로부터 격리되지 않기 위해 노력하지만 자칫 소외될지 모른다는 불안감에 번민하는 '타인지향형'의 인간 집단이 바로 '고독한 군중'이라고 볼 수 있는 거죠.

자, 그러면 리스먼이 제시하고 있는 세 가지 사회적 성격 유형이 각기 어떤 특성을 갖고 있고, 어떤 과정을 거쳐 '고독한 군중'으로 변화해왔는지 좀 더 구체적으로 살펴볼까요?

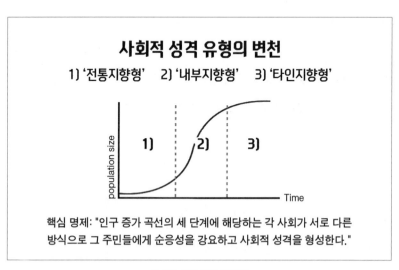

사회적 성격 유형의 변천

리스먼에 따르면 사회적 성격 유형의 변천은 바로 인구 구조의 변화와 밀접한 연관이 있죠. 그는 'S자형' 인구 증가 곡선을 세 단계(잠재적 고도 성장 단계-과도적 성장 단계-초기적 인구 감퇴 단계)로 구분하고, 각 단계에 해당하는 사회가 서로 다른 방식으로 그 주민들에게 순응성을 강요하고 또 사회적 성격을 형성한다는 명제를 제시하며 각 유형을 다음과 같이 규정하고 있어요.

전통지향형: 잠재적 고도 성장 단계

첫째, 전통지향형(tradition-directed type)의 경우 농업·어업·광업 등 1차 산업이 지배적인 '잠재적 고도 성장 단계'의 사회에서 나타나는 유형이죠. 이 사회 구성원들은 전통에 의해 통제됩니다. 중요한 사회적 관계는 전해 내려오는 규율이나 의식에 따라 형성되고, 전통에 위배되는 창의성이나 이질적인 행위들은 불필요한 것으로 여겨지죠.

> 전통지향형 인간은 자신을 개성화된 한 개인으로서 의식하지 않는다. 자기 운명을 스스로 정한 개인적 인생목표에 따라 만들어나간다든지, 또는 자녀들의 운명을 가족집단으로부터 분리시켜 개척하게 하는 것은 그들로서는 생각조차 할 수 없는 일이다. 전통지향형 인간은 그런 생각을 할 수 있을 만큼 자신과 가족과 집단사회로부터 심리적으로 충분히 분리되어 있지 못한 것이다(즉 '자아'와는 거리가 먼 상태이다).
> 서양사에서는 중세를 전통지향적인 시대였다고 볼 수 있다. 그러나 '전통지향'이라는 용어는 매우 보편적인 요소를 지칭하는 것이다. 그것은 자본주의 전(前) 단계의 유럽뿐만 아니라 힌두인이나 호피인디언, 줄루족, 중국인, 북아프리카의 아랍인과 발리인처럼 유럽과는 전혀 다른 유형의 민족사회에서도 볼 수 있는 공통요소이다.

리스먼에 따르면 전통지향형 인간의 핵심적 습성은 '순응성'이죠. 전통지향형 인간은 과거 몇 세기에 걸쳐 아주 조금밖에 고쳐지지 않은 채 오랫동안 유지되어 온 행동 양식을 이해하고 이에 만족하는 법을 학습하며 성장한다는 의미에요. 이러한 사회에서 개인의 활동은 이미 성격학적으로 전통에 복종하는 방향으로 결정되어 있다고 그는 주장해요. 전통지향에 의존하는 사회의 개인은 자기가 속한 집단의 다른 사람들과 명확한 기능적 관계를 맺고 있기 때문에, 그가 선택하는 인생 목표는 범위가 극히 제한될 수밖에 없죠.

내부지향형: 과도적 성장 단계

둘째, 내부지향형(inner-directed type)의 경우 제조업과 같은 2차 산업이 지배적인 '과도적 성장 단계'의 사회에서 나타나는 유형이에요. 자본 축적과 기술 발전이 막 시작된 자본주의 초기에 생겨나는 사회적 성격이죠. 전통지향형에 비해 전통과 관습의 힘은 약해지고 개인의 결정력이 높아지는 단계예요. 부모와 집안은 여전히 많은 사람들의 삶에서 결정적인 요소로 작용하지만, 이전에 비해 훨씬 다양한 가능성과 요구들이 폭넓게 펼쳐지는 단계이기도 하죠. 그리하여 여기서 좀더 일반화되고 좀더 추상적으로 규정된 목표, 이를테면 성공을 추구하는 성격이 탄생합니다.

> 많은 사람이 내부지향적인 사회—그리고 부나 권력과 같이 본질적으로 한계가 있는 가치에 대한 욕구가 많은 사회—는 그 자체가 품고 있는 여러 경쟁적인 세력들로 인해 강력한 변화의 힘을 지니기 마련이다. 더 높은 지위를 얻기 위한 경쟁에 무관심한 사람들이라도 갈수록

나이나 출신 따위에 의존하지 않게 되는 개방적 사회 체제에서 낙오하지 않으려면 어느 정도 경쟁을 하지 않을 수 없다.

분업화가 진행되고 사회적 기능이 더욱 복잡해짐에 따라 그러한 경향들은 한층 더 강화된다. 분업화가 진행된다는 것은 아이들이 갈수록 부모의 사회적 역할을 모델로 삼을 수 없게 됨을 의미한다.

내부지향적 아이들은 집을 떠나 목적지가 어디인지 알 수도 없는 곳을 향해 멀리 날아가도록 훈련받는다. 따라서 많은 아이들이 그리스 신화의 '이카로스(Icaros)' 신세가 되기도 한다. 그는 하늘로 끝없이 날아가 땅 위로 돌아올 줄을 몰랐다.

그러나 그 아이들의 마음속에 주입된 추진력은 '목표를 향해 계속 나아가려는' 의지를 나타내며, 맹목적으로 전통에 따르는 대신 끊임없는 훈련을 통해 자기 힘으로 이 세상을 개척할 능력이 있는지에 대한 시험을 나타내는 것이다.

이러한 내부지향형은 앞서 설명한 전통지향형과 하나의 공통점이 있죠. 이들 사회의 경우 개인의 지향성이 근거로 삼는 바가 한결같이 '내부'라는 거예요. 즉 유년시절에 이미 어른들에 의해 그 지향성이 마음속 깊이 심어져서 내면화되어, 특정 목표들을 향해 곧장 나아가는 경향성을 띠게 된다는 점이 비슷하죠.

하지만 리스먼은 내부지향형을 전통지향형과 뚜렷이 구별 짓는 하나의 특성 또한 분명히 지적하고 있어요. 전통지향형과 달리 내부지향형은 외적인 형태와 행동상의 순응성을 넘어 어느 정도 개성의 발휘를 드러낸다는 점이죠. 내부지향형 사회는 좀더 복잡해지고 고도화되어 온갖 새로운 상황이 일어나기 때문에 기존의 규범 하나만으로는 도저히 그 모든 사태를 미리 대비할 수 없기 때문이에요. 하지만 분명히 짚고 넘어가야 할 점은, 내부지향형 사회가 구성원에게 제공하는 다양한 기회들이 사실 이념적 차원에서 서로 얽혀 있기 때문에 한 개인이 택한 인생 목표는 대개 평생 변하지 않는다는 특징이죠. 이 때문에 리스먼은 내부지향사회에서 전통이 무력해지는 것이 아니라 노동의 분업화나 사회의 계층화가 진행됨에 따라 여럿으로 갈라지면서도 여전히 살아있다고 지적하고 있어요.

타인지향형: 초기적 인구 감퇴 단계

셋째, 타인지향형(other-directed type)의 경우 상업·통신·서비스업 등 3차 산업이 지배적인 '초기적 인구 감퇴 단계'의 사회에서 나타나는 유형이에요. 20세기 중반의 미국이 대표적인 사례로 언급되죠. 자본주의가 고도화되면서 나타나는 유형으로, 이 단계에서 사람들은 타인의 행동에 지대한 영향을 받고, 그들의 평가에 민감해지게 된다고 리스먼은 지적합니다. 그에 따르면 타인지향형 사회 구성원들은 다른 사람들이 무엇에 관심을 두고 어떤 형태로 살아가는지, 그리고 그들이 나를 어떻게 생각하는지에 관심을 기울이게 되죠.

사망률 감퇴에 이어 출생률도 감퇴하기 시작하면, 사회는 점차 초기적 인구감퇴기로 변해간다. 농업·임업·수산업 종사자뿐만 아니라 심지어 제조업에 종사하는 사람들조차 갈수록 줄어들고, 노동시간도 짧아진다. 생활은 물질적으로 풍요로워지고, 사람들은 긴 여가를 갖게 된다. 그러나 물론 그러한 것들에 대해 적당한 대가를 치러야만 한다. 언제나 그렇듯이 한 가지 문제가 해결되면 또 다른 문제점이 생기는 것이다. 즉 사람들은 이제 중앙집권적인 관료제 사회에서 살아가야 하며, 또 공업화에 의해 점점 더 빠르게 축소되는 세계에서 온갖 인종과 국가와 문화와 접촉하게 된 것이다.

이러한 조건 아래에서 내부지향형의 인내와 창의력 따위는 별로 필요없게 된다. 점점 더 문제가 되는 것은 오히려 물질적 환경이 아니라 '다른 사람들'의 존재이다.

많은 사람이 한데 섞여서 북적대고 서로가 서로에 대해 민감해지는 세상인 만큼 그나마 남아 있던 잠재적 고도성장사회 때의 전통의 잔재는 더욱 무기력해져 버린다(그 잔재는 공업화의 격동으로 인해 이미 산산조각이 난 것이지만). 자이로스코프적인 통제 원리도 이제는 별 쓸모가 없어지고 새로운 심리적 '메커니즘'이 요구되기에 이른다. 게다가 과도적 인구성장과 함께 자본축적 시기의 사회에 적응하기 위해 형성되었던 내부지향형의 '궁핍의 심리'는, 여가와 잉여상품의 '낭비적'인 소모를 능히 감당할 수 있는 '풍요의 심리'에게 자리를 물려주어야만 한다.

이처럼 타인지향형 사회의 구성원들의 경우 물질적으로는 풍요롭지만 내적으로는 자신이 사람들로부터 배척당하거나 사회에서 소외될지도 모른다는 불안감에 늘 시달리게 된다는 것이 문제로 지적되죠. 그 이유는 간단해요. 타인지향형 사회는 그 이전 단계의 사회와 달리 어떤 획일적인 기준이나 원칙이 부재하기 때문에 자신의 행동에 대한 평가를 내릴 때 함께 살아가는 동료들의 힘을 빌려 판단할 수밖에 없기 때문이에요. 이를테면 스스로의 행동을 평가함에 있어 학교 친구와 교사, 동료와 선배들의 판단에 의존하게 되는 거죠. 하지만 그 사람들 자체가 올바르다는 보증이 어디에도 없기 때문에, 결국 매스미디어 속에 흩어져 있는 수많은 집단들 사이를 이리저리 헤매며 방황하게 되는 거고요. 이런 상황에서 타인의 인정 그 자체는 내용이 어떠하든 상관 없이 유일하다시피한 명백한 성과가 되어버리기 때문에 타인지향형 사회의 구성원들은 타인의 이목과 가치 판단에 흔들릴 수밖에 없다는 거예요.

오늘날 아이들은 6,7세만 되면 으레 "쟤는 왜 저렇게 잘난 척해?"하는 따위의 말을 곧잘 쓴다. 이것은 타인지향적 성격을 형성하는 데 있어 동료 집단의 역할을 잘 상징하는 말이다. 동료집단은 한 구성원이 지나치게 돋보이거나 표준에서 벗어날 경우, 그를 어떻게든 틀에 끼워 맞추려고 한다. 유년기에서 소년기에 이르기까지 지나치게 튀는 것은 최악의 실례로 여겨진다. 이것은 마치 내부지향 시대에 부정적인 태도를 악덕으로 여겨 물리친 것과 마찬가지다. 오늘날 '특별하다'는 것은 용납되지 않는 것이다.

동료집단의 행동규범에 비춰본다면 원만하지 못한 성격이나 질투 또는 침울한 성격 등도 죄악이다. 그래서 모든 고집스러운 부분이나 독특한 자질 또는 나쁜 성격들은 배척당하거나 억제된다. 그런데 동료 집단의 인물평이나 판정이라는 것도 순전히 그때그때의 주관적 취향에 따른 것이기 때문에 그 판정 표현은 지극히 모호한 형태로 나타날 수밖에 없으며, 표현 방식이 끊임없이 변덕을 일으키게 된다.

동료집단의 판정이라는 것은 취향 문제다. 그러나 그 판정 규준이 제아무리 도덕률이나 우연성과는 무관한 취향의 문제라 할지라도, 어떤 아이도 그와 같은 판정을 쉽사리 무시하지는 못한다. 아니, 과거 어느 때보다 그런 판정에 크게 좌우된다고 해도 과언이 아니다.

리스먼에 따르면 타인지향형 사회의 구성원은 권력보다는 애정을 택하고, 미움받지 않는 것이 최선의 과제가 되어버리기 때문에 정치 참여와 같은 원대한 업적을 추구하기보단 소소하지만 확실한 행복을 택할 가능성이 커지죠. 이러한 사회에서 자라나는 어린이들은 대통령이 되기보다는 인기 많은 사람이 되는 것을 꿈꾸게 되고요. 그 결과 이러한 사회에서는 구성원들이 정치에 대한 적극적인 참여 의식을 갖기보다는 그저 정치 흐름에 대해 얄팍하게 이해하는 수준으로 만족하는 경향이 커진다고 리스먼은 지적하고 있어요. 타인지향형 사회의 구성원들은 어떠한 확고한 충성심 없이, 타인의 의견에 영향을 받아 협상가처럼 쉽게 정치적 견해를 바꾸기 쉬우며, 이 같은 경향은 민주주의 정치 체제를 위협하는 요인이 될 수 있다고 리스먼은 지적하고 있어요.

자율형 인간으로 거듭나라

리스먼은 타인지향형 사회가 내적 모순을 극복하기 위해서는 구성원들이 '자율형 인간'이 되어야 한다고 강조하죠. 동료집단에 지나치게 얽매이지 않고, 타인의 잣대로부터 자유로워짐으로써 자신의 주관과 주체성을 키우고 자유롭고 자율적인 인간으로 거듭나야 한다고 그는 주장하고 있어요. 반드시 사회에 순응하고 복종할 필요는 없다는 거죠. 인간은 복합적인 존재이며, 다양한 상황에서 융통성 있게 적응력을 발휘할 수 있는 존재이기 때문에, 자율성을 갖추는 것으로도 충분하다는 거예요. 인간은 각자의 개성을 가진 유니크한 존재로 창조됐는데, 서로 눈치를 살피며 똑같아지기 위해 애쓰다보니 자유와 자율을 상실하는 위기에 놓이게 됐다는 점을 문제로 지적하면서, 리스먼은 인간이 자신의 생각이나 생활 자체가 얼마나 흥미로운지 알아차리게 된다면 더 이상 '군중 속의 고독'을 동료 집단에 의지해 해결하려고 애쓰지 않아도 될 것이라고 강조하고 있어요.

> 대중이 사회의 체면을 억지로 강요당하는 이른바 '굴레를 쓴 듯한' 상태에서 벗어나게 된다면, 언젠가 사람들은 반드시 단순히 잡화나 책 같은 상품을 사는 일뿐만 아니라 이웃이나 사회나 생활 방식처럼 보다 큰 문제에 관심을 갖게 될 것이 분명하다.
> 타인지향형 인간은 만약 자신이 얼마나 불필요한 일을 하고 있는가, 그리고 자신의 생각이나 생활 그 자체가 타인들의 그것과 마찬가지로 얼마나 흥미로운 것인가를 알아차리게 된다면, 더이상 군중 속의 고독을 동료집단에 의지하여 애써 누그러뜨리지 않아도 될 것이다. 개개의 인간은 저마다 그 내부에 무한한 가능성을 가지고 있다. 그러한 상태가 되었을 때 인간은 자신의 실제 감정과 포부 등에 보다 많은 관

심을 갖게 될 것이다.

한 가지 확실하게 말할 수 있는 것은, 자연의 혜택과 인간의 능력에는 무한한 가능성이 있으며, 인간의 능력은 인간 개개인의 경험을 자기 힘으로 평가할 수 있는 것만을 소유하고 있다는 점이다. 따라서 인간은 반드시 적응형이 될 필요도 없고, 또 적응에 실패하지 않아도 상관없으며, 굳이 무규제형이 되지 않아도 좋다.

인간은 태어날 때부터 자유롭고 평등한 존재라는 사고방식은 어떤 의미에서는 정당하지만, 또 다른 의미에서는 오해를 불러일으킬 수도 있다. 사실상 인간은 제각기 다른 존재로서 창조되었다. 그런데 서로 똑같아지기 위해서 사회적 자유와 개인적인 자율성을 상실하고 있는 것이다.

자, 어떠신가요? 여러분 자신은 앞서 소개한 리스먼의 세 가지 분류 중 어디에 속한다고 생각하시나요?

아마 대부분은 세 번째 유형, 즉 타인지향형에 가깝다고 생각하실 거예요. 우리 현대인들은 아침에 일어나서부터 밤에 잠들 때까지 다른 사람들의 시선과 평가를 온몸으로 느끼면서, 그리고 그들에게 잘 보이려 애쓰며 살아가고 있죠. 그래야만 살아남을 수 있는 사회 구조니까요. 타인지향형이라는 용어가 일견 '의존적임', '줏대가 없음', '쉽게 휘둘림' 등의 부정적인 뉘앙스를 띠고 있는 것처럼 들릴 수 있지만, 사실 반드시 그렇진 않아요. 이 책의 저자인 리스먼 또한 자신이 제시한 세 가지 사회적 성격 유형에 대해 어떠한 가치 판단도 내리지 않았고요. 오히려 타인지향형의 특질은 상황에 잘 적응하는 '유연성', '융통성'이나 '타인에 대한 배려' 등의 긍정적인 속성을 내포하기도 하죠. 중요한 건, 무 자르듯 어떤 유형에 자신을 끼워 맞추는 게 아니라, 나 스스로의 생각과 감정에 귀기울이며 개성을 발현하고 건전한 사회성을 발휘하는 가운데 자아 실현을 성취하는 것이죠.

스스로에 대한 확신을 갖는 것은 그만큼 중요합니다. 현대인들은 대체로 늘 주눅들어 있죠. 고도로 발달한 미디어를 통해 접하는 세상과 타인의 모습은 늘 새롭고, 멋지고, 나보다 우월하게 느껴지니까요. 다양한 소셜 네트워크 서비스(SNS) 피드를 통해 나보다 더 잘나고 행복한 타인의 모습을 보면서 상대적 박탈감과 소외감, 그리고 우울감을 느끼는 건 나만의 문제가 아니라 우리 모두가 앓고 있는 병이에요. '팔로워'와 '좋아요' 숫자에 집착하면서 스스로를 지나치게 남의 잣대에 맞춰 평가하고 자의식 과잉에 사로잡히는 행태가 불건강한 것임을 알았다면, 이제 남은 건 하나죠. 그걸 고치기 위해서 노력하는 거예요.

스스로가 얼마나 원대한 가능성을 가진 존재인가를 깨닫고, 남들이 따라할 수 없는 독특한 개성과 창의성을 가진 존재라는 자신감을 갖는 것이 현대인에게 가장 시급하고 중요한 과제라고 할 수 있겠죠. 우리를 둘러싼 시선과 감시 체계는 점차 복잡하고 촘촘해져 가지만, 여기에 매몰되거나 자아를 상실하지 않고, 진정 나 자신으로서 주체적으로 살아가기 위해서는 외부를 두리번대기보단 내면에 귀를 기울여야 한다는 점을 이 책은 강조하고 있습니다.

'내가 잘 살고 있는가'를 객관적으로 평가할 수 있는 어떤 가시적이고 획일화된 가치 기준이 없기 때문에 가끔은 혼란스럽고 혼돈에 사로잡히는 것이 당연하죠. 하지만 그런 때일수록 군중 속으로 몸을 숨기며 더욱 커다란 고독과 불안 속에 자신을 빠뜨리기보다는, 스스로의 주관과 가치 체계를 바로 세우는 작업이 더 우선시되어야 한다는 점을 이 책은 우리에게 말해주고 있어요. 내가 무엇을 좋아하는지, 무엇을 잘 하는지, 무엇을 하면서 행복을 느끼는지, 어떠한 가치를 중시하는지에 대해 정확히 파악하고, 나 자신의 새로운 가능성을 발견하면서 탄탄하게 중심을 잡고 살아나가는 것이 무엇보다 중요하다는 점을 리스먼은 강조합니다.

무려 수십여 년 전에 쓰여진 이 책이 지금 우리가 살고 있는 사회에도 놀라울 정도로 정확한 설명력을 발휘하고 있다는 게 흥미롭죠? 우리가 속해 있는 타인지향형의 사회 구조는 앞으로 어떠한 방식으로 변화해 갈까요? 또 우리 존재는 그러한 사회 속에서 어떻게 진화해 나가게 될까요? 이러한 중요한 문제의식과 더불어, 나 스스로의 가치 체계와 가능성에 대해 끊임없이 탐구하는 일은 의미 있는 삶을 살아나가기 위해 반드시 필요한 작업이 아닐 수 없습니다. 이 책 『고독한 군중』을 읽으며 여러분만의 소중한 해답을 찾아보시기를 권합니다.

12. 클로드 레비스트로스, 『슬픈 열대』(1955)

　몇 년 전, 미국 CNN 방송의 한 다큐멘터리에서 진행자가 식인종과 함께 사람의 뇌를 먹는 모습을 방영해 논란을 일으킨 일이 있었죠. 프로그램 진행자이자 종교학자인 레자 아슬란(Reza Aslan)이 인도 힌두교 소수 종파 중 하나인 아고리(Aghori) 종파의 수도자들을 만나 그들이 권하는 대로 재를 얼굴에 바르고 인간의 뇌를 함께 먹는 장면이 브라운관을 통해 방영되었어요. 아고리 종파는 시신을 화장해 나온 재를 몸에 바르거나 시신 일부를 먹는 식인 의식을 가지고 있는 것으로 알려져 있죠. 해당 방송분에 대한 대중의 반응은 분분했습니다. 공포감과 혐오감을 일으킨다는 비난, 특정 종파에 대한 편견을 자극한다는 지적, 문화 다양성을 존중해야 한다는 평가에 이르기까지 다양한 의견들이 엇갈렸죠. 여러분의 생각은 어떠신가요?

문명화된 세계에 살고 있는 우리에게, 오지에 살고 있는 원시 부족과 소수 종파의 생활상은 너무나도 낯설고 이질적인 것임에 틀림 없어요. 하지만 그들의 모습을 '미개하다', 혹은 '야만적이다' 등의 가치 판단과 함께 '열등한 것'으로 규정지어 버릴 경우, '다른 것'을 '틀린 것'으로 해석해 버리는 우(愚)를 범하게 될 거예요.

문명 사회와 원시 사회 간의 간극은 '차이'에 대한 다양한 생각을 낳죠. 하지만 안타깝게도 문명과 미개의 관계를 논함에 있어 어느 한쪽이 우월하다거나 어느 한쪽이 틀렸다는 가치 판단에 도달하는 경우가 대부분인 것이 사실이죠. '저건 다른 게 아니라 틀린 거야.'라고 머리로는 이해하더라도, 식인 풍습을 보면서 심정적으로는 거부감을 느끼는 경우가 많을 거예요. 문명 사회와 비문명 사회의 차이를 우리는 어떻게 받아들여야 할까요?

이와 관련하여 문명과 야만의 관계에 대한 유니크한 견해를 제시하는 저명한 인류학자의 견해를 참고해 보는 것은 무척 가치 있는 일이 될 거예요. 바로 '문명과 미개를 나누는 것이 서구인의 욕망에 기반한 허상에 불과하다.'라는 도발적인 주장을 펴는 프랑스의 인류학자 클로드 레비스트로스(Claude Lévi-Strauss, 1908~2009)입니다. 그의 대표 저작 『슬픈 열대(Tristes Tropiques)』(1955)를 함께 읽으며 생각을 발전시켜 볼까요?

클로드 레비스트로스(Claude Lévi-Strauss, 1908~2009)

문명과 야만의 우열을 따질 수 없다

레비스트로스는 벨기에 태생의 유대인으로, 프랑스로 이주한 뒤 파리 소르본 대학에서 철학과 법학을 공부하고 사회당 국회의원의 비서로 일하다 1931년 프랑스 철학 교수 자격시험에 합격한 이력을 가지고 있어요. 하지만 그는 기계적인 철학 도식 훈련과 매해 반복되는 교수 일정에 갑갑함을 느끼고, 현장을 생생하게 체험하며 연구 활동을 펼치는 인류학이 자신의 성향에 더 적합하다는 것을 깨닫게 됩니다. 결국 그는 1935년 브라질 상파울루 대학 교수직을 수락하면서 본격적인 인류학자의 길로 들어서게 되죠.

『슬픈 열대』는 레비스트로스가 상파울루 대학 교수로 재직 중이던 1937~1938년 경, 브라질 내륙의 네 원주민 부족인 카두베오(Caduveo), 보로로(Bororo), 남비콰라(Nambikwara), 투피 카와이브(Tupi-Kawahib) 족의 풍속을 면밀히 관찰하며 작성한 민족지적 기록을 바탕으로 쓰여 졌어요. 이 책의 특이한 점은 단순히 연구 기록으로만 채워져 있는 것 이 아니라, 이 책을 집필하게 된 상황적 배경과 그 과정에서의 감상, 소 회, 그리고 인류학자로서의 사명감과 철학까지 녹아들어 있다는 거예 요. 총 9부로 이루어진 이 책의 1~3부에서는 그가 브라질 상파울루 대 학에 취임하게 된 배경, 세계대전 발발 직후 저자가 밀항선을 타고 뉴 욕으로 탈주하는 과정, 항해 과정에서의 감회 등이 마치 비망록처럼 소 상히 서술되어 있어요. 이어 4부에서는 브라질 원주민의 생활과 현지 조사를 위한 예비답사의 과정을 세세히 기록하고 있고, 5~8부에서는 앞서 언급한 네 원주민 부족 사회의 문화에 대해 면밀히 분석하고 있어 요. 마지막 9부에서는 그간의 체험과 현지조사의 내용을 종합하면서 문화상대주의적 견해를 제시하고 있죠.

이 책에서 그가 핵심적으로 주장하는 바는, 원주민들의 사고방식, 사회조직, 생활양식, 예술, 종교 등이 본질적으로 문명인들의 그것과 다르지 않다는 거예요. 그에게 있어 야생의 사고란 소위 '야만인' 내지 '미개인'의 사고가 아니라, 단지 '길들여지지 않은 상태의 사고'를 의미 할 뿐이죠. 문명인의 사고가 비문명인의 사고에 비해 더 과학적이거나 논리적이라고 주장할 수 없으며, 단지 사물을 범주화시키는 방법이 다 를 뿐이라고 그는 주장합니다.

레비스트로스에 따르면 문명과 야만의 우열을 따질 수 없는 까닭은, 특정한 문화는 그러한 양태를 띠게 되는 그 자신만의 고유한 배경을 갖고 있기 때문이에요. 여기서 중요한 건 각 사회의 형태는 다양한 모습을 띠지만, 결국 분석해 보면 인간의 행동과 사고에는 공통적인 논리적 하부 구조가 존재한다는 레비스트로스 특유의 관점이죠. 이러한 시각에 따르면 문화 간 차이는 말 그대로 '다른' 것일 뿐, 어느 무엇이 '옳거나 그르다'라고 판단할 수 없게 됩니다. 결국 문명이든 비문명이든 하나의 체계 내에서 존재하는 다른 형태의 사회들로, 결국 모두 구조의 산물일 뿐이니까요. 이러한 주장의 기저에는 '어떤 현상의 배후에는 그 현상을 지배하는 총체적인 실체가 존재한다'라는 논리가 깔려 있어요. 쉽게 말해 인간이란 '구조'라 불리는 계획된 회로에 따르는 존재라는 논리죠. 이것을 '구조주의'라고 부릅니다. 구조주의란, 어떤 사물의 의미는 개별로서가 아니라 전체 체계 내에서 다른 사물과의 관계에 의거해 규정된다는 인식을 전제로, 개인의 행위나 인식 등을 궁극적으로 규정하는 총체적인 구조와 체계에 대한 탐구를 지향하는 철학적 경향이에요. 레비스트로스는 인간의 사회·문화를 이해하는 방법으로서 구조주의 인류학을 개척하고 문화상대주의를 발전시켰죠.

모든 사회는 나름의 합리성을 가지고 있다

그는 구조주의적 방법론에 의거해 문명 사회와 원시 부족을 막론하고 그 삶의 형식 속에 공통적으로 녹아 있는 그 무엇을 발견해 내기 위해 부단히 애쓰고 있어요. 그리고 그는 이것을 탐구하는 학문이 바로 인류학이라고 규정하죠. 그는 이렇게 이야기합니다. "인류학은 나에게 지적 만족을 가져다 준다. 세계의 역사와 나의 역사라는 양극을 결합시켜, 인류와 나 사이에 '공통되는 근거'를 동시에 드러내 보일 수 있기 때문이다." 여기서 공통되는 근거, 즉 보편성은 현실에서 관찰되는 구체적 사실이 아니라 구조의 수준에서 파악된다는 게 구조주의 인류학적 방법론의 핵심이죠.

얼굴 및 신체에 도식(塗飾)을 한 카두베오족의 여인

레비스트로스 특유의 구조주의적 시각은 카두베오족의 관습을 소개한 5부에서 다음과 같이 잘 드러나 있어요.

한 종족이 지닌 관습들의 전체적 집결에는 언제나 어떤 특정한 양식이 존재한다. 관습들이 체계를 형성하는 것이다. 나는 이러한 체계들이 수적으로 제한되어 있는 것이 아니며, 또 개별적인 인간 존재들과 마찬가지로 인간 사회도 결코 절대적인 방식을 창조해내는 것은 아니라는 사실을 확신하게 되었다. 인간 사회란 재구성이 가능한 관념의 저장고로부터 어떤 결합들을 선택해낸다. 신화, 어린이와 어른들의 놀이, 건강한 사람이나 병든 사람의 꿈, 또는 심리학적·병리학적 행위 가운데 표현되어 있는 것과 같은 모든 관찰된 관습들의 목록을 작성하기 위해서 우리는 화학원소의 주기율표와 유사한 일종의 주기율표를 만들어낼 수 있게 될 것이다. 현실적인 것이든, 또는 단지 가능할 뿐이든, 모든 관습들이 이 주기율표 내에서 가족으로서 집단을 이루게 되고, 우리는 사회가 실제로 어떤 것을 채택하느냐를 단지 식별하기만 하면 될 것이다.

이를테면 루이스 캐럴(Lewis Carroll, 1832~1898)의 소설『이상한 나라의 앨리스(Alice in Wonderland)』(1865)에 등장하는 다양한 캐릭터의 면면이 여러 원시 부족들의 의상에서 유사하게 확인되는 것처럼, 인간 사회의 모든 관습들은 이 주기율표 내에서 관계를 맺으며 집단을 이루고 있고, 우리는 각 사회가 실제로 어떤 것을 채택하느냐를 식별해 낼 수 있다고 레비스트로스는 주장하고 있죠.

이러한 논리에 따르면 소위 '미개 사회'들도 나름의 합리성에 의해 조직된 사회라고 인정해야 하죠. 각각의 사회는 다른 양태를 띠고 있을 뿐, 사회 문제에 대처하기 위한 나름대로의 합리적인 방식을 각자 구축하고 있고, 이것은 결국 전체 체계 내에서 채택된 요소들이기 때문이에요. 이는 그 어떤 사회의 방식도 무시 받거나 열등한 것으로 배척당해서는 안 되며, 나름의 합리성을 존중받아야 한다는 논리로 이어지죠.

예를 들면 남비콰라족의 경우 족장의 의무와 권리에 있어 나름의 합리성을 담지한 체계를 갖추고 있는 것을 발견할 수 있다고 레비스트로스는 지적하고 있어요. 그들의 사회에서 족장은 전쟁 시에 선두에 서서 싸우는 등 위험 부담이 큰 일을 도맡아 하는 일종의 봉사직인데, 그 대신 족장은 여러 아내를 거느리는 특권도 동시에 누릴 수 있다는 거죠. 현대 문명 사회의 시각에서 보았을 때 일부다처제는 거의 흔적을 찾기 어려운 구시대적 유물에 다름 없지만, 남비콰라족의 사회에서는 막중한 책임과 의무를 갖는 족장에게 정서적 위안과 격려를 제공하는 중요한 사회적 장치로서 기능하고 있다고 레비스트로스는 해석합니다. 여기에는 루소가 의미했던 바의 '계약'과 '동의' 개념이 내포되어 있다고 그는 분석하죠.

> 일상생활에서 동의는 족장과 그의 동료들에 의해서 전개되는 급부와 반대급부의 작용 가운데서 나타난다. 권력의 또다른 기본적인 속성은 상호교환(호혜성)의 관념이다. 족장은 권력을 소유하지만 관대해야 한다. 그는 책무를 지니고 있지만 또한 여러 명의 아내를 가질 수 있다. 족장과 집단 사이에는 급부와 특권, 편익과 의무가 끊임없이 갱신되면서 균형을 이루고 있다.
>
> 남자들은 각각 다른 남자들로부터 그의 아내를 얻으나, 족장은 그 집

단으로부터 몇 명의 아내를 얻는다. 이에 대한 보답으로 족장은 그 집단이 위험에 처하거나 그를 필요로 할 경우에 그 집단을 지켜준다. 그리고 이러한 보증은 그가 두 번째로 결혼했던 아내의 형제나 아버지에게만 제공되는 것이 아니며, 또 족장의 일부다처의 권리로 인해 독신으로 지내야만 하는 남자들에게만 제공되는 것도 아니다. 그것은 하나의 전체로서의 그 집단에게 제공된다. 왜냐하면 족장의 개인적인 특권에 대해서 일반적인 법칙을 만든 것이 바로 이 하나의 전체로서의 집단이기 때문이다. 이와 같은 고찰들은 일부다처혼의 이론적 연구에 유익한 시사점을 제공해 줄 것이다. 그러나 이와 같은 고찰들은 무엇보다도 우리로 하여금 베버리지(Beveridge) 계획 또는 기타 국가적인 사회보장제도를 논의하는 가운데 재인식되었던 '하나의 사회보장체계로서의 국가'에 대한 개념이 순수하게 근대에 와서 발전된 개념이 아니라는 점을 상기시켜 준다. 그것은 사회적·정치적 조직의 기본적인 속성으로 되돌아간 것일 뿐이다.

과연 누가 더 인간적인가?

또 다른 예로 식인 풍습을 들 수 있죠. 그는 원시부족이 행하는 식인 풍습에 '조상 신체의 일부분이나 적의 시체의 살점들을 먹음으로써 죽은 자의 덕을 획득하려 하거나 또는 그 힘들을 중화시키고자 하는' 의미가 깃들어 있음을 지적하면서, 그 누구도 식인 풍습이 잘못되었다고 비난할 수 있는 정당한 이유를 지니고 있지 못하다는 점을 강조하죠. 그 까닭은 간단해요. 사람들은 대개 식인 행위를 비난할 때 '죽음의 신성함을 무시하는 처사'라는 근거를 드는데, 사실 문명 사회에서 흔히 행해지는 해부학 실습 등의 행위와 식인 행위 간에 '죽음의 신성함'을 무시하는 정도에 얼마나 큰 차이가 있을지 의문이라는 이유에서죠. 만약 어떤 다른 사회의 관찰자가 조사하게 된다면, 우리들 자신의 어떤 행위들이 그에게는 우리가 비문명적이라고 간주하는 식인풍습과 유사한 종류로 간주될 수도 있음에 유의해야 한다고 레비스트로스는 지적해요. 역으로, 우리에게 잔인하게 보이는 다른 사회의 행위들도 관점을 바꿔서 검토해 보면 인간적이며 자애로운 모습으로 해석될 수도 있다고 주장하면서, 그는 다음과 같이 언급하고 있어요.

> 북아메리카 평원지대의 인디언을 예로 들어보자. 그들은 이중적으로 의미가 있다. 첫째로, 그들 중 어떤 부족은 하나의 온당한 형태의 식인풍습을 실행하고 있었으며, 둘째로 그들은 하나의 조직화된 경찰력을 지니고 있던 미개민족들 중 몇 안 되는 부족이었기 때문이다. 그들의 경찰력 역시도 나름의 판결을 내렸지만, 그것은 죄에 따른 형벌이 사회적 유대와의 단절이라는 형태를 취할 수 있다고는 결코 상상할 수조차 없었다. 그 부족의 법률을 위반한 인디언은 모든 그의 소유물 (텐트와 말)의 파괴라는 선고를 받는다. 그러나 이 선고와 동시에 경찰은 그 인디언에 대해 빚을 지게 되며, 그 인디언이 당한 고통의 피해에 대해 보상해 줄 것을 요구받는다. 여기에 대한 손해배상은 그 범죄자가 다시 한 번 집단에 대해 빚을 지게 만들어, 그는 일련의 증여물들을 제공하게 되고, 이로써 경찰을 포함한 전 공동체에는 그의 생계에 대

한 지원 의무가 생기게 된다. 이 같은 교환은 증여물과 대중여물을 통하여 범죄와 그것에 대한 징벌에 의해서 생긴 처음의 무질서가 완전히 완화되어 질서가 회복될 때까지 계속되었다.

레비스트로스는 식인 부족의 이러한 관습들이 문명 사회의 관습보다 훨씬 인간적이라는 점을 지적하죠. 그 까닭은 간단해요. 이들은 최소한 죄인에게 성인으로서 어떤 종류의 배상을 할 수 있는 기회를 제공하고 있기 때문이죠. 이들 사회에서 죄인에게 부과되는 형벌은 신체에 대한 물리적 징벌이 아닌 공동체에 대한 부채의식으로서, 소유물의 파괴와 복구라는 교환적 메커니즘의 반복을 통해 결국 무질서에서 질서로 향하게 만든다고 그는 분석하고 있어요. 이와 달리 문명 사회의 경우 대개 죄인에게 신체적 형벌을 내리는데, 바로 이것이 성인을 유아 취급하는 행태라고 그는 분석하죠. "성인을 성인으로 대우하며 스스로 속죄할 기회를 주는 사회, 그리고 성인을 어린애 취급하며 가둬놓고 형벌을 내리고 사회로부터 격리시키고 추방하는 사회, 과연 어느 쪽이 더 인간적인가?"라고 그는 묻고 있어요. 단지 우리가 동료 인간들을 잡아먹는 대신에 그들을 신체적·도덕적으로 격리시키는 데 그친다고 해서 우리가 식인종에 비해 '위대한 정신적 진전'을 이뤘다고 평가할 수 있는가? 그는 절대 그렇지 않다고 단언하죠.

레비스트로스는 바로 이러한 '인간다움'의 측면에서 식인 부족에 대한 세간의 편협한 평가를 바로잡고자 하고 있어요. 그는 16세기 서양 선교사절단이 원시부족의 식인 풍속을 근거로 "원주민들은 정의에 대한 관념이라고는 조금도 갖고 있지 않다. 그들이 자유로운 동물로 남아 있기보다는 인간의 노예가 되는 쪽이 더 나을 것이다."라고 저격한 기록을 환기시키며, '과연 누가 더 인간다운가'를 반문하고 있어요. 당시 원주민들은 백인을 발견하면 생포한 뒤 물 속에 던져 죽였다고 하죠. 그리고 나서 죽은 시체가 부패하는지 확인하기 위해 익사체 옆을 지키고 앉아 몇 주 동안이나 계속 관찰했다고 해요. 그 죽은 백인이 인간이 아니라 신(神)일지도 모른다는 의심을 품고, 인간처럼 죽고 썩는지를 확인하려 했던 거죠. 반대로 백인 선교사들은 원주민들을 짐승으로 여기고 그들에게 구원할 영혼 자체가 존재하는가에 대해서 심각하게 논의할 정도였다고 해요. 백인들은 원주민이 동물이기를 바랐지만, 원주민들은 백인들이 신은 아닐 거라고 의심하는 것으로 만족했다는 거죠. 백인이든 원주민이든 마찬가지로 서로에 대해 무지했지만, 그래도 원주민들의 생각이 보다 인간적인 가치를 갖고 있다고 그는 평가하고 있어요. 상대를 짐승으로 의심했던 쪽보다는 신이 아닌가 의심했던 쪽이 차라리 더 인간답다는 거죠.

완벽한 사회는 없다

이러한 관찰과 조사를 통해 레비스트로스는 문명이든 야만이든 완벽한 사회란 없으며, 각 사회는 그것이 주장하는 규범들과 양립할 수 없는 어떤 불순물을 그 자체 내에 선천적으로 지니고 있다는 결론에 도달하죠. 그는 어떤 적은 수의 사회를 비교하면 서로가 매우 다른 것처럼 보이지만, 조사의 영역이 확대되어 나감에 따라 이 차이점들은 점점 감소된다는 점을 지적하면서, 마침내는 어떤 인간사회도 철저하게 선하지는 않다는 점이 명백해진다고 역설해요. 문명의 이름으로 자행되는 야만에 대한 혐오와 멸시가 부당한 까닭이 여기에 있죠.

문명이 침투하지 않은 세계 구석구석의 오지에도 나름의 규칙과 합리성과 조화가 갖추어져 있는데, 이들을 이해하지 못하는 문명에 의해 그것들이 파괴되어 가는 현실을 그는 안타까워하며 비판합니다. 시멘트가 묻은 폴리네시아 섬들이 남쪽 바다 깊이 닻을 내린 항공모함으로 변모하고, 아시아 전체가 병든 지대의 모습을 띠어 가고, 판잣집 거리가 아프리카 대륙을 침식해 들어가고, 멜라네시아의 천연의 숲들이 그 순수성을 짓밟히기도 전에 상업용·군사용 비행기에 의해 위에서부터 더럽혀지고 있는 상황을 그는 슬픈 눈으로 응시하며 과연 이러한 상황이 옳은가를 반문하죠. 바로 이 지점에서 이 책의 제목이 의미하는 '슬픔'의 정서를 발견해낼 수 있어요. 문명 사회가 일방적으로 미개 사회에 강요하는 그들 기준의 '합리성'으로 인해 열대와 그 속에 살고 있는 인간들, 그리고 그들의 조화가 무참히 파괴되고 있는 현실 때문에 열대는 슬플 수밖에 없죠. 하지만 그는 슬픔이란 감정에만 갇히지 않고, 다음과 같이 분명하게 목소리를 내고 있어요.

> 하나의 인간이라는 사실은 우리들 각각이 하나의 계급, 하나의 사회,
> 하나의 나라, 하나의 대륙, 그리고 하나의 문명의 구성원이라는 것을
> 의미한다. 또한 우리들 유럽인으로서는 신세계의 중심부를 탐험하는
> 일이란, 무엇보다도 우선 이 세계가 우리의 것이 아니었던 만큼 그것
> 을 파괴한 죄과는 우리가 덮어써야 한다는 것을 의미한다. 또 한편으

로는 그와 같은 신세계가 앞으로 또다시 우리 앞에 나타날 기회는 거의 없을 것이라는 것도 가르쳐 준다. 이러한 사실을 깨닫게 되는 이상 우리는 우리 자신으로 되돌아와서, 애초에 우리 세계가 신세계에 대해서 가질 수 있는 여러 임무 중에서 어느 한 가지를 택할 수 있는 기회를 가졌으면서도 그것을 잃어버리고 만 그 시절, 그 위치에 우리들 자신을 다시 놓을 수 있기를 바라는 것이다.

이 책이 단순히 파괴당하는 열대에 대한 통속적인 감상을 유발하는 에세이나 여행기와는 차별화되는 까닭이 여기에 있죠. 그는 축적된 지식에 대한 면밀한 고찰과 체험에 기반한 분석을 통해 진실을 이끌어 내고 미래의 바람직한 방향성을 모색하는 진지한 학자적 자세를 견지하고 있어요. 우리는 이 책을 통해 문명과 야만을 하나의 거대한 체계 속에서 인식하고 양자 사이의 유기적인 관계를 심층적으로 해석하는 새로운 시각을 얻을 수 있죠. 레비스트로스는 우리가 무지와 편협함을 깨고 낯선 이들의 세계 속에서 우리 스스로를 발견할 수 있음을 일깨우며 인식의 전환과 반성을 촉구하고 있어요. 진심 어린 반성을 거쳐야만 새롭게 시작할 수 있기 때문이죠. 그는 인류의 박애정신이란, 가장 빈곤한 부족사회에서 우리 자신의 모습을 재확인하고, 또 우리 사회가 겪은 수많은 경험에 덧붙여 이 빈곤한 부족사회의 경험을 교훈으로 승화시킬 수 있을 때 비로소 그 진정한 의미가 파악될 수 있다고 강조합니다. 또한 늘 겸허한 자세로 '그들'과 '나'의 관계를 성찰해야 한다고 역설하고 있습니다.

우리는 구조 속에서 관계를 맺고 있는 동등한 실체다

지금까지 살펴본 것처럼 레비스트로스의 핵심적인 탐구주제는 '인간 정신'이죠. 구체적으로 그는 무의식에 존재하는 구조 측면의 분석을 통해 인간다움을 지향하고 박애정신을 증진해나가야 한다는 규범적인 방향성을 제시했어요. 그가 채택하고 있는 방법론으로서의 구조주의는 '의심하는 존재로서의 나'에 대한 믿음을 바탕으로 하는 데카르트적 인식론을 뒤엎는 것이었기에 논쟁의 중심에 서기도 했고, '인간이 주체성과 의지를 결여한 꼭두각시냐'라는 비판과 공격에 직면하기도 했죠. 그가 제시하는 '구조'를 특정 문화집단이나 특정 개인의 속성이 아닌 인간 전체의 속성으로 간주하기에는 무리가 있다는 등의 구체적인 지적을 받기도 했고요. 사실 당시 치열했던 '구조주의 vs. 실존주의 논쟁'에서도 알 수 있듯이, '우리가 어떤 존재이며 세상을 어떻게 인식할 수 있는가' 하는 존재론과 인식론은 각자의 주관에 의거하는 문제이기 때문에 무엇이 절대적으로 옳고 그르다고 판단하기는 어렵죠. 하지만 분명한 건, 이러한 구조주의적 방법론을 통해 레비스트로스가 도출한 결론에 대해서는 누구도 이의를 제기하기 힘들 거라는 사실이에요. 인간이 인간을 주제 넘게 평가하고 부당하게 차별하는 행위가 잘못이라는 주장에 대해서 논리적으로 반박할 수 있는 사람이 과연 몇이나 될까요?

그는 치열한 고뇌로 점철됐던 여정을 다음과 같은 결연한 문장으로 마무리하고 있어요.

세계는 인간 없이 시작되었고, 또 인간 없이 끝날 것이다. 내가 일생을 바쳐서 목록을 작성하고, 또 이해하려고 노력하게 될 제도나 풍습 또는 관습들은, 만약 이것들이 인간성으로 하여금 그것의 운명지어진 역할을 수행하도록 허용하지 않는다면 전혀 무의미해지고 마는 어떤 창조적 과정에서의 일시적인 개화다. 그러나 그 역할은 우리 인간에 게 어떤 독립적인 위치를 배당하지는 않는다. 또한 비록 인간 자신이 저주받을지라도 그의 헛된 노력들은 하나의 보편적인 몰락 과정을 저 지하는 방향으로 진행될 것이다.

개인이 집단 속에서 혼자 존재하는 것이 아니고, 또 각 사회가 여러 사 회들 가운데서 혼자 존재하는 것이 아닌 것처럼, 인간도 우주 속에서 혼자 존재하는 것이 아니다. 인간 문화의 무지개가 우리의 열광으로 만들어진 허공 속으로 빠져들기를 멈추었을 때, 즉 우리가 여기 있고 또 세계가 존재하는 한 접근할 수 없는 곳으로 우리를 연결시켜 주는 그 가느다란 아치는 우리 앞에 그대로 머무를 것이다. 그 아치는 우리 의 노예상태의 길과는 반대되는 길을 가르쳐주고 있을 것이며, 우리가 그 길을 따라갈 수 없을지라도 단지 그 길을 숙고하는 것만으로써도 우리는 우리가 부여받을 수 있는 유일한 은총에 도달하게 될 것이다.

자, 어떠신가요? 레비스트로스의 구조주의 방법론은 많은 반박과 비판에 당면하기도 했지만 우리 스스로를 겸허하게 반성하고 성찰할 계기를 만들어주었다는 점에서 그 의의가 충분하죠. 데카르트 이후 일 반화된 근대적 인식, 즉 우리가 전능한 의지의 주체이자 이성적 존재라 는 자아 인식은 무한한 진보의 가능성을 열기도 했지만, 한편으론 '너와 나'의 차이에 따라 우열을 구분하고 상대방에게 편협한 합리성을 강요하는 폭력성 또한 발현시켰다는 맹점이 있죠. 레비스트로스는 이성 중심 사고의 이러한 부정적 측면을 정확히 꼬집어 비판했던 거고요. 우리가 모두 구조 속에서 관계를 맺고 있는 동등한 실체라는 그의 구조주의적 인식은 너와 내가 갖는 보편성과 공통성에 집중하게 만들어 인간성과 인류애를 고취시키는 측면이 있어요. 어떤 관점이 옳고 어떤 관점은 틀리다는 흑백논리를 취하기 보다는, 다양한 인식론과 존재론이 갖는 고유의 의의와 특장점을 받아들이고 종합하려는 열린 자세를 견지할 것을 레비스트로스는 우리에게 촉구합니다. 그래야 세계를 제대로 이해할 수 있고, 이 세계 속에서 좀 더 행복하게 공존해 나갈 수 있기 때문이죠.

이제 다큐멘터리나 영화 속에서 열대 오지나 원주민의 모습을 발견한다면 이제까지와는 조금 다른 견지에서 바라보게 될 것 같지 않나요? 단지 그들을 미개하거나 야만적으로 치부하거나, 혹은 불쌍하고 보호해야 할 대상이라는 값싼 감상에 빠지기보다는, 있는 그대로의 그들의 모습을 인정하고 그들의 모습을 통해 우리 스스로를 되돌아보는 인식의 전환을 이룰 수 있을 거예요. 여러분도 이 책『슬픈 열대』를 읽으면서, 슬픔이란 정서를 발전적인 지향성으로 승화시킨 레비스트로스의 치열한 학자적 고뇌를 흠뻑 느껴보셨으면 합니다.

13. 마셜 맥루언, 『미디어의 이해』 (1964)

여러분, 갑자기 스마트폰이 없어진다면 어떻게 될까요?

전화 걸기, 메시지 보내기, 인터넷 접속, 배달음식 주문, 음악 감상, 셀카 촬영, 게임, 메일 확인 등 평소 스마트폰 하나로 가능했던 모든 일들을 각각 따로따로 해야 되겠죠?

스마트폰이 사라진다면, 예전처럼 유무선 전화기에 전화번호를 직접 눌러 전화를 걸어야 할 거고, 웹서핑을 하거나 메일을 보내기 위해서는 책상 앞에 앉아 컴퓨터를 켜야 할 거고, 배달 음식을 주문하려면 음식점 전화번호를 알아내서 전화기로 주문을 해야 할 거고, 실외에서 음악을 듣거나 사진을 찍거나 게임을 하려면 무거운 MP3 플레이어와 카메라와 게임기를 번거롭게 들고 다녀야 하겠죠. 믿기 어렵게도 스마트폰이 대중화되기 이전인 십 수년 전의 가까운 과거에 실제로 우리는 그렇게 살았었죠. 그런데 어느 날 갑자기 툭 튀어나온 이 혁신적인 미디어의 발명과 더불어 우리의 삶은 한결 가볍고, 빠르고, 다채로워졌어요. 마치 공기처럼 익숙하게 이 조그마한 기계로 온갖 편리한 생활을 누리고 있는 우리. 만약 스마트폰이 갑자기 사라져 과거로 돌아간다면, 우리의 삶은 한층 무겁고, 느리고, 귀찮아질 거예요. 뭘 하더라도 시간과 에너지는 배로 들겠죠. 우리는 지금 누리고 있는 편리하고 효율적인 일상이 원래부터 있었던 당연한 것으로 생각하기 쉽지만, '이러한 일상이 갑자기 사라져 버리면 어떻게 될까?'라는 가정을 통해서 이게 얼마나 당연하지 않은 것인지 깨달을 수 있죠. 이 작은 미디어가 우리의 삶에 얼마나 지대한 영향을 미치는지 체감이 되시죠?

미디어는 점점 더 작고, 가볍고, 만능이 되어가고 있죠. 그에 맞춰 우리의 몸은 훨씬 더 자유로워지고, 생각의 속도는 빨라지고, 사고의 경계는 허물어지고, 가능성의 영역 또한 무한대로 팽창하고 있어요. 최근 각광받고 있는 '융합(Convergence)' 내지 '통섭(Consilience)' 이라는 개념 또한 이러한 미디어의 발달상과 무관하지 않죠. 미디어의 발달과 인간의 사고방식 간에 긴밀한 인과관계가 존재한다고 보는 '미디어 결정론'이 대세를 이루는 시대에 우리는 살아가고 있어요. 사회가 인간의 의지와 활동에 의해 변화하고 발전한다기보다는, 기술 진보와 미디어의 발달이 인간의 행동과 사고 패턴의 급격한 변동을 이끈다는 '미디어 결정론'의 설득력을 전적으로 부인할 수 있는 사람은 아마 없을 거예요. 우리 모두가 실제로 매일같이 다양한 미디어의 영향력 하에 놓인 채 살아가고 있기 때문이죠. 이러한 급격한 시대상의 변화를 수십여 년 전에 정확하게 예측한 학자가 있습니다. 바로 캐나다의 미디어 이론가이자 문화비평가인 마셜 맥루언(Herbert Marshall McLuhan, 1911~1980)입니다.

마셜 맥루언(Herbert Marshall McLuhan, 1911~1980)

미디어는 메시지다

맥루언의 대표작『미디어의 이해(Understanding Media: The Extensions of Man)』(1964)에 그의 미디어 결정론적 시각이 명증히 드러나 있습니다. 그의 핵심적인 문제의식은 제1장의 표제이기도 한 "미디어는 메시지다(The Medium is the Message)."라는 문장에 집약되어 있죠. 미디어는 메시지다? 언뜻 잘 와닿지 않죠? 우리는 대개 미디어란 메시지를 전달하는 수단이라고 생각하니까요. 말하자면 미디어는 보통 메시지를 담는 그릇과 같은 도구적인 의미로서 흔히 이해되곤 하죠. 하지만 맥루언은 이러한 통념에 반기를 들며 '미디어 자체가 메시지'라고 천명한 거예요. 이 말인즉슨, 미디어를 통해 전달되는 내용보다 그 미디어 자체의 특성이 사회에서 더 큰 의미를 갖는다는 거죠. 앞서 이야기한 스마트폰을 예로 들자면, '우리가 스마트폰으로 어떤 메시지를 주고 받는가'보다는 스마트폰이라는 미디어 자체가 갖는 존재적 의미와 영향력이 더욱 중요하다는 거예요. 맥루언은 이처럼 '내용으로서의 메시지'와 '내용 전달 수단으로서의 미디어'라는 이분법의 장벽을 무너뜨리고 '미디어 자체가 메시지'임을 천명한 거죠.

하지만 이 책이 쓰여졌을 무렵인 1960년대 중반, 이러한 맥루언의 주장은 당시 굉장히 센세이셔널하게 받아들여졌음은 물론, 치열한 논쟁을 야기하기도 했어요. 미디어를 지배하고 관장하는 주체인 인간의 의지와 능력을 과소평가한다는 비판에 직면하기도 했고, 미디어를 지나치게 신격화한다는 공격을 받기도 했죠. 지금의 우리의 경우엔 스마트폰을 비롯한 생활 속의 다양한 미디어가 지니는 막대한 영향력에 대해 누구도 부인하지 못하지만, 이 책 출간 당시의 미디어의 발달 수준으로서는 '미디어 자체가 메시지'임을 받아들이기엔 무리가 있었던 거죠. 그만큼 맥루언이 시대를 앞서간 예지력으로 미래상을 정확하게 내다봤다고 볼 수 있어요.

'미디어가 메시지'라는 그의 주장을 뒷받침하는 핵심적인 근거는 바로 미디어가 바뀌면 감각 비율과 지각 비율에 변화가 생긴다는 사실이죠. 우리는 똑같은 내용의 메시지를 귀로 들을 때와 눈으로 들을 때의 느낌이 다르다는 것을 이미 경험적으로 알고 있어요. 청각으로 인지

되는 구어(口語), 그리고 시각을 통해 인지되는 문어(文語)는 각기 뇌에서 처리되는 영역부터가 다르죠. 아마 어떤 메시지를 귀로 들었을 때에는 감정이 격해진 반면, 같은 내용을 글로 읽었을 때엔 이성적으로 받아들이게 되는 경험을 해 본 적이 있을 거예요. 혹은 직접 만나서 들었으면 납득했을 내용을 메일이나 문자 메시지로 전달받아서 괜한 오해가 쌓이고 다툼으로 이어졌던 경험도 있을 거고요. 심지어 똑같은 내용의 텍스트를 문자 메시지로 받을 때와 카톡으로 이모티콘과 함께 받을 때의 느낌이 확연히 다르다는 것도 우리는 알고 있죠. 이처럼 메시지가 전달되는 통로로서의 미디어가 감각 비율과 지각 비율에 일정 수준 이상의 지대한 영향을 미치기 때문에, 아예 미디어 자체가 고유의 메시지를 갖고 있다고 보는 게 타당하다는 것이 맥루언의 핵심적인 논지예요.

그는 미디어의 발달이 사회 전체를 변혁시키는 과정을 다음과 같은 비유로 설명하고 있어요.

우리가 우리 자신을 증폭시키고 확장시키게 해주는 새로운 미디어와 기술들은, 방부 처리를 전혀 하지 않은 채 사회라는 신체에 가하는 어마어마한 집단적 외과 수술이다. 그런데 수술을 반드시 해야 한다면, 수술하는 동안 전체 조직이 어떤 식으로든 감염되지 않을 수 없다는 사실을 고려해야 한다. 왜냐하면 새로운 기술로 사회를 수술하는 동안 가장 큰 영향을 받는 부분이 절개된 부분은 아니기 때문이다. 절개된 부분과 충격을 받은 부분은 마비된다. 변화가 일어나는 것은 전체 조직이다. 라디오의 영향은 시각적인 것이고 사진의 영향은 청각적인 것이다. 새로운 충격이 가해질 때마다 모든 감각들간의 배분 비율은 바뀌게 된다. 오늘날 우리가 찾으려고 애쓰는 것은, 개인 정신이나 사회 전체의 견해에 나타나는 감각 비율 상의 이러한 변화들을 통제하는 수단이나 그런 변화들 모두를 회피하는 방법이다.

이처럼 미디어 자체의 영향력에 대한 사람들의 인식 수준이 점차 높아지면서 미디어 통제력을 움켜쥐고자 하는 욕망 또한 커진다는 점을 맥루언은 정확하게 포착하고 있어요. 실제로 오늘날 앞다투어 출시되고 있는 다양한 미디어들은 '메시지 전달 도구'로서의 쓰임새를 넘어 사람들의 사고와 행동을 통제할 수 있는 헤게모니를 장악하려는 의도를 저마다 품고 있죠. 스마트폰, 태블릿 PC 등 하드웨어, 혹은 각종 소셜 네트워크 서비스(SNS) 애플리케이션 등의 소프트웨어를 막론하고, 서로 경쟁하듯 시선을 끄는 요즘 미디어의 면면을 보면 단순한 커뮤니케이션 수단을 넘어 인간의 행위 기준을 설정하는 역할까지 넘본다는 느낌을 지울 수가 없죠. 맥루언은 놀라울 정도로 정확하게 가까운 미래를 예견하고 있었던 거예요.

미디어는 인체 기관의 연장이다

중요한 것은, 맥루언이 '미디어는 메시지다'라고 했을 때 이 미디어란 우리가 흔히 생각하는 스마트폰이나 SNS 등의 커뮤니케이션 미디어에 한정되지 않는다는 거예요. 그에게 있어 미디어는 훨씬 더 광범위한 개념이죠. 신문, 라디오, 만화, 영화, 텔레비전에서부터, 옷과 집, 자

동차와 철도, 숫자, 시계, 전화, 무기, 타자기, 컴퓨터, 축음기, 심지어 돈
에 이르기까지 인간이 생활을 영위하면서 활용하는 모든 도구가 미디
어의 영역으로 포섭되죠. 다양한 미디어가 등장하고 영향력이 커짐에
따라 어떠한 연쇄적 촉진 과정을 거쳐 사회상을 변화시키는가에 대해
그는 다음과 같이 예를 들어 설명하고 있어요. 미디어의 한 종류인 시
계를 사례로 들어서 말이죠.

추상적인 시간을 만들어 내고 사람들로 하여금 배고파서가 아니라
'먹을 시간'이 되어서 먹게끔 만든 것은 시계 자체가 아니라 시계가 강
화시켜 준 문자 문화였다. 루이스 멈포드(Lewis Mumford, 1895~1990)
는, 르네상스 시대의 추상적인 기계적 시간 감각으로 인해 당시 사
람들이 그들 자신의 현재로부터 떨어져 나와 고전적인 과거 속에서
살 수 있었다고 말했는데 이는 설득력 있는 통찰이다. 여기서도 고대
의 문학과 문헌들을 대량 생산함으로써 고전적인 과거, 즉 고대 그리
스-로마 문명을 재창조할 수 있게 해주었던 것은 인쇄술이었다. 대
량 생산이 신문과 잡지의 정기적인 간행으로 확장되는 것과 마찬가지
로 기계적이고 추상적인 시간 패턴의 확립은 곧바로 의상 스타일의
주기적인 변화로 확장된다. 오늘날에 와서 우리는, 보그(Vogue)의 업
무는 그 잡지가 인쇄되는 과정의 일부로서 옷의 스타일을 바꾸는 것
이란 점을 당연하게 받아들인다. 어떤 것이 유통되기 시작하면 그것
은 통화를 만들어 낸다. 유행은 섬유를 이동시켜 그것을 더욱 빈번하
게 유통시킴으로써 부(富)를 창출하는 것이다. 시계는 인간적 유대의
속도를 가속시킴으로써 직무를 변형시키고 새로운 일과 부를 창출해

내는 기계적인 미디어이다. 사람들의 만남과 행동을 조정하고 촉진시킴으로써 시계는 인간의 교환 활동의 양을 증대시킨다.

맥루언에게 있어 미디어는 '인간 신체가 지닌 다양한 기관과 기능의 연장(延長)'이에요. 우리 신체가 지닌 장기와 손, 발, 감각기관 등의 성능을 물리적으로나 심리적으로 더 높여주고 강화시켜 주는 것이 바로 미디어이기 때문이죠. 이를테면 책은 시각의 연장, 라디오는 청각의 연장, TV는 시각과 청각 그리고 촉각을 동시에 연장시켜 주는 매체라고 볼 수 있어요. 우리의 감각기관은 각기 다른 방식으로 세상을 지각하기 때문에, 어떤 미디어를 통해 주로 세상을 인지하느냐에 따라 사고 체계 자체가 바뀔 수 있죠. 이러한 논리에서 기술의 변화와 미디어의 발달이 사회 구성원의 사고 체계를 변화시키고 궁극적으로 사회 변동을 이끈다는 미디어 결정론이 도출됩니다. 바로 이러한 사고의 연장선상에서 이 책에는 '인간의 확장(The Extensions of Man)'이라는 부제가 붙어 있죠.

'미디어가 인간 신체의 연장 내지 확장'이라는 선언에 대해서 맥루언은 이렇게 부연하고 있어요.

기계 시대 동안 우리 서구인들은 인간의 신체를 공간적으로 확장해 왔다. 전기 기술 시대에 접어들고 1세기가 지난 오늘날, 우리는 —다른 행성들은 몰라도 최소한 우리가 사는 지구에서는 — 공간과 시간을 제거하며 중추신경 조직 자체를 전(全)지구적 규모로 확장해 왔다. 매우 급속하게 인간 확장의 최종 국면에 접어들고 있는 것이다. 그 국면이란 바로 인간 의식을 기술적으로 모사하는 단계인데 이렇게 되면 인식이라는 창조적 과정도 ─ 우리가 이미 다양한 미디어들을 통해 우리의 감각과 신경들을 확장했듯이 ─ 인간 사회 전체에 집합적, 집단적으로 확장될 것이다. 지금까지 광고주들이 특정 상품의 광고를 위해 오랫동안 추구해 온 의식의 확장이 정말 좋은 것인가 하는 물음에는 다양한 대답들이 있을 수 있다. 인간의 갖가지 확장에 관한 물음들에 대해, 그 확장의 양상들을 모두 고찰해 보지도 않고 답한다는 것은 거의 불가능한 일이다. 그것이 피부건, 손이건, 발이건 간에, 모든 확장은 정신적·사회적 복합체 전체에 영향을 미치기 때문이다.

미디어의 변화는 사회 시스템의 변화를 야기한다

맥루언의 미디어 결정론에 따르면 인류의 역사는 크게 네 단계, 즉 문자 발명 이전의 부족시대 - 문자시대 - 인쇄시대 - 전기시대로 나뉘죠. 이러한 분류는 각 시대별 지배적 미디어의 변천에 근거하고 있어요. 이것은 각 시대를 지배한 특정한 미디어가 각 시대의 사회적·문화적 환경에 절대적인 영향을 미친다는 전제에 기반하죠.

구체적으로, 문자가 만들어지기 이전의 부족민들은 오감(五感)을 총동원해서 공감각적 커뮤니케이션을 했죠. 그 이후 문자가 발명되면서 인류의 커뮤니케이션은 시각에 지배적으로 의존하게 되었고요. 이러한 시각의 지배력은 구텐베르크 인쇄술의 발명 이후 더욱 강력해졌죠. 커뮤니케이션은 표준화된 문자 체계에 의거해 수행되었고, 이로 인한 통일성과 균질성이 근대 민족국가 형성의 토대가 되었다고 맥루언은 주장하고 있어요.

> 활자 인쇄가 초래한 예상치 못한 수많은 결과들 중에서 내셔널리즘의 등장은 아마도 가장 잘 알려져 있을 것이다. 방언이나 언어 집단들에 의한 주민들의 정치적 통일은, 인쇄를 통해 각각의 방언이 거대한 매스 미디어로 바뀌기 전까지는 생각도 할 수 없는 것이었다. 확대된 형태의 혈족인 부족은 인쇄로 인해 외파를 일으키고 동질적인 개인화 훈련을 받은 사람들의 결사체로 대체된다.
> 내셔널리즘 자체는 집단 운명과 지위에 관한 강렬하고도 새로운 시각적 이미지로서 출현했고, 인쇄가 등장하기 전까지 전혀 몰랐던 정보 이동의 속도라는 것에 바탕을 두고 있다. 오늘날 하나의 이미지로서의 내셔널리즘은 여전히 인쇄에 크게 의존하고 있는데, 오늘날의 전기 미디어들은 활자에 대립한다. 정치에서와 마찬가지로 비즈니스 분야에서도 제트기의 등장과 더불어 과거의 낡은 국가 단위의 사회 조직은 무의미하게 되었다. 르네상스 시대에 내셔널리즘이 출현했을 때 사람들은 그것에 대해 신기해하면서도 자연스럽게 받아들였는데 그 이유는 인쇄의 속도와 그에 따른 시장과 상업의 눈부신 발달 때문이었다.

이처럼 맥루언은 지배적인 미디어의 변화가 사회 시스템의 변화를 야기한다고 주장하면서, 인쇄시대의 종결과 전기시대의 개막을 선도한 마르코니의 전기 발명을 인류 역사의 중대한 변곡점으로 강조하고 있어요. 전기시대로의 돌입은 시각이라는 단일 감각의 독점적 지배 하에 놓여 있던 미디어가 비로소 해방되었다는 의미를 갖는다고 그는 지적하죠. 이를테면 라디오와 축음기의 등장이 청각의 역할을 되살리고, TV나 영화 등의 매체가 다채로운 공감각의 새로운 가능성을 열었다는 거예요. 그는 인간이 단일감각에 지배당하기보다 다양한 감각을 조화롭고 균형적으로 발전시키는 것이 바람직하다는 방향성을 가지고, 다양한 미디어들을 '뜨거운 미디어(hot media)'와 '차가운 미디어(cool media)'라는 기준으로 분류하고 있어요.

뜨거운 미디어 vs. 차가운 미디어

미디어가 '뜨겁다', '차갑다'라는 발상이 다소 생소하고 어색하게 느껴질 수도 있겠지만 그 의미를 파악하면 쉽게 이해할 수 있어요. 우선 '뜨거운 미디어'는 특정한 하나의 감각으로만 채워진 매체, 즉 한 가지 감각에만 의존하는 매체로, '높은 정세도(high definition, 精細度)'와 '낮은 참여성(low participation)'을 특징으로 하죠. 오늘날 흔히 접할 수 있는 고선명 텔레비전(HDTV, High-Definition Television)의 명칭에서처럼 지금의 우리는 'high definition'을 '고해상도'라고 번역하지만, 매클루언이 의도한 'high definition'은 '신체 감각의 몰입도', 즉 '감각의 밀도'라는 의미를 동시에 갖는 개념이에요. 즉 '뜨거운 미디어'의 '정세도'가 높다는 것은 메시지의 정보가 분명하고 단위당 전달량이 많으며 총체적 신체 감각의 밀도가 높음을 뜻하죠. 한편 '뜨거운 미디어'의 '참여성'

이 낮다는 것은 메시지 수용자가 그 뜻을 재구성하는 데 들여야 할 노력의 정도가 낮다는 것을 의미해요. 즉 '뜨거운 미디어'란 라디오나 영화, 서적, 사진, 신문, 잡지처럼 한 가지 감각에 집중하게 하여, 청취자나 관객의 참여도를 떨어뜨리는 배타적인 미디어를 가리키죠.

반면 '차가운 미디어'는 여러 감각에 동시에 의존하는 매체로, '낮은 정세도'과 '높은 참여성'을 특징으로 하죠. 메시지의 정밀성과 밀도가 떨어지는 만큼, 수용자가 자신의 참여를 통해 그 공백을 메워야 하는 미디어를 의미해요. 다시 말해 수용자에게 여러 감각의 활용과 보완을 촉구하는 포괄적 성격의 미디어가 바로 '차가운 미디어'죠. 맥루언은 '차가운 미디어'의 사례로 만화, 전화, TV 등의 매체를 들고 있어요. 만화의 경우 컷 사이의 연결 부위를 상상력으로 메워야 한다는 점에서 밀도가 낮고, 전화의 경우 통화 중에 메모나 낙서를 하게 만들 정도로 수화기 너머로 전해지는 정보량이 적기 때문에 '차가운 미디어'에 속하죠. TV의 경우 1920년대에 발명된 만큼 기술 수준이 아직 낮아 화면이 저해상도였기에 '차가운 미디어'로 분류되었고요. 참고로 TV와 관련해 당시 맥루언은 "앞으로 기술이 발달해 TV가 고해상도에 도달할 경우에도 여전히 '차가운 미디어'인가?"라는 질문을 받은 바 있는데, 이에 대해 그는 "그렇다면 그것은 더이상 TV가 아닐 것"이라고 답했다고 하죠. 하지만 초고선명 텔레비전(UHDTV, Ultra-High-Definition Television)이 흔하게 유통되는 지금에도 TV가 '차가운 미디어'로서 갖는 성격은 여전히 남아있는 것으로 보입니다. 맥루언은 TV에 대해 다음과 같이 설명하고 있는데, 오늘날의 우리에게도 크게 위화감 없이 와닿는 내용이에요.

텔레비전에 받아들여지는 타입과 받아들여지지 않는 타입을 설명하는 다음과 같은 방식이 있다. 겉모습에서 역할과 지위가 뚜렷이 드러나는 사람은 텔레비전에 어울리지 않는다. 교사처럼 보이기도 하고, 의사처럼 보이기도 하고, 또한 비즈니스맨처럼 보이기도 하는 등 동시에 여러 가지 전부로 보이는 사람이 텔레비전에 어울린다. 얼굴만 보아도 어떤 인물인지 분명히 분류해 낼 수 있는 닉슨(Richard Milhous Nixon, 1913~1994) 같은 사람에게는 텔레비전 시청자가 상상력으로 채워 넣을 것이 존재하지 않는다. 그와 같은 텔레비전 영상을 보면 시청자는 불편함을 느낀다. 그리고 거북해하며 이렇게 말한다. '저 녀석한테는 무언가 나쁜 점이 있어.' 그와 똑같은 느낌은, 지나치게 아름다운 여성을 텔레비전으로 보는 경우, 또는 스폰서의 선명도가 너무 강한 이미지나 메시지를 접하는 경우에도 생겨난다. 텔레비전에 출현한 뒤부터 광고가 희극적인 효과를 공급하는 광범위하고 새로운 원천이 된 것은 우연이 아니다. 흐루쇼프(Nikita Sergeyevich Khrushchev, 1894~1971)는 텔레비전에서 만화처럼 보이기 때문에 시청자가 채워 넣는 이미지이다. 전송 사진이나 텔레비전 화면에서는 상대방의 적의를 없애는 명랑하고 웃기는 존재가 되는 것이다. 마찬가지로 영화의 역할에 어울리는 사람은 텔레비전 출연에 맞지 않는다는 공식 역시 정확한 것이다. 뜨거운 영화 미디어는 어떤 타입인지가 아주 명확하게 드러나는 인물을 필요로 한다. 차가운 텔레비전 미디어는 전형적인 것을 받아들이지 못한다. 그러한 것들은 시청자가 이미지를 종결하거나 완성하지 못하게 하기 때문이다. 케네디(John Fitzgerald

Kennedy, 1917~1963) 대통령은 부자나 정치가처럼 보이지 않았다. 그는 식료품 가게 주인이나 교수, 심지어는 미식 축구 코치 등 어떤 사람으로도 보였던 것이다. 그는 자신의 용모와 윤곽에서 오는 기분 좋은, 트위드와 같은 느릿하고 흐릿한 느낌을 망칠 정도로 너무 분명하게 준비된 말은 하지 않았다. 그는 뒤집어엎는 텔레비전의 패턴대로 하여, 훌륭한 저택에서 통나무 오두막집으로, 부유층에서 백악관으로 옮겨 갈 수 있었다.

독특한 개성을 가진 영화배우들을 TV 드라마에서는 잘 볼 수 없는 이유, 역으로 TV 드라마와 광고를 섭렵한 브라운관의 스타가 영화를 찍기만 하면 흥행에 실패하는 이유 역시도 '뜨거운 미디어'와 '차가운 미디어'의 차이로 설명이 가능하죠. 각 미디어에 적합한 인물과 메시지는 따로 존재한다는 거예요. 앞선 인용부에서도 알 수 있듯, 미국의 닉슨 전 대통령은 '너무 전형적인 정치인처럼 보였기 때문에' TV에서 인기가 없었고, 반면 케네디 전 대통령은 '너무 정치인처럼 안 보였기 때문에' 역설적으로 TV 시대의 스타 정치인이 될 수 있었다고 맥루언은 설명하고 있죠.

한편, 맥루언은 '뜨거운 미디어'인 라디오를 활용해 '뜨거운 연설'을 해서 독일 국민의 가슴을 끓어오르게 한 히틀러(Adolf Hitler, 1889~1945)의 경우, 만일 좀 더 늦게 태어나서 '차가운 미디어'인 TV를 활용해야 했다면 성공하지 못했을 거라고 지적하고 있어요. 여기엔 미디어가 '핫'한지 '쿨'한지 그 특성을 정확히 알고 그에 맞는 메시지의 내용과 전달 방식을 채택해야만 미디어의 효능을 극대화할 수 있다는 맥

미국의 제35대 대통령 존 F. 케네디
(John Fitzgerald Kennedy, 1917~1963)

미국의 제37대 대통령 리처드 닉슨
(Richard Milhous Nixon, 1913~1994)

루언의 핵심적인 주장이 깃들어 있습니다.

감각의 마비를 경계하라

미디어가 '뜨거운지' 혹은 '차가운지'를 아는 것이 왜 중요한가? 결정적인 이유가 하나 더 있죠. 바로 미디어의 속성에 대해 정확히 알아야 미디어에 매몰되지 않을 수 있기 때문이에요. 앞서 설명했듯 미디어는 '인체 기관의 연장'으로 설명되죠. 미디어가 특정 감각 기관을 연장하고 강화하여 그 감각 기관을 관장하는 두뇌의 특정 부분이 자극됨으로써 결국 우리의 사고방식과 행동 양식이 달라지는데, 이 메커니즘에 대해 정확히 인지하고 있어야만 미디어에 일방적으로 세뇌당하지 않을 수 있기 때문이에요. 메시지를 이해하는 것 만큼이나 미디어 자체의 속성 또한 정확히 이해하는 게 중요한 까닭이 바로 여기에 있죠. 맥루언은 그리스 신화 속 나르시스(Narcissus)를 언급하며 미디어가 우리의 신체를 확장하는 과정에서 우리를 '감각 마비'에 빠지게 하는 상황을 경계하고 있어요.

그리스의 나르시스에 관한 신화는 '나르시스'라는 말이 보여주듯 인간이 경험하는 사실과 직접적인 관계를 맺고 있다. 이 말은 혼수상태나 감각 마비를 의미하는 그리스어 '나르코시스(narcosis)'에서 파생된 말이다. 젊은 나르시스는 물 속에 비친 자기 모습을 다른 사람으로 착각했다. 이처럼 거울을 통해 자신을 확장할 경우, 그 자신의 확장된

플랑드르의 화가 얀 코시에르(Jan Cossiers, 1600~1671)의 작품
「나르시스(Narcissus)」(1636~1638)

이미지나 반복된 이미지를 스스로 제어하기 전까지는 그 지각이 마비 상태에 빠지게 된다. 숲속의 요정 에코는 나르시스 자신이 하는 단편적인 말들을 통해 사랑을 얻으려 했지만 실패했다. 나르시스의 감각이 마비되어 있었기 때문이다. 나르시스는 자신을 확장하는 데 몰두했고 결국 폐쇄된 체계에 갇히고 말았다.

그런데 이 신화가 말하려는 핵심은 인간이 자기 자신이 아니라 자신을 확장한 것에 갑자기 사로잡히게 되었다는 사실이다. 남자는 자신의 이미지를 반사해 주는 여자를 깊이 사랑한다고 주장한 냉소가들도 있었다. 설사 그렇다 하더라도 나르시스가 그 자신이라고 간주했던 것과 사랑에 빠졌다는 것이 나르시스 신화에 담긴 지혜는 아니다. 그가 만약 그 이미지가 자신의 확장이나 반복이라고 생각했다면 그 이미지에 대해 전혀 다른 감정을 가졌을 것이다. 오랫동안 나르시스 신화는 나르시스가 그 자신을 사랑했고 또 물에 비친 것이 그 자신이라고 생각했다는 식으로 해석되어 왔다. 그런데 이런 사실에서, 철저하게 기술적이고 그래서 감각 마비적인 문화의 편견에 우리가 사로잡혀 있음을 쉽게 알 수 있다.

즉 맥루언이 강조하고 있는 것은 거센 미디어의 소용돌이 속에 휩쓸리지 않고 미디어의 속성을 잘 관찰하며 나 자신과 거리를 둘 줄 아는 자세의 필요성이죠. 이 책이 쓰여진 지 수십여 년이 지난 지금, 맥루언이 경고한 미디어의 소용돌이의 양상은 더욱 거대하고 격화되고 있습니다. 다양한 미디어들이 폭발적으로 증가하고 있고 기존의 미디어가 다른 미디어들과 융합되어 전혀 새로운 미디어로 재탄생하는 현상이 더욱 급속하게 진행되고 있죠. 이를테면 우리가 매일 활용하는 인터넷은 뇌의 확장이기에 우리가 다양한 일들을 앉은 자리에서 빠르고 편리하게 처리할 수 있는 것인데, 이 과정을 제3자적인 시각에서 객관적으로 바라볼 줄 알아야 한다는 것이 맥루언이 우리에게 주는 교훈이라고 할 수 있어요. 인터넷이 뇌의 확장이 아니라 우리 뇌 자체라고 착각할 경우, 구글 검색 없이는 아무런 정보도 스스로 기억해 내지 못하는 '디지털 건망증'이 도지기 십상이니까요. 미디어가 부여하는 감각 확장에 지나치게 매몰되어 감각 마비에 빠져버리는 우를 범하지 않도록 우리는 늘 깨어있어야 한다고 이 책은 말해주고 있어요.

여러분이 주로 사용하는 미디어는 무엇인가요? 어떤 SNS 애플리케이션을 주로 활용하며 일상을 보내고 있나요? 휴식을 취할 때에는 어떤 미디어와 함께 하고 있나요? 스스로의 미디어 사용 양태에 대해 한번 진지하게 돌아보고 분석해 보세요. 미디어가 주는 다채롭고 감각적인 즐거움 속에만 매몰되지 않고, 미디어 자체의 '쿨'하고 '핫'한 속성을 판별해 보면서, 미디어가 주는 효능과 부작용에 대해 객관적으로 사고할 수 있을 때에 비로소 우리는 나르시스의 비극을 피할 수 있을 거예요. 여러분도 이 책 『미디어의 이해』를 찬찬히 읽어보면서 미디어를 활용하는 바람직한 방향성에 대해 고찰해 보는 소중한 시간 가져보시기를 권합니다.

14. 피에르 부르디외, 『구별 짓기』(1979)

여러분은 어떤 취향을 가지고 계신가요?

여러분은 어떤 음식을 좋아하고, 어떤 장르의 음악을 즐겨 듣고, 어떤 스타일의 옷을 선호하고, 어떤 취미를 가지고 있으며, 주로 어떤 집단의 사람들과 어울리시나요?

아마 각자 저마다 즐기고 좋아하는 고유의 선호와 취향을 가지고 있을 거예요. 어떤 사람은 한식을 좋아하는 반면, 누군가는 일식이나 중식, 혹은 프랑스 요리를 좋아할 수 있고, 어떤 사람은 클래식 음악을 즐겨 듣는 반면, 어떤 사람은 락 음악이나 EDM(Electronic Dance Music)을 좋아할 수 있고, 어떤 사람은 캐주얼한 스트릿 패션을 즐겨 입는 반면 어떤 사람은 깔끔한 오피스룩 차림을 좋아할 수 있고, 어떤 사람은 취미로 골프나 악기 연주를 즐기는 반면 어떤 사람은 게임이나 드라이브를 즐길 수 있고, 또 어떤 사람은 주로 편한 친구들이나 취미를 함께 하는 동호회 사람들과 어울리는 반면, 어떤 사람은 프라이빗한 사교 클럽 멤버들과의 격식 있는 만남을 선호할 거예요. 이처럼 저마다 취향은 각양각색이죠.

그렇다면 그러한 취향이 어떻게 형성되었는지에 대해서 생각해 보신 적 있나요?

취향의 기원에 대해 자신 있게 답하는 분은 아마도 드물 거예요. '내 취향이 어떻게 만들어졌는가?'를 떠올리는 것 자체가 새삼스럽고 생소하게 느껴질 수밖에 없죠. 그 까닭은, 대개 취향이라는 것이 몸과 마음이 자연스럽게 이끌린 결과라고 여기기 쉽기 때문이에요. 그렇기 때문에 대다수는 "어쩌다보니 좋아하게 되었다." 혹은 "그냥 어릴 때부터 좋아하게 된 것 같다."와 같은 답을 내놓게 되죠. 과연 그럴까요?

피에르 부르디외(Pierre Bourdieu, 1930~2002)

취향은 후천적인 사회적 학습의 결과다

여기, "취향이란 결코 우연이나 자연스러운 이끌림이 아니다."라고 주장하는 사회학자가 있습니다. 바로『구별 짓기(La Distinction: Critique sociale du jugement)』(1979)의 저자이자 프랑스의 사회학자인 피에르 부르디외(Pierre Bourdieu, 1930~2002)입니다. 그에 따르면 취향이란 선천적 기호의 문제가 아니라, 후천적인 사회적 학습의 결과죠. 그는 책의 서두에서부터 칸트(Immanuel Kant, 1724~1804)의 미학 이론을 비판하면서, 취향이라는 것이 선천적인 미적 판단에 따라 만들어진 것이 아니라 사회적으로 훈련됨으로써 형성되는 정치적·문화적 산물이라는 점을 강조합니다. 사람들은 태어나는 순간부터 자신이 속한 사회 계급 속에서 학습과 훈련을 통해 계급적 기호를 내재화하게 되고, 그 결과 다른 계급과 차별화되는 사회적 취향을 갖게 된다는 거죠.

전근대적인 신분제는 철폐된 지 오래지만, 어떤 사회에든 최소한 암묵적으로 계급 체계가 존재하죠. 계급이란 사회 내에서 신분·재산·직업 따위가 비슷한 사람들로 형성되는 집단, 또는 그렇게 나뉜 사회적 지위를 의미해요. 사회학에서 계급을 설명하는 이론틀로는 크게 칼 마르크스(Karl Heinrich Marx, 1818~1883)의 유물론과 막스 베버(Max Weber, 1864~1920)의 관념론을 들 수 있는데, 전자는 계급 분화에 있어 경제자본의 역할을 중시하는 입장이고, 후자는 사회·문화적 요소의 역할을 중시하는 입장이죠.

부르디외의 특이한 점은, 마르크스와 베버의 시각을 종합하여 계급을 '경제자본(economic capital)'과 '문화자본(cultural capital)'의 총합으로 규정하고 있다는 거예요. 여기서 경제자본은 말 그대로 경제적 능력을 의미하고, 문화자본은 사회화 과정에서 얻은 문화에 대한 특정한 감각과 능력을 의미하죠. 그는 구체적으로 하나의 계급 내부에서도 경제자본과 문화자본의 구성 비중에 따라 상이한 계급적 분파를 분리해낼 수 있다고 주장했어요. 이를테면 같은 층위의 계급에 속해 있더라도 경제자본을 상대적으로 많이 소유한 상공인과, 문화자본을 상대적으로 많이 소유한 지식인은 서로 다른 계급적 특징을 보인다는 점을 지적하면서 말이죠. 이처럼 부르디외는 계급이 경제자본과 문화자본의 총합과 구체적인 구성비에 따라 결정된다고 보았어요. 그는 이에 더해 '사회자본(social capital)'과 '상징자본(symbolic capital)'이라는 변수까지 포함시키죠. 사회자본이란 지연·학연 등 집단과 사회 연결망 내에서의 위치와 관계를 의미하고, 상징자본이란 경제자본, 문화자본, 사회자본이 정통적으로 승인된 형식, 즉 위신, 존망, 명예, 명성 등을 의미해요. 부르디외는 이처럼 다양한 변수를 종합적으로 고려할 때 사회적 위계가 어떻게 분화되며 또 취향은 어떻게 차별화되어 나타나는가를 조사한 뒤 그 의미를 분석하고 있어요.

예를 들어 부르디외는 지배 계급 내 여러 분파들의 식료품 소비구조에 대한 통계 자료를 기반으로, 각 자본 유형의 보유 비중이 미식 취향에 어떠한 영향을 미치는가를 다음과 같이 분석하고 있어요.

> 노동자에서 직공장, 장인, 상인을 거쳐, 상공업 경영자로 다가갈수록
> 소비 선택의 기본구조는 전혀 변화하지 않은 채 경제적 구속 요인이
> 느슨해지는 경향이 있다. 따라서 양극단 간의 대립은 가난한 자와 부

자 사이에서, 보통 식사와 진수성찬 사이에서 확립된다. 소비되는 음식물은 가격과 칼로리 면에서 갈수록 풍부해지고, 갈수록 소화되기 힘들어진다(사냥한 고기, 푸아그라). 이와 반대로 자유업 종사자나 상급 관리직의 경우, 가볍고 섬세하며 세련된 음식을 선호하며, 무겁고 기름지고 거친 음식은, 부정적으로, 민중적 취향으로 규정한다. 경제적 제약 요인의 제거는 탁월함과 날씬한 몸매를 위해 조야함과 비만을 금지하는 사회적 검열의 강화를 수반한다. 희귀하고 귀족적인 음식에 대한 취향은 고가의 진귀한 제품(신선한 야채나 육류)을 풍부히 사용하는 전통적 요리를 선호한다. 마지막으로, 경제자본보다는 문화자본이 더 풍부하고, 따라서 모든 분야에서 금욕적인 소비를 선호하는 경향이 있는 교수들은 경제적 비용을 최소화하면서도 이국적 취향(이탈리아 요리, 중국 요리 등)과 함께 요리의 민중주의(농민요리)를 지향하면서 독창성을 추구한다. 이러한 식으로 이들은 거의 의식적으로 호화로운 음식을 좋아하는 벼락 부자들이나 '진수성찬'의 판매자와 소비자, '뚱보들', 즉 육체는 뚱뚱하고 영혼은 비루한 사람들로 경제적·문화적 소비에서는 민중계급과 크게 다르지 않은 생활양식을 누리고 있기 때문에 누가 봐도 '저속'한데도 거만하게 자신의 생활양식을 자랑거리로 내세울 수 있는 경제 수단을 갖고 있는 사람들과 정반대의 위치를 고수하려고 한다.

아비투스(habitus)

이 같은 분석을 통해 부르디외는 인간은 자신이 속한 경제·사회·문화적 환경 속에서 학습과 훈련에 의해 후천적인 계급적 취향을 갖게 된다고 주장하면서, 이것을 '아비투스'라고 명명하고 있어요. 아비투스란 쉽게 말해 개인의 문화적인 취향과 소비의 근간이 되는 '계급적 성향', 즉 사회적 지위, 교육 환경, 계급 위상에 따라 후천적으로 길러진 성향을 의미하죠. 아비투스란 '같은 집단이나 계급 구성원 모두에게 공통적인 인지, 개념, 행위의 도식 혹은 내면화된 구조의 주관적이지만 개인적이지 않은 체계'로서, 구성원들의 일상적인 판단과 행위를 구조화하기도 하는 양면적 메커니즘이라고 할 수 있어요. 이것은 단순한 '습성'이나 '습관'과는 달라요. 습관이 반복적이고 기계적이며 자동적인 데 반해, 아비투스는 고도로 생성적이어서 자체적으로 변동하기도 하면서 고유의 객관적 논리를 생산하죠.

예를 들어 누군가가 승마나 펜싱, 요트, 골프와 같은 소위 '고급 스포츠'를 취미로 갖고 있다고 가정해 볼게요. 이를 가리켜 '그는 고급 스포츠를 좋아하는 습성을 가진 사람이다'라고 단순히 말하기는 어려울 거예요. 왜냐하면 단지 원한다고 해서 모두가 그런 습성을 가질 수 없기 때문이죠. 다시 말해 '저 사람은 고급 스포츠를 즐길 수 있는 여력이 되는 사람이다'라고 표현하는 게 더 적절하다는 거예요. 이게 바로 아비투스죠. 이러한 고급 스포츠를 즐길 수 있는 단계에까지 오르기 위해서는 일단 비용과 시간이라는 진입장벽을 넘어야만 해요. 상당한 레슨 비용과 연습 시간을 취미에 충분히 투입할 수 있을 정도의 여유를 갖고 있어야만 가능한 이야기이기 때문에, 그러한 고급 취미와 그 사람이 보유한 경제자본을 떼어놓고 생각할 수가 없죠. 문화자본도 마찬가지예요. 고급 스포츠의 조기 습득을 위해서는 가문의 전통, 엄격한 사교 기술, 품위, 네트워크, 회원권과 같은 '은폐된 입장권'이 필요하기 때문에 대충 돈만 많아서는 쉽게 진입하기 어렵고, 일정 수준 이상의 사회자본과 문화자본을 갖춰야만 하죠.

부르디외는 지배적 취향이 인지하고 평가하는 모든 특징이 골프, 테니스, 요트, 승마, 스키, 펜싱 등의 고급 스포츠에 집약되어 있음을 지적하면서, 다음과 같이 지배 계급의 아비투스를 묘사하고 있어요.

> 우리는 특정한 스포츠가 가장 깊고 무의식적인 수준에서 특정 계급의 신체와 맺고 있는 관계와 상충되지 않을수록, 즉 사회세계에 대한 총체적 관점과 인격이나 자신의 신체에 대한 총체적 철학이 자리잡게 되는 신체 도식과 상충되지 않을수록 그 스포츠를 그 계급 성원들이 채택할 가능성도 그만큼 높아진다는 일반 법칙을 가정해 볼 수 있다. 따라서 특정한 스포츠가 요구하는 신체의 움직임이 어떠한 경우에도 '품위 있는' 인격을 손상시키지 않을 때 그 스포츠는 부르주아적 경향을 갖게 된다고 말할 수 있다. 따라서 이들은, 예를 들어 포워드 중심의 럭비에서 볼 수 있는 거칠고 격렬한 전투나 육상경기처럼 자존심을 상하게 하는 경쟁 속으로 신체를 던지길 거부한다. 그리고 언제나 다른 사람들에게 자신의 권위, 위엄 또는 품위를 논란의 여지 없는 형태로 부과하는 데 관심을 갖고 있기 때문에 신체를 하나의 목적으로 취급하고, 신체를 기호로, 자신의 편안함을 드러내 줄 수 있는 기호로

만들려고 한다. 따라서 스타일이 가장 우선시되며, 신체를 유지하는 가장 전형적인 부르주아적인 방식은 특정한 공간 안에서 차지하고 있는 자리를 통해 어떤 사람이 사회공간에서 점유하는 장소의 크기, 동작과 보폭의 풍부함에 의해, 특히 절도 있고 안정되었으며 절제된 템포에 의해 식별된다. 이러한 템포는 대중의 성급한 말투나 쁘띠 부르주아의 조급함과는 대립적인 것으로서, 이는 부르주아적 언어의 전형적인 특징이기도 하다. 이는 자신의 시간뿐만 아니라 상대방의 시간까지도 여유있게 사용할 권리가 있다는 자신감의 표현이기도 하다.

계급 불평등을 영속화시키는 문화자본

이쯤에서 눈치챌 수 있는 건, 바로 부르디외가 계급과 취향 구분에 있어 네 가지 자본의 형태 중 문화자본의 역할을 가장 중시하고 있다는 사실이죠. 쉽게 말해, '돈으로도 어떻게 안 되는 것'에 주목하고 있다는 거예요. 자수성가해 이제 막 상류층으로 진입하기 시작한 쁘띠 부르주아나 운 좋게 일시에 떼돈을 번 벼락부자가 쉽게 넘을 수 없는 사차원의 벽이 존재하는데, 이것이 바로 문화자본이라는 거죠. 부르디외는 문화자본을 '하나의 지식 형식, 내화된 코드, 또는 문화적 관계들과 문화적 가공물을 해독하는 데 있어서의 능력, 해독하기 위한 감상력, 해독하는 데 있어서 공감대를 지닌 사회적 행위자를 갖추기 위한 인식의 취득'으로 규정하면서 그 중요성을 특히 강조하고 있어요.

문화자본은 크게 다음의 세 가지 유형으로 나누어집니다. 첫째, '체화된 문화자본', 즉 사회화 과정 속에서 획득한 오랜 특성과 습관, 둘째, '객관적 문화자본', 즉 가치 있는 문화적 대상물의 축적, 셋째, '제도적 문화자본', 즉 공식적인 학위 및 자격증, 수상 실적 등이 바로 그것이죠. 오랜 기간에 걸쳐 개인의 사고 방식과 매너, 생활 태도 등의 형성에 근본적인 영향을 미치는 가정 환경 및 교육 여건이 '구별 짓기'에 있어 결정적인 요소로 작용함을 그는 지적하고 있는 거예요.

이게 바로 부르디외가 프랑스의 교육 평준화를 강력하게 촉구한 까닭이기도 하죠. 그는 교육이 누구에게나 열려있는 것처럼 보이지만 사실상 교묘하게 계급 간 불평등을 확대 재생산하고 있다는 점을 비판했어요. 학생들이 교육을 받는 데 있어서도 그들이 상속 받은 자본의 종류와 양에 따라 눈에 보이지 않는 진입장벽에 당도하게 된다는 거죠. 소수에게만 허용된 입학 기회, 중산층은 지불하기 힘든 비싼 수업료 등의 관문이 암암리에 지배 계급의 이해관계를 재생산하는 데 기여하고 있으며, 그러한 혜택을 누리기 어려운 계급은 영원히 기회를 잡지 못하게 된다는 지적이에요.

> 교육체계는 제도화된 분류를 조작하고, 사회계층에 대응하는 '수준'으로의 구분과, 이론과 실천, 구상과 실행 같은 사회적 분할을 끝없이 반영하는 전공·학과로의 분할에 의해 사회세계의 위계구조를 변형된 형태로 재생산하는 객체화된 분류체계인데, 이러한 교육체계는 외견상으로는 중립적인 사회적 분류를 학력상의 분류로 변형하고, 순수하게 기술적이라서 부분적이고 일면적으로 경험되는 위계구조가 아니라 본성에 기초한 전체적 위계구조로 경험되는 위계구조를 수립하

게 되어서, 사회적 가치는 '개인적' 가치와 동일시되고 학력상의 위엄은 인간으로서의 위엄과 동일시된다. 학력자격이 보증하는 '교양'은 지배자측의 정의에서 '완벽한 인간'의 기본적 구성요소의 하나이고, 그 결과 '교양 없음'은 그 사람의 정체성과 인간으로서의 위엄을 훼손하는 본질적인 결함으로 인식되는데, 모든 공식적 상황, 즉 자신의 신체와 매너, 언어와 함께 다른 이들 앞에 설 때, 그 사람은 침묵을 강요당하게 된다.

이 같은 교육의 불평등이 계급 격차를 심화시키고 영속시키는 현상은 계급별 문화적 취향을 세부적으로 들여다봄으로써 좀 더 정확히 파악할 수 있어요.

부르디외는 문화적 취향을 다음의 세 가지로 구분하죠. 첫째, 정당한 취향(legitimate taste), 즉 지배 계급이 보유한 전통적인 고급 예술에 대한 선호, 둘째, 중류층 취향(middlebrow taste), 즉 쁘띠 부르주아와 같은 중간 계급이 보유하는 중급 예술에 대한 선호, 셋째, 대중적 취향(popular taste), 즉 노동자 계급이 보유하는 대중예술에 대한 선호로 분류됩니다. 부르디외는 프랑스 전 국민을 상대로 실시한 방대한 조사 연구를 통해 보유 자본과 취향 간의 일정한 상관관계를 입증하고, 문화적 취향의 계급체계가 기존의 계급 체계를 어떻게 정당화하고 재생산하고 있는가를 심층적으로 분석하고 있죠.

부르디외에 따르면 피지배 계급은 자신에게 주어진 문화적 환경이 지배 계급의 의도에 따라 정의 내려지고 배치된 것임을, 즉 자신들이 지배 계급의 규범과 가치 체계에 깊이 종속되어 있음을 대개 정확히 깨닫지 못하죠. 부르디외는 이러한 피지배 계급의 행태를 가리켜 '들러리 (repoussoir)'라는 단어를 사용해서 묘사하고 있어요. 이처럼 피지배 계급은 자신이 현실을 오인(misrecognition)하고 있다는 것을 알지 못하고, 오히려 그 오인을 올바른 인식이라고 착각하고 의식적·무의식적으로 행위함으로써 계급 불평등의 체계화와 재생산에 공모하고 있다고 부르디외는 주장하고 있어요.

> 피지배 계급은 변별적 생활양식의 특징을 보여주는 변별적 속성을 획득하기 위한 상징 투쟁에서, 특히 권유할 만한 속성들과 정통적 전유양식을 정의하기 위한 투쟁에서 오직 수동적 참조사항으로만, 즉 들러리로서만 개입할 수 있을 뿐이다. 여기서 문화가 구성되면서 부정의 대상이 되는 자연은 '상스럽고', '대중적이며', '통속적이고', '상투적인' 것에 다름 아니다. 즉 '신분 상승'을 꾀하는 사람은 누구든 본성의 변화를 대가로 지불해야 한다. 진정 인간적인 인간을 규정하고 있는 모든 것에 접근하려면, 즉 존재론적 승격이나 '문명화' 과정으로 체험되는 '사회적 승진'을 이룩하고 자연으로부터 문화로 도약하는 동시에 동물로부터 인간으로 도약하려면 그에 합당한 대가를 치러야 한다. 하지만 문화의 핵심에 자리잡고 있는 계급 투쟁을 내면화하게 되면 옛날의 아담처럼 자신의 언어, 육신, 취향, 그리고 자신의 뿌리와 가족, 동년배, 심지어는 모국어처럼 어쩔 수 없이 묶여 있었지만 이제는 다른 어떤 타부보다도 절대적인 경계에 의해 자신과 분리되어 있는 이 모든 것을 부끄러워하고, 그것에 대해 공포감에 사로잡히고 심지어는 증오하게 된다.

부르디외는 이처럼 사회 속에 체계화된 계급 간 위계를 벗어나는 것이 얼마나 힘든지를 묘사하고 있죠. 그는 문화자본을 많이 가진 지배계급이 자신들이 향유하는 '고급문화'를 '저급한' 대중문화와 구별 지으면서 계급 분화를 정당화·영속화 시키고 있다고 비판합니다. 그러면서 '취향의 고상함 혹은 천박함'을 규정 짓고 구별 짓는 주체는 기존의 '가진 자'들로, 사실 취향은 사회적으로 형성될 뿐 취향을 판단할 보편적이고 객관적인 기준은 존재하지 않는다고 부르디외는 강력히 주장하고 있어요. 문화자본은 경제자본처럼 상속세 같은 제한도 없이 은밀하게 은폐된 채로 세습되기 때문에 불평등과 편견의 체계화가 사회 시스템 내에 더욱 강고하게 뿌리내린다는 점을 지적하면서 말이죠. 우리가 이러한 상황을 인지하지 못하는 한, '그들만의 리그'는 결코 쉽게 끝나지 않을 것이라고 그는 엄중히 경고하고 있어요.

계급 불평등은 어째서 당연하지 않은가

사실 부르디외가 이 책을 집필한 1979년으로부터 거의 반세기가 지난 지금, 그때와는 시대상과 사회 분위기가 많이 달라진 게 사실이죠. 당시 '고급 문화'로 치부되던 클래식 음악이나 미술 작품, 골프와 승마 등의 '고급 스포츠' 등은 상업 논리에 따라 대중화되어 접근성이 한결 높아졌음을 부인할 수 없어요. 또 미디어의 발달에 따라 SNS 이용이 보편화되고, 이로 인해 내가 남에게 어떻게 보여지는지를 중시하는 '자기 현시'의 욕구가 높아지면서 고급 문화는 대중에 더욱 널리 향유되고 있고, 이 과정에서 고급문화와 대중문화의 경계는 더더욱 모호해지고 있죠. 사람들은 너도나도 '좋아보이는 것, 있어보이는 것'을 소유하길 원하고, 체험하길 원하고, 또 그것을 남에게 보여주기를 원하죠. 사람들은 더이상 사회적으로 학습되고 익숙해진 계급적 취향에만 갇히지 않아도 되고, 그 이상의 것을 자유롭게 시도할 수 있어요. 기회는 열려있고, 진입장벽은 이전에 비해 훨씬 낮아졌으니까요. 문화자본을 갖지 못했더라도 가진 것처럼 '흉내내기' 쉬워졌다는 거죠. 이제 겉으로만 대강 봐서는 그 사람의 출신 배경이나 성장 환경, 보유한 자본의 정도를 쉽사리 예상하기 힘들죠. '구별 짓기'가 더이상 선명하게 이루어지지 않는 사회적 흐름을 발견할 수 있어요.

　하지만 표면적인 '구별 짓기'가 흐릿해졌다고 해서 눈에 보이지 않는 편견과 차별의 문제까지 해결된 건 아니라는 점에 유념할 필요가 있어요. 여전히 계층 간 불평등과 양극화는 강고하게 사회 시스템 내에 뿌리내리고 있죠. 앞서 설명했듯 '가진 자'들의 자본 세습은 보이지 않는 곳에서 은밀하게 이루어지고 있고, 지배층의 세뇌와 피지배층의 오인이 결합되면서 계급 위계가 끊임없이 공고화되고 있기 때문에 말 그대로 '사회를 뒤집어엎지 않고는' 계급 불평등의 문제란 해결되기 어려울 수밖에 없어요.

　중요한 건 사회를 진짜로 뒤집어엎는 게 아니라 현실의 부정의와 부조리를 제대로 인지하는 거죠. 일단 문제를 정확히 알아야 현실적인 해법을 세울 수 있으니까요. 남들이 하듯 문화자본을 체험하고 흉내내는 데 급급할 것이 아니라, '왜 누군가는 문화자본을 세습받고, 왜 누군가는 문화자본을 흉내만 낼 수 있는가?'에 대한 문제의식을 가질 수 있어야 하죠. 즉 자본이 불평등하게 분배되고 이러한 불평등이 영속화되는 현실에 대해 비판적으로 고찰해 볼 수 있어야 한다는 거예요. '현재의 계급 격차가 어째서 정당하지 않은가? 사회의 지배 담론이 어떤 면에서 불합리한가?' 등의 문제에 대한 건전한 문제의식을 가져야만 계급 시스템의 들러리 내지 조력자 신세에서 벗어날 수 있다는 깨달음을 부르디외는 우리에게 전해주고 있어요.

하지만 부르디외의 이론도 다양한 비판에 직면한 것이 사실이죠. 혹자는 부르디외의 이론이 그가 의도한 것과 달리 '구조 결정론'에 빠졌음을 지적하면서, 문화자본에 대한 투쟁은 주로 지배 계급 내에서 일어나는데, 아비투스가 기존의 계급구조를 정당화하고 재생산하기 때문에 사회 내에서 문화가 독립적인 역할을 수행하지 못한다는 점을 비판했어요. 또 혹자는 『구별 짓기』에 피지배층이 처한 상황에 대해서는 기술되어 있지만, '피지배층이 어떻게 할 수 있는가, 나아가 어떻게 해야 하는가'에 대한 실천적인 방향 제시가 없다는 점을 지적하기도 했고요. 또 혹자는 부르디외가 고려에 넣는 자본의 유형이 책의 후반부로 가면서 계속 추가된다는 점을 지적하면서 그가 제시하는 주요 개념들의 의미가 모호하고 불분명하다고 비판하기도 했죠. 이처럼 그의 이론에 대해 다양한 지적이 이어지고 있다는 것은, 그의 저작물이 논문 인용률 부문에서 역대 2위에 달할 만큼 많은 학자들에 의해 계속해서 활발하게 연구되고 있음을 보여줍니다.

그의 이론은 도발적이고 체제 비판적인 만큼 여러 반발과 비판에 직면하기도 했지만, 그가 이 책을 통해 전하고자 한 메시지는 지금까지도 여전히 서슬 퍼렇게 살아있죠. 당연해 보이는 것도 삐딱하게 바라볼 수 있어야 한다는 것, 그래야만 지배 담론의 배후에 숨어 있는 부조리와 부정의를 간파해 낼 수 있다는 통렬한 가르침은 이 책이 출간된 지 얼마 되지도 않아 고전의 반열에 오른 이유가 되었죠. 또한 그는 기존의 사회학자들이 객관적으로 사회를 분석한다는 명분으로 지배 계급의 가치를 정당화하고 있다는 점을 신랄하게 비판하면서, 진정한 사회학은 대중이 올바름을 인식하고 스스로 판단할 수 있는 능력을 가질 수 있도록 돕는 학문이어야 한다고 주장한 학자적 양심의 보유자이기도 했어요.

　자, 어떠신가요? 부르디외의 책을 읽고서 스스로의 취향에 대해 생각해 보니, 좀 다르게 느껴지지 않으시나요? 순전히 선천적인 기호라고 여겼던 취향이 사회적으로 습득된 아비투스였다는 점을 새롭게 발견할 수도 있고, 혹은 내가 자발적으로 습득하려 애쓴 다른 계급의 아비투스라는 점을 깨닫게 될 수도 있을 거예요. 지극히 사적인 것으로 여겼던 취향이라는 영역이 사회 구조의 지대한 영향 하에 놓여 있다는 점을 인식하는 것만으로도 세상을 바라보는 지평은 달라질 수 있죠. '무엇이 좋은가'에서 출발해 '무엇이 옳은가'에 대해서까지 논할 수 있는 예리한 시각과 풍부한 비판력을 갖추게 된 스스로를 발견해낼 수 있을 거예요. 여러분도 『구별 짓기』를 읽으면서 당연하게 보이는 것이 왜 당연하지 않은지 발견해 내는 기쁨을 경험해 보시기를 권합니다.

15. 베네딕트 앤더슨,『상상의 공동체』(1983)

여러분은 민족에 대한 자부심을 느껴본 적이 있으신가요?

우리는 아주 어렸을 때부터 사회와 학교와 가정에서 민족주의를 학습 받죠. 그렇기 때문에 민족주의적 사고와 정서는 우리 내부에 의외로 깊숙이 스며들어 있어요. 단지 국민의례처럼 대놓고 민족적 정서를 고취시키는 행위를 취할 때만이 아니라, 일상 속에서 나도 모르는 사이에 '민족적으로' 생각하고 느끼고 행동하게 된다는 거죠. 이를테면 올림픽이나 월드컵 경기에서 대한민국 선수들이 선전할 때, 우리나라 선수들이 MLB(Major League Baseball)나 LPGA(Ladies Professional Golf Association)와 같은 국제 무대에서 승승장구할 때, 우리나라 학자들이 필즈상(Fields Medal) 등 권위 있는 상을 수상할 때, 우리나라 예술가들이 국제 콩쿠르에서 극찬과 호평을 받으며 우승할 때와 같은 순간에 우리는 그들과 같은 한민족으로서 가슴이 뜨거워지며 자랑스러움을 느끼죠. 또는 해외 도심 한복판에서 커다란 전광판에 새겨진 우리나라 기업 로고나 K-pop 아티스트들의 사진을 볼 때 벅찬 감격을 느끼고 또 어깨가 으쓱해지기도 하고요. 단지 그들이 탁월한 재능이나 실적을 보유한 존재라는 인식을 넘어, '그들과 내가 같은 민족'이라는 동족의식과 유대감에 기반해서 자부심을 느끼게 되는 건, 그만큼 '민족'이라는 실체가 강고하게 우리의 인식 체계 속에 자리잡고 있다는 방증이죠.

민족주의란 무엇인가

이처럼 우리에게 자연스럽게 스며들어 있는 민족주의, 즉 '내셔널리즘(nationalism)'의 정확한 의미는 과연 무엇일까요?

'내셔널리즘'이란, 집단적 소속감·연대감에 기반한 공동체인 'nation', 즉 '국가' 혹은 '민족'을 중시하는 사상과 행동의 총체를 의미합니다. '내셔널리즘'은 흔히 '민족주의'로 번역되죠. 그런데 엄밀히 따져 보면 하나의 국가가 다민족으로 구성되었을 경우 '국가=민족' 등식이 성립하지 않기 때문에 '내셔널리즘=민족주의'라는 등식을 섣불리 사용하는 데에도 무리가 따를 수 있어요. 이와 관련해 학계에서 통용되고 있는 이른바 '콘 분류법(Kohn Dichotomy)'을 참고해 볼 수 있어요. 미국의 철학자 한스 콘(Hans Kohn, 1891~1971)이 제시한 내셔널리즘의 분류 방식으로, 첫째, 법적·사회적 의미의 '시민 민족주의(civic nationalism)', 즉 사회구성원들이 '같은 민족'이라는 주관적 동질감과 일체성을 공유하기만 한다면 하나의 민족이라고 볼 수 있다는 전제를 기반으로 하는 민족주의, 둘째, 혈연적 의미의 '종족 민족주의(ethnic nationalism)', 즉 혈통적 단일성을 강조하는 민족주의로 분류하는 방식이죠. '내셔널리즘'은 이 둘을 포괄하는 상위의 체계로, 이러한 다차원적 의미를 모두 염두에 둔다는 전제 하에 '민족주의'로 지칭할 수 있어요.

어째서 우리는 이토록 자연스럽게 민족이라는 테두리 안에서 사고하게 되는 걸까요?

과연 민족이란 것은 얼마나 필연적이고, 절대적이며, 뿌리 깊은 실체인 걸까요?

이와 관련해 민족이란 실체가 결코 필연적이거나 절대적이지 않으며, 단지 '필요에 의해 발명된' 구성체라고 주장하는 학자가 있습니다. 바로 『상상의 공동체(Imagined Communities: Reflections on the Origin and Spread of Nationalism)』(1983)의 저자 베네딕트 앤더슨(Benedict Richard O'Gorman Anderson, 1936~2015)입니다.

민족이란 상상에 의해 발명된 정치적 공동체

앤더슨에 따르면 민족이란 '상상에 의해 발명된 정치적 공동체'입니다. 이 같은 도발적인 선언은 크게 다음의 두 가지 의미를 내포합니다.

첫째, '상상에 의해 만들어졌다'는 것은 그 실체를 물리적으로 확인하기 어렵다는 의미를 갖죠. 앤더슨은 다음과 같이 말합니다. "가장 작은 민족의 일원조차도 같은 겨레를 이루는 이들 절대다수를 알거나 만

베네딕트 앤더슨(Benedict Richard
O'Gorman Anderson, 1936~2015)

나보지 못한다. 그들에 대한 얘기를 들어볼 일조차 거의 없으리라. 그
럼에도 각자의 가슴속에는 그들의 교감에 대한 심상이 살아 숨쉬고 있
다." 정말 그렇죠. '같은 민족'이라고 주장하는 사람들을 우리가 죽을
때까지 매일 백 명씩 만난다고 해도 전부 다 만나는 것이 불가능할 테니
까요. 민족이라는 것은 물리적 실체라기보다는 '상상에 의해 고안된 추
상적 관념'에 가깝기 때문이죠. 일례로 '같은 학교에 다니는 친구'나 '같
은 직장에서 일하는 동료'처럼 확실한 물리적 공간에 기반한 집단 구성
원의 경우에는 마음만 먹으면 그들이 누군지 전부 확인해 볼 수 있죠.
하지만 민족은 달라요. 인간이 정서적으로 수용할 수 있는 집단의 규
모가 150명이라는 연구 결과가 말해주듯이, 인간의 뇌가 감당할 수 있

는 생물학적인 한계치가 있음에도 불구하고 이토록 거대한 규모의 민족 집단이 응집력을 발휘하고 있는 건, 극히 이례적인 사례라고 볼 수 있어요.

둘째, 민족이 '정치적 공동체'로 발명되었다는 것은 '필요'에 의해 만들어졌다는 의미를 갖죠. 민족 정서를 고취시키는 선전이나 광고 문구를 보면, 민족을 마치 혈연 집단처럼 '피로 엮인' 강고한 실체로 부각시키고 있는 것을 발견할 수 있는데, 이러한 점들을 굳이 강조해야 한다는 것 자체가 역설적으로 민족이 태생적이고 본유적인 개념은 아니라는 반증이라고 볼 수 있어요. 쉬운 예로, 우리가 외국인들로만 가득한 타국의 여행지에서 한국인처럼 보이는 사람을 발견했다고 가정해 보죠. 엄청 반갑겠죠? 그런데 알고 보니 그 사람이 한국말을 전혀 할 줄 모르고 심지어 한국에 와 본 적도 없는 교포 2세였다면, 그걸 아는 순간 뜨거운 동포애는 차게 식고 그 사람은 그냥 거리 위의 흔한 외국인이 되어 버리죠. 이게 바로 민족이 본유적이며 태생적인 집단이 아니라, 후천적인 발명의 산물이라는 방증이에요. 민족이라는 개념이 규정하는 조건의 충족 여부에 대한 확인을 거쳐야만 서로를 집단 구성원으로 승인하고 소속감을 공유하게 된다는 것은, 민족 개념이 정치적인 의도를 띠고 정교하게 구성된 발명품이라는 점을 시사해요.

앤더슨은 '상상에 의해 발명된 정치적 공동체'로서의 민족에 대해 책의 서두에서 다음과 같이 규정하고 있어요.

민족은 상상되었다(imagined). 가장 작은 민족의 일원들조차도 같은 겨레를 이루는 이들 절대 다수를 알거나 만나보지 못한다. 그들에 대한 얘기를 들어볼 일조차도 거의 없으리라. 그럼에도 각자의 가슴 속에는 그들의 교감(communion)에 대한 심상이 살아숨쉬고 있다. 르낭은 그 나름의 우아하게 빗대는 방식으로 이러한 상상에 대해 언급했다. "그리하여 민족의 본질은 개개인 모두가 공동으로 많은 것을 가지면서, 많은 것을 잊었다는 데 있다." 겔너는 다소 격양된 어조로 "민족주의는 민족의 자각을 일깨우는 것이 아니라, 민족이 없는 곳에서 민족을 발명해 낸다."라고 유사하게 지적한다. 그러나 이 공식에는 결점이 있다. 겔너는 민족주의가 허구를 뒤집어쓰고 있다는 것을 보여주려고 안달이 난 나머지, '발명'을 '상상'/'창조'가 아니라 '허위'/'날조'로 받아들인다. 이렇게 하여 그는 민족에 알맞게 병치할 수 있는 '진정한' 공동체가 존재한다고 암시하게 되었다. 사실 대면 접촉으로 이루어진 원초적인 촌락보다 큰 공동체는 전부 상상된 것이다. 그러므로 공동체는 '가짜냐, 진짜냐'가 아니라, '어떠한 스타일로 상상되었는가'를 기준으로 구별해야 한다.

상상의 스타일이 중요하다

이처럼 앤더슨은 '상상의 공동체'라는 정의가 '허위' 혹은 '날조'라는 부정적인 가치 판단을 내포하지 않는다는 점을 분명히 하죠. '상상에 의해 만들어졌다'라고 하면 뉘앙스적으로 '허상' 내지 '환상'으로 연결되기 쉬운데, 그게 아니라 정말 말 그대로 '머릿속에서 고안된 추상적인 개념'이라서 '상상되었다'는 거예요. 그에 따르면 촌락 규모를 넘어서는 공동체는 모두 '상상된' 공동체이기 때문에, 그것이 '어떠한 스타일로 상상되었는가'를 기준으로 구별해야 한다고 강조해요. '상상의 스타일'이라고 하면 좀 모호한 측면이 있는데, 쉽게 말하면 이거죠. 예를 들자면 어떤 나라의 언어 체계에서 '사회'라는 개념이 만들어지기 이전에 그 나라 농촌의 주민들이 공동체의 그물망을 상상하는 '스타일'은 달랐을 거예요. 지금 '사회'라는 단어로써 상상할 수 있는 거대하고 관념적인 공동체가 아닌, 가까이에 있는 친족과 후견 관계가 뻗어나가고 뒤엉켜서 한 번도 본 적이 없는 사람들과 엮이게 되는 전혀 다른 모양새의 공동체가 상상되었겠죠? 지금의 추상적인 상상의 방식과 사뭇 다른, 개별주의적인 상상의 방식을 예측해 볼 수 있죠. 이게 바로 '상상의 스타일'이에요.

구체적으로 앤더슨은 민족이란 '제한적이며(limited), 주권을 가진(sovereign) 공동체'로 상상된다고 부연하고 있어요. 우선 민족이 '제한적'이라는 것은 민족 구성원이 되기 위해 충족해야 하는 일정한 조건이 존재한다는 의미죠. 다음으로 민족이 '주권을 가졌다'는 것은, 민족이라는 개념이 계몽 운동과 프랑스 대혁명이 왕정을 파괴해 나가던 시대에 태동한 만큼, 자유를 표상하는 '주권 국가'로서의 정체성이 민족의 본질을 구성한다는 의미예요. 마지막으로 민족이 '공동체'로 상상되었다는 것은 각각의 민족 내에서 실제로 횡행하고 있을 법한 착취와 불평등과는 상관 없이, 민족이 언제나 깊은 수평적 동지애의 모습으로 그려진다는 의미예요. 지난 두 세기 동안 수백만의 사람들이 그토록 제한적인 상상물을 위해 목숨을 빼앗기보다 기꺼이 목숨을 던진 것은 궁극적으로 이러한 동지애(fraternity)가 있기에 가능한 일이었다고 앤더슨은 설명하고 있어요.

앤더슨에 따르면 민족과 민족주의 개념은 18세기 말 태동해 20세기에 화려하게 꽃을 피웠죠. 그의 관점이 특히 유니크한 건, 민족주의가 프랑스 대혁명의 진원지인 유럽 대륙에서 태동했다는 흔한 통념에 도전하고 있기 때문이에요. 앞서 그가 '상상의 스타일'을 강조하는 대목에서 눈치채셨을 수도 있지만, 앤더슨은 혈통, 언어, 문화를 기준으로 하는 소위 '유럽식 민족주의'와는 전혀 다른 '스타일'을 가진 민족주의가 그에 앞서 발명되었다는 획기적인 주장을 내세우죠. 바로 유럽의 식민지였던 아메리카 대륙이 민족주의의 발현지라고 그는 주장하면서, 신대륙으로 이주한 스페인 사람과 그 혼혈을 일컫는 '크리올(Creole)'의 행태에 주목하고 있어요. 크리올이란 식민지로 이주한 본토 출신 백인의 자손으로, 본국으로부터의 차별 대우에 저항하는 과정에서 원주민과 협력해 민족 개념을 고안해 낸 주체로 설명되죠. 이처럼 크리올이 실질적인 '필요'에 의해 원주민 세력을 규합하고 상징 조작을 통해 고유의 '민족됨(nation-ness)'을 창안해 낸 18세기 후반이 민족주의가 태동한 시발점으로 강조되고 있어요.

그는 크리올로 하여금 민족 개념을 발명해내도록 추동한 요인을 다음과 같이 설명하고 있습니다.

> 왜 다름 아닌 크리올 공동체들이 그들의 민족됨에 대한 관념을 그토록 일찍, 유럽 대부분에 훨씬 앞서서 발전시킨 것일까? 보통 다수의 억압받는 스페인어 비(非)구사자 인구들을 품고 있는 그런 식민지 지방들이 이런 이들을 민족적 동포로 - 그리고 본인들이 그토록 여러 방

크리올끼리 결혼해서 한쪽 증조부모 쪽 흑인 외모 유전자가 발현된 케이스를 묘사한 그림. 멕시코의 화가 미겔 카브레라(Miguel Cabrera, 1695~1768)의 작품 「스페인 남성과 혼혈 백인 여성 사이에서 태어난 흑인 여자아이(De Español y Albina–Torna Atrás)」

면으로 이어져 있는 스페인을 적국으로–의식적으로 재정의하는 크리올을 배출해 낸 이유는 무엇이었을까?

설명에 가장 흔히 제시되는 요인은 18세기 후반의 50년 간 마드리드(Madrid)로부터의 통제가 조여 온 것, 그리고 계몽 운동의 자유주의 사고가 퍼진 것이다. 능력 있는 '계몽 전제 군주' 카를로스 3세가 추구한 정책들이 크리올 상류 계급들을 점점 좌절과 분노, 불안에 빠뜨렸다는 것은 의심할 여지가 없는 진실이다.

대서양을 가로지르는 커뮤니케이션 수단이 향상된 점, 그리고 아메리카 대륙이 그들 각각의 식민 본국과 언어 및 문화를 공유했다는 사실로 인해 서유럽에서 생산되는 새로운 경제적·정치적 교의들의 전송이 빠르고 쉬운 편이었다는 데에도 이견은 없을 것이다. 1770년대 말 13개 주(州)의 반란이 성공하고, 1780년대 말에는 프랑스 혁명이 발발한 것 역시 강력한 영향력을 끼칠 수밖에 없었다.

즉 크리올은 혈통상 유럽인이지만 식민지에서 태어났다는 이유로 식민 모국으로부터 '이등 국민' 대우를 받으며 여러 차별과 제약을 감수해야 했고, 이에 대한 문제의식을 키우다 결국 혁명을 일으켰다는 거죠. 크리올은 자신들이 보유한 정치적·문화적·군사적 수단을 십분 활용해 원주민과 토착민 세력을 성공적으로 규합하여 '민족'을 형성했다고 앤더슨은 분석하고 있어요.

앤더슨에 따르면 이러한 민족의 형성에 결정적으로 기여한 것은 바로 인쇄자본주의죠. 이 시기에 라틴 아메리카에서는 인쇄자본주의가 아직 미성숙한 단계이긴 했지만, 그나마 각 지역 내에서 활발히 유통되고 있던 신문이 '상상의 공동체'를 유지하고 강화시키는 역할을 했다고 그는 보고 있어요. 북미의 경우엔 좀 더 상황이 좋았죠. 식민지 13개 주가 동부 해안을 따라 가까이 붙어 있었고, 신문과 같은 인쇄활자의 유통이 더욱 활발했기에 '상상의 공동체'가 분열되지 않고 응집력을 유지할 수 있었다고 그는 분석하고 있어요.

1760년대부터 라틴 아메리카의 스페인에 대한 독립전쟁이 일어나기 시작한 이래, 1776년 미국 독립선언에 뒤이은 전쟁에서의 승리를 거쳐 1830년에 이르러 아메리카 대륙에서 대부분의 국가 수립이 완성되었죠. 식민 지배에 놓여 있던 아메리카 대륙에서의 독립운동, 그리고 새로운 국가 수립의 모델은 민족주의의 청사진으로 자리잡게 되었어요.

민족주의의 전파와 표절

　　앤더슨의 주장에서 가장 흥미로운 것은 바로 이러한 아메리카 민족주의의 모델이 대서양 건너 유럽 대륙으로 '전파'되는 것을 넘어 유럽 국가들로부터 '표절'되었다는 대목이죠. 크리올이 주도한 아메리카 민족주의는 유럽으로 넘어가 인쇄술과 문자를 활용한 '민족 활자어(national print language)'에 근거한 대중 내셔널리즘을 형성하는 데 기여하는 것을 시작으로 전 세계로 뻗어나가기 시작했다고 그는 주장하고 있어요.

> 아메리카에서 성공적인 민족 해방 운동의 시대가 막을 내린 시점과 유럽에서 민족주의의 시대가 열린 시점은 꽤 가까이 일치한다. 1820년부터 1920년 사이에 구세계의 얼굴을 바꾼 새로운 민족주의의 특성을 고찰해 보면, 두 가지 놀라운 특징이 그들을 그 조상들과 구별짓는다. 첫째, 그 대부분의 경우 '민족 활자어'가 이데올로기적·정치적

으로 핵심적인 중요성을 띠고 있었는데, 혁명 아메리카에서는 스페인어와 영어가 결코 문제가 아니었다는 점이다. 둘째, 이들 모두는 멀리 떨어진 선구자들, 그리고 프랑스 혁명의 격동 이후에는 그다지 멀리 떨어지지 않은 선구자들이 제공하는 가시적인 모델로부터 출발하여 작업할 수 있었다는 점이다. '민족'이란, 그리하여 서서히 선명해지는 시각의 틀이라기보다는 초기 단계에서부터 의식적으로 열망될 수 있는 어떤 것이 되었다. 실로 앞으로 보게 될 것처럼 '민족'은 특허를 출원하기가 불가능한 발명품인 것으로 드러났다. 서로 굉장히 다른, 그리고 가끔은 예상치 못한 손들에 의해 해적판으로 만들어질 수 있게 된 것이 민족이었다.

이처럼 활자와 언어를 기반으로 한 대중 내셔널리즘이 유럽 대륙에서 왕성히 자라나고 있던 이면에는 그에 대한 반작용으로 또 다른 형태의 민족주의가 싹트고 있었다는 점을 앤더슨은 지적하고 있어요. 이것이 바로 유럽에서 종교와 왕권을 바탕으로 권력을 쥐고 있었던 과거의 지배층에 의해 주도된 '관제 민족주의(official nationalism)'죠. 그는 제정 러시아, 헝가리, 영국, 일본, 태국 등의 왕조 국가들을 사례로 언급하면서, 그들이 이제 더이상 먹히지 않는 '신성성'이 아니라 '민족'으로부터 권력의 정당성을 획득하기 위해 아메리카 민족주의를 '표절'했다고 주장하고 있어요. 그들이 시대의 변화를 인정하고 대중에게로 '귀화'하여 그들의 지지를 업고 새로운 권력 기반을 공고히 하기 위한 목적으로 대중 내셔널리즘을 보수적인 정책으로 각색해서 내세웠다는 거죠. 이처럼 민족주의의 '전파'와 '표절' 과정에서도 특정한 의도와 목적을 관철시키기 위한 수단으로서의 기능은 여전히 살아 있음을 확인할 수 있어요.

이러한 관제 민족주의는 산업 자본주의의 거센 물결을 타고 국가에 대한 맹목적인 희생을 부추기는 이데올로기로 악용되거나, 자국민 우월주의로 변질되기도 했죠. 한편 이러한 흐름이 국경을 넘어 제국주의의 이름으로 확산되기도 했고요. 이에 대한 대응으로 아시아와 아프리카의 식민지 영토에서는 또다시 그들만의 필요에 의해 '제3세계 민족주의'를 발흥시키는 흐름으로 이어졌죠. 제국주의에 국가를 침탈당한 식민지 대중은 그들만의 민족주의를 창안해 냄으로써 동포애를 규합하고 독립의 가능성을 모색했어요. 이 단계에 이르러서는 앞선 아메리카 민족주의, 유럽의 대중 민족주의, 관제 민족주의 등 다양한 형태의 민족주의가 목적에 맞게 각색·개량되어 복합적으로 적용되는 특징을 보이게 되었고요. 이처럼 민족주의는 처음부터 끝까지 철저히 필요에 의해 발명되고, 전파되고, 표절되는 양상을 띠고 있다는 점을 앤더슨은 강조하고 있어요.

민족주의는 죄가 없다

이처럼 앤더슨은 민족주의가 18세기 말 발명되어 19~20세기에 걸쳐 세력을 뻗치며 전 세계로 확산되고, 각색되고, 변모하는 과정을 분석하고 있어요. 근대국가의 성립에서 세계대전으로 이어지는 역사의 흐름, 그 중심에는 언제나 민족주의가 있었습니다. 발칸반도에서 극단적으로 치달은 배타적 민족주의의 대결은 세계대전의 직접적 불씨가 되었죠. 이에 대해 진보적인 세계시민주의(cosmopolitan)적 지식인들은 민족주의의 역기능을 지적하며 민족주의가 타자에 대한 혐오와 증오를 부추긴다고 비판했죠. 때로는 민족주의가 과격한 인종주의로서의 민낯을 드러낸다고 비난하기도 했고요.

앤더슨은 이러한 비판과 비난에 맞서 민족주의를 옹호했어요. 민족이 필연성을 결여한 '필요와 상상의 산물'이긴 하지만, 민족주의를 오염시키는 병폐를 잘 막아낼 수만 있다면 민족주의는 무죄라는 주장이죠. 그는 민족주의가 인종주의가 무관하다고 선을 그으며, '민족주의가 역사적 운명의 언어로 사고하는 반면, 인종주의는 역사의 바깥에서 혐오스러운 교미의 끝없는 연속을 통해 시간의 근원으로부터 전달되는 영원한 오염이라는 꿈을 꾼다'라며 둘 간의 차이를 명확하게 제시해요. 나아가 그는 민족주의가 '공포', '혐오' 등의 단어보다는 '사랑', '희생' 등의 단어와 더 가깝다고 주장하며, 식민지 민족주의의 산물인 예술 작품의 행간을 읽어내며 근거로 제시하고 있어요. 그는 제국주의 지배자들에게 증오를 느낄 이유가 얼마든지 있는 식민화된 민족들에게조차 증오라는 요소가 민족적 감정에 대한 그들의 표현에서 얼마나 하찮은지, 그 대신 심원한 자기희생적인 사랑이 얼마나 지배적인지를 발견하면서 민족주의를 변호하고 있죠.

그는 20세기 대전쟁들에서 발견할 수 있는 특이한 양상 또한 민족주의에 기인한다고 보고 있어요. '죽음을 당한 이들의 수'가 '죽임을 행한 이들의 수'를 엄청나게 상회하는 유례 없는 현상이 바로 민족주의적 정서에서 비롯되었다고 해석하고 있죠.

접합된 권력 구조로서의 가족이라는 관념에 대한 많은 저술이 지난 20년 간 나온 것은 사실이지만, 인류의 압도적인 대다수에게 그러한 개념은 분명히 낯설다. 오히려 전통적으로 가족은 사심 없는 사랑과 결속의 영역으로 사고되어 왔다. 그리고 마찬가지로, 역사가들과 외교관들, 정치가들과 사회과학자들이 '국익'이라는 생각을 꽤나 편하게 받아들인다고 해도, 어느 계급 출신이든 보통 사람들 대부분에게 민족의 골자는 그것이 이익과 무관하다는 점이다. 바로 그 이유로 민족은 희생을 요구할 수 있다.

앞서 이야기했듯이 20세기의 대전쟁들이 범상치 않은 이유는 사람들로 하여금 죽임을 행하도록 허용한 전례 없는 규모보다는 오히려 자신의 목숨을 내놓도록 설득된 이들의 어마어마한 수에 있다. 죽음을 당한 이들의 수가 죽임을 행한 이들의 수를 엄청나게 상회한다는 점은 분명하지 않은가? 궁극적 희생이라는 관념은 숙명을 통해, 오로지 순수성이라는 관념과 더불어 온다.

누군가가 나라, 보통은 자신이 선택한 것이 아닌 나라를 위해 죽는 것에는 노동당이나 미국의사협회를 위해 죽는 것, 혹은 국제앰네스티를 위해 죽는 것조차도 비길 수 없는 도덕적 장엄함이 있다. 이런 단체들은 전부 의지에 따라 쉽게 가입했다가 떠날 수 있는 것들이기 때문이다. 혁명을 위한 죽음 또한, 그 장엄함은 그것이 얼마나 근본적으로 순수한 무엇으로부터 느껴지는가로부터 나온다.

자, 이제 어느 정도 오해가 풀린 느낌이죠? 이 책의 제목『상상의 공동체』에서 느껴지는 뉘앙스, 즉 민족주의가 허위나 날조된 것을 의미하는 것 아니냐는 의혹은 이처럼 책의 결말부에서 완전히 해소되죠. 앤더슨은 민족주의의 시작이 비록 '필요'에 의한 의도적인 '상상'과 '발명'이었지만, 그와 같이 상상되었기에 오히려 더 순수할 수 있음을 강조해요. 같은 역사를 공부하고, 같은 언어를 쓰고, 같은 문화를 공유하는 같은 민족 구성원들, 대부분 한 번도 얼굴을 본 적이 없는 그 많은 사람들과 동질감을 느끼면서 '상상의 공동체'를 지켜내고자 하는 의지가 많은 것을 가능케 할 수 있다는 거죠. 민족주의가 혐오와 증오, 인종주의와 같은 불순한 요소에 오염되지 않는 한, 그리고 유대에 과몰입하여 왜곡된 상징 조작을 통해 배타적인 모습으로 변질되지 않는 한, 굳이 민족주의를 거부할 이유가 없지 않느냐고 이 책은 반문하고 있어요.

오늘날 '지구촌'을 표방하는 세계시민주의와 다문화주의가 퍼져나가는 이면에는 이전보다 더욱 강고해진 각국의 민족주의가 국경을 더욱 견고하게 쌓아올리는 양상이 동시에 진행되고 있죠. 강대국은 더이상 국제사회를 위해 희생하겠다는 의지가 없고 더욱 강력하게 국익에 집착하면서 '자국민 중심주의'에 가까운 형태의 민족주의를 장착하고 있고요. 21세기 들어 민족주의가 전파되고, 각색되고, 변질되는 과정이 이전과는 또 다른 양태로 빠르게 진행되면서 민족주의가 시험대에 올라 있는 것이 사실이에요. 이기적인 의도와 목적이 다분한 배타적 민족주의 간의 충돌을 목도하고 있는 우리에게, 민족주의의 순수성을 내세우는 앤더슨의 이론이 조금은 나이브하게 느껴지는 것도 어쩔 수 없는 현실이고요.

다만 20세기에서 그 분석이 멈춘 앤더슨의 이론은 향후 민족주의가 나아갈 방향에 대해 시사점을 부여해 준다는 측면에서 의미가 있죠. '민족주의란 이러해야 한다'라는 당위적인 지향점이 있어야만 그 본질로부터 엇나가거나 왜곡된 방향으로 폭주하지 않을 수 있으니까요. 민족주의가 '혐오', '증오', '인종주의'의 낌새를 풍기는 순간, 즉 '사랑'과 '희생'과 같은 숭고한 단어와 이질감이 커지는 순간, 민족주의는 자정 작용을 통해 스스로의 모습을 바로잡아야 한다는 준엄한 경고가 앤더슨의 이론에 깃들어 있다고 볼 수 있어요.

세계 각지에서의 갈등과 물리적 충돌로 제3차 세계대전에 대한 우려가 이따금 고개를 들 때마다 그 원흉으로 지목되는 건 결국 민족주의죠. 그가 '민족주의는 인종주의와 다르다'라고 단호하게 선을 그은 것에는, 민족주의가 더이상 억울한 누명을 쓰지 않기를 바라는 소망이 깃들어 있다고도 해석할 수 있어요. 이것이 바로 그가 『상상의 공동체』를 통해 후대의 인류에게 진짜로 전하고 싶었던 메시지가 아닐까 합니다.

여러분이 생각하는 민족, 혹은 민족주의란 무엇인가요? 우리의 일상적인 사고와 행동에 깃들어 있는 민족주의적 정서와 태도에 대해 조금은 새삼스럽게 생각해 볼 수 있는 계기가 되었나요? 우리가 국적을 지니고 태어난 이상 결코 우리 자신과 떼어놓고 생각할 수 없는 민족, 그리고 민족주의라는 관념에 대해 전혀 새로운 견지에서 사고해 볼 수 있는 기회를 이 책은 우리에게 제공해 줍니다. 민족이 '상상의 공동체' 라는 앤더슨의 코페르니쿠스적인 주장과 근거를 찬찬히 검토하면서 여러분의 생각을 정립하는 소중한 시간 가져보시기를 권합니다.

16. 울리히 벡, 『위험사회』(1986)

　교통·통신의 발달과 과학기술의 발전에 힘입어 세계의 연결망이 갈수록 촘촘해지고 있죠. 지구화된 세계에서 우리의 삶이 다채롭고 편리해지는 만큼, 그 이면에는 세계 도처에 존재하는 위험 요소들을 모두가 함께 감당해내야 한다는 맹점 또한 도사리고 있어요. 자연 재해, 환경 오염, 산업 재해, 사이버 위험, 범죄, 전염병 등의 위험 요소들이 국경을 가볍게 비웃으며 전 세계로 급속히 확산되는 양상을 보이고 있죠. 독일의 사회학자 울리히 벡(Ulrich Beck, 1944~2015)이 『위험사회(Risk Society: Towards a New Modernity)』(1986)에서 지적한 대로, 우리를 위협하는 위험 강도가 갈수록 커져가고 있음을 우리 모두가 실감하고 있습니다.

　벡이 제시하는 '위험사회(risk society)'란 개념은 정확히 어떤 의미

울리히 벡(Ulrich Beck, 1944~2015)

를 지니고 있을까요? 개념 파악을 위해 선결되어야 할 것은 여기서의 '위험'이 어떤 위험을 뜻하는가를 규명하는 것입니다. 이 책『위험사회』에서는 '위험'을 의미하는 다양한 단어들, 이를테면 'danger', 'hazard', 'peril', 'risk' 등의 어휘들 중 굳이 'risk'를 선택해서 논의를 전개하고 있어요. 저자는 이 책을 관통하는 핵심 단어인 'risk'를 통해서 무엇을 말하고자 하는 걸까요?

위험사회란 무엇인가

'risk'라는 단어는 고대 그리스인의 항해 용어인 '리자(ριζα)'에서 온 것으로, 본래 '암초'나 '절벽'과 같이 바다에서 피하기 힘든 장애물을 뜻하는 말이었어요. 예로부터 뱃사람들이 항해 중에 높은 파도보다도 더 무서워 했던 것은 눈에 잘 보이지 않는 암초였다고 하죠. 이 '리자'라는 용어가 로마인에 의해 '리시쿰(risicum)'으로 변형되고, 그 이후 유럽 각국에 'riesgo(스페인)', 'rysigo(독일)', 'risco(이탈리아)', 'risque(프랑스)', 'risk(영국)' 등의 다양한 형태로 전파되었어요. 이러한 어원에서 알 수 있듯이 'risk'는 '무엇인가를 얻기 위해서 감수해야만 하는 난관'이라는 함의를 갖고 있어요. 이것은 인간의 능동적인 선택에 부수되는 결과라는 차원에서, 우연적으로 발생하는 자연 재해와는 차별화되죠. 이 책의 저자인 울리히 벡은 'risk'를 '현대적 위험'으로 재정의하고, 이것을 '과거의 위험(danger)'과 구분해야 한다고 강조하면서 논의를 시작하고 있어요.

벡은 구체적으로 '현대적 위험'을 '생산된 위험(manufactured risk)'으로 규정하고 있죠. 즉 현대 사회의 위험이란 '인간에 의해 만들어진 위험'이라는 의미예요. 미세먼지, 환경 호르몬, 스모그, 지구온난화, 삼림파괴와 같은 환경적 위험에서부터 테러, 해킹, 개인정보 유출, 금융위기, 원전 사고 등의 경제사회적 위험에 이르기까지 현대 사회를 위협하는 위험 인자들은 다양한 형태를 띠죠. 이러한 '생산된 위험'은 홍수나 산사태, 지진 등의 자연 재해과 달리 눈으로 확인하기 어렵고, 파괴력과 파급력 또한 무제한적이라는 점에서 차별화됩니다.

이 책에서 핵심적으로 주장하는 바는 현대 사회가 위험을 체계적으로 생산하는 '위험사회'이며, 이러한 '위험사회'의 특징은 기술문명이 발전할수록 위험 수위가 높아진다는 거예요. 실제로 우리는 과학의 발달과 산업화의 진전에 따라 물질적 풍요를 누리고 있지만, 그만큼 곳곳에서 우리를 위협하는 위험 요인이 많아지면서 우리의 삶은 더욱 불안하고 위태로워지고 있죠. 벡은 현대 사회가 어떠한 과정을 거쳐 '위험사회'의 단계에 돌입했는가를 분석하고, '위험사회'의 한계와 문제점을 바로잡기 위한 적실성 있는 해법을 모색하고 있어요.

위험사회의 기원과 변천

벡이 위험사회의 기원으로 지목하는 것은 18세기 산업혁명이에요. 산업혁명은 인류의 생산력을 폭발적으로 증대시키는 한편 막대한 부의 축적을 가능케 했죠. 산업화 과정에서 발생하는 각종 산업재해와 환경오염은 더 많은 부를 위해 감수해야 하는 현상으로 여겨졌고요. 이 시기 수많은 재난들이 경제 논리 배후로 감추어지기 일쑤였고, '성장을 통해 모든 것이 해결 가능하다'라는 안일한 낙관주의가 지배했죠. 벡은 이 시기를 '단순 근대'라 명명하고 있어요. 이러한 단순 근대의 산업사회에서는 경제 발전, 부의 증대, 과학기술의 발전 등 진보에 대한 믿음이 지배적인 사회 동력이 되었죠. 단순 근대에서 성장이 위험에 대한 두려움을 압도할 수 있었던 까닭은, 이 시기의 위험이 아직까지는 콘트롤 가능한 것이었기 때문이죠. 위험이 초래하는 부정적인 영향의 파급력이 국

산업혁명(Industrial Revolution)은 18세기 중반 영국을 중심으로 시작되어 19세기 초반 무렵까지 유럽과 북미로 확산된 기술 혁신과 새로운 제조 공정(manufacturing process)으로의 전환, 그리고 이로 인해 촉발된 사회·경제적 변화를 의미한다.

지적 범위를 넘지 않았기 때문에, 위험이 더 큰 부를 위해 얼마든지 감당할 수 있는 것으로 여겨졌던 거예요. 심지어 일정 수준의 위험은 성장과 발전을 위한 통과의례로 받아들여지기도 했죠.

그러나 단순 근대를 넘어 산업 수준이 고도화되면서 인류는 새로운 국면을 맞이하게 됩니다. 단순 근대에서 위험이 '더 큰 부를 위해 감수해야 하는 난관'으로 여겨졌던 것과 달리, 이제는 위험이 발전 과정에서 체계적으로 생산되는 '일상적인 현상'이 된 거죠. 이러한 상황에서 위험에 대한 감수성은 훨씬 높아지기 시작했어요. 사람들은 배고픔의 문제가 해결되니 건강상의 위험인 비만의 문제를 걱정하기 시작했고, 기술의 결과물이 오히려 부의 원천을 손상시키는 위험 상황을 포착하고 예민하게 반응하기 시작했죠. 예컨대 작물 생산량을 늘리기 위해 개발한 농약과 비료가 의도치 않게 농지를 황폐화시키는 결과를 목도하며 사람들은 과학기술과 합리주의가 모든 문제를 해결할 수 없다는 점을 비로소 깨닫게 된 거예요. 이게 바로 '위험을 다루는 일이 중대한 지상 목표가 되는 사회', 즉 '위험사회'의 단면이죠. 하지만 안타깝게도 위험사회에서 이성과 합리성은 모든 위험을 완전히 제거할 수 없고, 그 누구도 위험을 정확히 예측하거나 책임질 수 없으며, 위험으로 인한 피해도 계산할 수 없죠. 이 같은 '조직된 무책임성'으로 말미암아 위험이 도처에서 더욱 빠르게 확대 재생산되고 있음을 벡은 경고하고 있어요.

단순 근대 사회의 경우 부의 생산과 분배가 중심에 놓이는 계급 사회임에 반해, 위험사회는 '초계급'의 성격을 띤다는 점에서 핵심적인 차이가 발생한다고 벡은 지적하죠. 위험은 계급과 무관하게 사람들에게 평등하게 영향을 끼치기 때문이에요. 위험사회에서 우리를 엄습하는 '현대적 위험(risk)'은 그 파급효과가 전면적이고 무차별적이라는 점에서 '전통적 위험(danger)'과는 차원이 다르다고 강조하면서, 벡은 다음과 같이 설명합니다.

> 하나의 공식으로 요약하면 이렇게 표현할 수 있다. 즉 빈곤은 위계적이지만 스모그는 민주적이다. 근대화 위험의 확장에 따라, 즉 자연, 건강, 영양 등에 대한 위험의 확장에 따라 사회적 차이와 한계는 상대화된다. 대단히 상이한 결과들이 이로부터 계속해서 도출된다. 하지만 객관적으로 위험은 그 범위 내부에서 그리고 그로부터 영향을 받는 사람들 사이에서 평등화 효과를 보여준다. 위험이 새로운 정치력

을 갖게 되는 것은 정확히 그 같은 효과 안에서이다. 이런 점에서 위험 사회는 정확히 계급 사회가 아니다. 위험사회의 위험 지위는 계급 지위로 이해될 수 없다. 또는 그 갈등은 계급 갈등으로 이해될 수 없다. 우리가 근대화 위험의 특정한 양식, 특정한 분배 유형을 검토해 보면 이 점은 훨씬 더 명확해진다. 위험은 지구화 경향을 내장하고 있다. 산업 생산에는 생산지와는 무관하게 위해의 보편화가 수반된다. 즉 먹이사슬은 실제로 지상의 모든 사람을 다른 모든 사람에게 연결시킨다. 먹이사슬은 국경선 아래로 숨어든다. 대기 중의 산성 성분은 조각물이나 예술 작품만을 조금씩 갉아먹는 것이 아니라, 오래 전에 근대적인 세관의 장벽도 해체했다. 캐나다에서조차 호수들이 산성화되었으며 스칸디나비아 북부에서조차 삼림이 죽어가고 있다.

이처럼 위험사회에서는 우리가 이전에 전혀 알지 못했고 의도치 않았던 결과들이 기존의 시스템을 파괴하면서 역사와 사회에서 지배력을 행사하게 된다고 벡은 지적하고 있어요.

위험사회의 새로운 특징

그는 위험사회의 새로운 특징으로 크게 다음의 다섯 가지를 제시하고 있습니다.

첫째, 위험사회에서 위험은 정치적인 성격을 띱니다. 방사능, 미세먼지, 유독물과 같이 치명적인 위험은 일반적으로 눈에 잘 보이지 않고,

인과적 해석에 기초를 두기 때문에 지식의 견지에서만 존재하기 쉽죠. 따라서 이러한 지식을 배타적으로 점유한 집단이 위험사회에서 정치사회적 지위 집단이 되기 쉽다는 거예요. 이 말인즉슨 위험사회에서는 위험이 팩트 자체로서 알려지기보다는 정치적·사회적으로 정의되고 재구성되어 인식될 소지를 띠고 있다는 거죠. 2008년 '광우병 사태' 당시 언론의 선정적인 보도와 정부의 소극적인 대응이 군중심리를 자극해 막대한 사회적 비용을 초래했던 사례가 이러한 위험의 정치적인 성격을 잘 보여주죠. 위험이 단지 팩트 그 자체로서가 아니라, 위험에 대한 지식을 보유하거나 이해관계를 가진 집단에 의해 특정한 방향으로 포장되어 대중을 선동할 여지가 있다는 거예요.

둘째, 위험사회는 전지구적이며 새로운 국제적 불평등을 낳습니다. 생태 재해와 방사성 낙진은 국경 따위를 가볍게 무시할 수 있고, 제아무리 부자와 권력가라 해도 이러한 위험의 영향으로부터 안전할 수 없죠. 일반적으로 위험은 생태계를 해치는데, 이 때문에 위험은 산업화를 진척시키는 이윤 및 소유권과 종종 체계적인 모순관계에 빠지게 된다고 벡은 설명해요. 앞서 예로 든 바와 같이, 작물 생산량을 늘리기 위해 개발한 농약과 비료가 의도치 않게 농지를 황폐화시키는 것과 유사한 일들이 자주 일어나죠. 또한 생태계 보호를 위한 국제협정과 같은 장치는 제3세계와 산업국 사이에서 새로운 불평등을 야기한다는 점도 그는 지적합니다. 이를테면 온실가스 배출권 할당의 형평성 문제가 초미의 관심사가 되어 국가 간의 첨예한 갈등을 촉발시키는 것과 같은 사례를 떠올려 볼 수 있죠.

셋째, 위험사회에서 위험은 거대한 '사업거리'입니다. 위험의 확산은 종종 자본주의와 체계적인 모순관계에 빠지기도 하지만, 자본주의의 발전 논리를 완전히 단절하지 않으며, 오히려 자본주의의 발전을 새로운 단계로 끌어올리는 측면이 있다는 의미죠. 앞서 설명했듯이 위험을 정의 내리는 데 있어서는 승자와 패자가 존재하기 때문에, 승자의 관점에서 보았을 때 위험은 확실히 부와 권력을 창출해내는 사업거리라는 겁니다. 벡은 위험을 '경제학자들이 오랫동안 찾아온 탐욕스러운 수요'라 일컬으면서, 문명의 위험이 '밑빠진 독'과 같은 수요를 가지고 있기 때문에 무한히 자가생산될 수 있고, 이에 따라 위험이 창출해 내는 이윤이 어마어마한 수준에 이를 수 있음을 시사하죠. 그는 산업사회가 위험을 경제적으로 활용하면서 위해와 정치적 잠재력을 동시에 생산한다고 지적합니다.

넷째, 위험사회에서의 정치적 잠재력은 위험에 관한 지식과 긴밀히 맞닿아 있습니다. 위험사회에서는 아무리 돈이나 권력이 많은 사람이라도 미세먼지나 스모그, 혹은 원전사고의 피해와 같은 문명의 위험으로부터 자유로울 수가 없죠. 이처럼 위험사회에서 사람들은 위험에 의해 무차별적으로 영향을 받기 때문에 위험에 관한 지식을 절실히 필요로 할 수밖에 없어요. 이에 따라 지식이 새로운 정치적 중요성을 획득하는 만큼, 위험사회의 정치적 잠재력은 위험에 관한 지식의 기원과 확산을 다루는 사회학적 이론으로 다듬어지고 분석되어야만 한다고 벡은 강조하고 있어요.

다섯째, 위험사회는 '파국사회'로서, 파국을 어떻게 관리하느냐가 관건이 되는 사회입니다. 벡은 사회적으로 인정된 위험이 특이한 정치적 폭발력을 지니고 있음을 지적하면서, 위험사회에서는 공공영역과

정치가 공장 관리와 같은 사적인 영역으로 지배권을 확장하게 된다고 설명합니다. 즉 이전까지 비정치적으로 여겨지던 것이 정치적인 것으로 변모하면서, 공공영역과 정치가 사기업들의 생산계획과 기술적 장비에까지 관여하게 된다는 거죠.

파국으로 치닫느냐, 발전적으로 도약하느냐

이 같은 다섯 가지 위험사회의 특징에서 미루어 볼 수 있듯이 위험사회는 동전의 양면과도 같은 복합적인 특징을 동시에 지니고 있어요. 현대 사회에서 위험은 치명적이고, 극단에 치달을 수 있는 폭발력을 지니지만, 반면 유례 없는 새로운 가능성을 배태하고 있기도 하죠. 이처럼 벡은 현대 사회가 파국으로 치닫느냐, 혹은 발전적으로 도약하느냐의 갈림길에 놓여 있음을 지적하면서, 후자쪽에 힘을 실으며 인류의 새로운 가능성을 내다보는 낙관주의적 시각을 드러내고 있어요. 그는 인간이 구조의 제약을 받기도 하지만, 한편으로는 구조를 변화시키려 하는 주체적인 행위자임을 강조하면서 다음과 같이 이야기합니다.

> 조만간 위험은 우리에게 단지 위협만을 제공하게 되며, 그 위협은 이제 연관된 이점을 상대화하고 침식한다. 그리고 위난(danger)의 성장과 함께 그 위협은 온갖 종류의 이해관계를 통해 여러 가지 위험의 공동성(communalities)을 실제적인 것으로 만든다. 그런 식으로 위험의 고통이라는 덮개 아래서 ―이것이 어떤 방식으로 덮고 있는가와는

상관없이— 모든 적대감의 이면에 자리 잡은 공동성도 태동하게 된다. 핵에너지나 유독폐기물이나 명백한 자연파괴의 위해를 막기 위해, 다양한 계급, 정당, 직업집단과 연령 집단의 성원들이 시민운동을 조직하게 된다.

이런 의미에서 위험사회는 새로운 이해관계의 적대감과 위태로운 처지에 몰린 사람들의 새로운 공동체를 생산한다. 그러나 이 공동체의 정치적 수행능력은 아직 미지수이다. 근대화의 위해가 연관되지 않은 채 남아 있는 영역을 제거하는 정도에 따라, (계급 사회와는 대조적으로) 위험사회는 희생자들을 지구적 위험 지위 속에서 단결시키는 추세를 강화할 것이다. 제한적이기는 하지만 우방과 적국, 동과 서, 상층과 하층, 도시와 농촌, 남과 북이 모두 지수적으로 증가하는 문명의 위험의 평균화하는 압력에 노출되어 있다. 위험사회는 계급 사회가 아니다. 그러나 이 사실은 충분히 이야기되지 않고 있다. 위험사회에는 사람들이 문명의 자기위협이라는 획일적인 처지로 몰려가도록 만드는, 경계를 부수는 풀뿌리 대중의 발전 동학이 내재되어 있다.

이처럼 벡은 위험이 촉진하는 정치적 응집력, 즉 공동성(commu-nalities)의 역할에 주목하고 있어요. 그에 따르면 위험은 시민들에게 무차별하게 영향력을 발휘하기 때문에, 이에 대응하기 위한 필요에서 서로 뭉치고 단결하게 만들 수 있죠. 이러한 연대가 체계적으로 진행된다면, 당면한 현실에 대해 함께 성찰하고 토의하는 공론장이 활발하게 돌아갈 수 있을 거고요. 위험 수위가 높아질수록, 위험에 대한 지식을 독점하는 과학자나 정치인들을 무조건 신뢰할 수 없으며, 그러한 지식이 광범위하게 공유되어야 한다는 민주주의적 촉구가 아래로부터 더욱 거세지고 있음을 그는 포착하고 있어요. 바로 여기에서 벡은 희망의 증거를 찾고 있는 거죠.

뭉치면 살고, 흩어지면 죽는다

그에 따르면 위험사회는 구성원들을 결집하게 만들 더 큰 유인을 갖죠. 그 까닭은 위험사회가 극심한 원자화로 표상되는 사회이기 때문이에요. 위험사회의 구성원들은 전통적 가족 구성 체계와 성별 분업 체계의 붕괴 속에 혼란을 겪으며, '평생 직업'이 거의 사라진 노동의 유연화 흐름 앞에서 오롯이 홀로 서서 불안과 공포를 감당하고 있어요. 모두를 평등하게 위협하는 위험과 불확실성 속에서 위험을 각자 부담해야 하는 위험사회이기에, 고립된 개개인들이 '뭉치면 살고, 흩어지면 죽는다'라는 구호에 맞춰 결집할 가능성 또한 더욱 열려 있는 거죠. 근대화는 위험하지만, 생각을 바꾸면 새로운 기회는 얼마든지 발견할 수 있다는 거예요.

이처럼 벡은 근대화를 비판하면서도 궁극적으로는 근대화를 통해서 문제를 해결할 수 있다고 보았어요. 근대화의 방식을 바꾸면 가능하다는 거죠. 그가 제안하는 새로운 방식의 근대화가 바로 '성찰적 근대화(reflexive modernization)'예요. 단순 근대 시기의 근대화가 산업화 일변도의 단순한 흐름이었다면, '성찰적 근대화'는 근대 산업사회가 양산한 위험에 대한 새로운 대응 체계를 모두의 숙고를 통해 만들어 가는 복합적인 과정으로 설명할 수 있죠. 공론장에서 모두가 수평적으로 정보를 공유하고, 자유롭게 의견을 개진하고, 중요한 의사결정에 참여할 수 있는 지속 가능하고 발전적인 근대화가 바로 '성찰적 근대화'예요.

2011년 독일 '안정적인 에너지공급을 위한 윤리위원회(Die Ethikkommission für ine ichere Energieversorgung)' 공개토론 장면(제공=FAZ, Frankfurter Allgemeine Zeitung)

성찰적 근대화의 모범적인 사례로 2011년 독일의 탈핵 결정 과정을 들 수 있어요. 당시 독일 메르켈 총리는 후쿠시마 원자력 발전소 사고 직후 원전 전문가뿐만 아니라 학자, 재계 인사, 시민단체 및 노조 관계자, 종교 지도자, 원로 정치인 등 사회 각계 각층의 대표 인물 17인으로 구성된 '안정적인 에너지공급을 위한 윤리위원회(Die Ethikkommission für eine sichere Energieversorgung)'를 소집했죠. 울리히 벡 또한 위원으로 참여했고요. 위원회의 작동 방식은 투명하고, 공개적이며, 민주적이었어요. 윤리위원회 위원들과 30여 명의 외부 인사가 참여하여 진행된 장장 11시간 동안의 공개토론이 독일 전역에 생중계됐고, 시민들은 이를 지켜보며 전화나 이메일을 통해 의견을 표출할 수 있었어요. 이러한 대대적인 사회적 논의 과정을 거쳐 독일 정부는 2022년까지 모든 원전을 퇴출하기로 결정을 내리게 되었죠. 원자력 기술의 문제를 단지 경제성·효율성의 견지에서만 다루지 않고, 군사적 목적으로 활용될 경우의 위험이나 원전 폐기물에서 비롯되는 세대 간 정의의 문제 등 다양한 측면에서 비판적으로 성찰하고 토의하는 과정을 거쳐 합의에 도달할 수 있었던 거예요.

성찰적 근대화의 방식

벡은 "사회적 합리성 없는 과학적 합리성은 공허하며, 과학적 합리성 없는 사회적 합리성은 맹목적이다."라고 주장하면서, 성찰적 근대화의 두 가지 방식으로 '성찰적 과학 발전'과 '하위정치'를 제시하고 있어요. 우선 '성찰적 과학 발전'이란, 그간 과학이 외부의 대상에게만 적용했던 객관화의 잣대를 과학 자체에 적용하는 움직임이죠. 이러한 움직임은 위험사회의 도래와 함께 과학의 정당성이 도마 위에 오르면서 이제는 과학에 대한 사회 구성원의 검증이 필요하며, 그간 밀실에서 과학자들에 의해 은밀히 이루어졌던 중요한 정책 결정 과정 역시 대중에 오픈되어야 한다는 논리에 기반하고 있어요. 한편 '하위정치'란 일반 시민들이 정책 결정 과정에서 의견을 자유롭게 제시하는 참여 민주주의에 기반하여 이루어지는 정치를 의미하죠. 하위정치는 다른 말로 '생활

정치'라고도 표현하는데, 이것은 일반 시민들이 일상 생활 속에서 느끼는 불편이나 불안에 대해 정치적 의사를 표출할 수 있고 이것이 정책 결정 과정에서 적극적으로 반영되는 '풀뿌리 민주주의'의 기본 작동원리이기도 합니다.

벡은 성찰적 근대화를 이루기 위해서 기술-경제적 발전의 민주화가 반드시 필요하다고 강조하면서, 다음과 같이 지적하고 있어요.

> 모든 것을 움직이게 하는 데서 본질적인 역할을 맡았던 과학은 그 결과에 대한 책임에서 면제되었으며, 근대성은 어쨌든 모든 것을 의사결정으로 변경시키는데, 이 의사결정에서 과학은 자신의 피난처를 찾는다. 그러므로 이제 결론적으로 중요한 것은 이러한 의사결정의 기초를, 근대성의 요리책에 실려 있는 요리들을 위해 마련된 규칙들을 따라서, 공개적으로 접근할 수 있는 것으로 만드는 것이다. 즉 민주화하는 것이다. 올바르다고 입증된 정치체계의 도구들을 그 외부의 조건들로 확장해야 한다. 정치체계의 많은 변형체들을 볼 수 있으며 그에 관한 토론이 전개되고 있다. 여기서 제안되는 옵션은, 기술 발전의 적합성을 의회가 검사하는 것에서, 학제적인 전문가 집단들이 계획을 조사하고 평가하고 승인하며, 그 전(全) 과정에서 기술계획과 연구정책의 의사결정 과정에 시민집단이 참가하는 특별한 '근대화 의회'를 조직하는 것으로 확장된다.
>
> 민주화를 통해 달성해야 하는 목표들은 아주 명백하다. 연구와 투자 결정이 행해지고 난 뒤에야 이루어지는 공적인 정치토론의 관행을 깨야만 한다는 것이다. 이를 위해서는 극소전자기술 또는 유전공학의

실행 결과와 그 실행의 조직적 자유가 그 기술들의 응용에 관한 근본
결정이 취해지기 전에 의회에서 당연히 토의되어야 한다.

즉 새로운 기술의 개발과 상용화 과정에서 사회 구성원들의 검증
과 허가 절차가 개입되어야 위험으로 치닫는 과학의 폭주를 방지할 수
있다는 거죠. 과학 기술이 야기할 결과에 대해 다면적으로 숙고하고 성
찰하는 집단 이성의 역할이 그 어느 때보다 중요한 시점에 우리는 도달
해 있어요. 초연결(Hyper-Connection), 초융합(Hyper-Convergence),
초지능(Super-Intelligence)을 특징으로 하는 4차 산업혁명이 인공지능
(A.I.: Artificial Intelligence), 사물인터넷(IoT: Internet of Things), 빅데이
터[Big Data: '거대한 규모(volume)', '빠른 속도(velocity)', '높은 다양성(vari-
ety)'을 특징으로 하는 데이터], 클라우드 컴퓨팅(Cloud Computing: 스토리
지, 서버, 애플리케이션 등을 인터넷을 통해 제공하는 구축 모델) 등의 정보
기술을 통해 우리에게 과거에 경험해 보지 못한 새로운 위험을 가져다
주리라는 것을 어렵지 않게 예측할 수 있죠. 새로운 기술의 발달로 인
해 우리의 생활은 편리하고 쾌적해지고 있지만, 그 배후에 우리의 생존
자체를 위협할 수도 있는 예측 불가능한 위험이 도사리고 있을 수도 있
다는 것, 따라서 위험을 캐치하는 예민한 감각과 명민한 비판 의식을 늘
잃지 말아야 한다는 깨달음을 이 책은 우리에게 전해주고 있어요. 또한
우리 모두의 미래를 위해 각자가 더욱 적극적인 자세로 공적인 사안에
관여해야 한다고 역설하며 주체성과 책임성을 진지하게 촉구하고 있
고요.

울리히 벡은 현실 참여적 지식인으로서 방사능, 기후변화, 유전자

조작 등 과학기술이 야기한 위험과 그로 인한 갈등 국면에서 사회적 중재에 앞장서며 지행합일의 모범을 보여주었죠. 모두에게 영향을 미치는 수많은 중대한 정책 결정이 여전히 밀실에서 은밀하게 이루어지고 있는 현실 속에, 벡의 이론과 실제 삶의 궤적은 더욱 그 가치를 빛내며 우리에게 경각심을 일깨워 줍니다. 그의 이론은 현실을 날카롭게 비판하면서도 인간의 정치적 역량에 대한 신뢰에 기반하여 발전적인 극복 방안을 제시했다는 점에서 의미가 큽니다. 그가 위험사회의 지향점으로 내세운 '성찰적 근대화' 개념은 지금의 우리에게도 여전히 나아갈 길을 밝혀주는 등대로서 그 입지를 굳건하게 지키고 있습니다.

일상의 매순간 과학과 기술의 혜택을 누리며 편리하게 살아가고 있는 우리이지만, 문명의 이기(利器) 이면에 도사리고 있는 불편한 진실, 그리고 그러한 위험에 대응해 투쟁해 나가야 할 인류의 운명에 대해 비판적으로 성찰하는 과정은 반드시 필요하죠. 여러분도 울리히 벡의 『위험사회』를 읽으면서 '위험에 어떻게 대응할 것인가'에 대한 생각을 발전시키는 소중한 시간을 가져보시기를 권합니다.

17. 제러미 리프킨, 『노동의 종말』(1995)

　　기술의 진보에 따라 우리의 일상은 점점 더 자동화되고 있죠. 패스트푸드점이나 카페에서 키오스크로 메뉴를 주문해서 서빙 로봇을 통해 음식을 전달 받고, 마트나 서점에서 무인 결제 시스템을 통해 자동으로 바코드를 인식시켜 손쉽게 물건값을 계산할 수 있다는 건, 이러한 단순반복적인 작업들이 더이상 인간의 노동력을 요하지 않음을 보여줍니다. 공장의 산업로봇이나 컨베이어 벨트와 같은 대량 생산 시스템을 넘어, 인공지능이 구현하는 맞춤형·밀착형 자동화 기계들이 우리의 생활 속에 파고들면서 '양날의 검'과 같은 위력을 발휘하고 있어요. 우리의 라이프 스타일은 훨씬 더 가볍고, 편리하고, 스마트해졌지만, 반면 인간의 역할을 빼앗는 '똑똑한 기계들'에 의해 많은 이들이 일자리를 잃고 있기도 하죠. 인간이 생존을 위해서 인공지능과 경쟁하게 된 오늘날,

기술에 의한 대량 실업에 맞서 적극적인 해법을 모색해야 한다고 주장하는 학자가 있습니다. 바로 미국의 경제학자이자 사회학자인 제러미 리프킨(Jeremy Rifkin, 1945~)입니다.

제러미 리프킨(Jeremy Rifkin, 1945~)

그는 자신의 대표 저작『노동의 종말(The End of Work: The Decline of the Global Labor Force and the Dawn of the Post-Market Era)』(1995)을 통해 문명의 발달에 따라 기술이 인간의 노동력을 대체하면서 대량 실업과 그로 인해 파생되는 심각한 문제들이 인류를 위협하고 있다는 점을 지적하고 있죠. 이러한 문제에 대한 대응책을 강구하지 않으면 우리가 현재 누리고 있는 풍요와 안락의 시대는 종결되고 인류 전체가 새로운 파국에 당도할 수 있다는 경고를 담고 있는 책이 바로

『노동의 종말』입니다.

기계가 인간의 일자리를 빼앗다

생산 자동화가 인간과 공동체에 영향을 미치기 시작한 최초의 사례로 리프킨이 제시하고 있는 것은 바로 1940년대에 발명된 '목화 따는 기계'의 등장이에요. 목화 따는 기계가 한 시간에 무려 천 파운드 분량의 목화, 즉 노동자 50명 분에 달하는 목화를 추수하는 놀라운 성능을 보이자 백인 농장주들은 더이상 흑인 노동자들을 고용할 필요성을 느끼지 못하게 되었죠. 이에 농장에서 쫓겨난 흑인들은 생존을 위해 일자리를 찾아 북부로 이동하기 시작했어요. 1940년에서 1970년 사이 무려 500만 명이 넘는 흑인들이 취업을 꿈꾸며 북쪽으로 향했죠. 농업이 주를 이뤘던 남부와는 달리 북부는 제조업 중심이었기에 그곳에서는 새로운 일자리를 찾을 수 있을 것이라 기대했던 거예요. 하지만 북부도 사정은 다르지 않았어요. 제조업 부문에서도 자동화·기계화 추세가 대대적으로 진행되면서 대규모의 실업이 발생하고 있었던 거죠. 미국 제조업 부문은 1953년부터 1962년까지 무려 160만여 명의 노동자들이 실직할 만큼 상황이 심각했어요. 이처럼 미국 전역에서 기술 혁신으로 인한 실업이 발생하면서 가장 큰 타격을 입은 계층은 바로 흑인이라고 지적하면서 리프킨은 다음과 같이 설명하고 있어요.

흑인 노동자들은 몇 년 전에는 남부에서 목화 따는 기계에 밀려났는

1940년대에 발명된 목화 따는 기계

데 이제는 새로운 기계화의 희생물이 되었다. 1950년대에 크라이슬러사에서 7,425명의 숙련 노동자들 중에 단 24명이 흑인이었다. GM에서는 1만 1,000명 이상 중에서 단 67명이었다. 생산성과 실업률 지수는 그 나머지를 대변해 준다. 1957년과 1964년에 제조 물품량은 두 배가 된 반면에 노동자의 숫자는 3퍼센트가 줄었다. 새로운 자동화의 첫 희생자는 대부분 흑인 노동자였고 이들은 새로운 기계에 의해서 첫 번째로 감원되는 비숙련 직종에 있어서 대부분을 차지했다. 북부와 서부 산업 지대에서의 제조 공정에서 자동화와 교외화는 계속해서 비숙련 흑인 노동자로부터 일자리를 빼앗아 갔고 결국 수만의 영구 실업자를 남기게 되었다.

이것은 시작에 불과했어요. 생산 자동화에 따른 실업의 여파는 단지 흑인에게만 미치지 않았죠. 핵심은 미숙련 노동을 기계가 얼마든지 대체할 수 있다는 것이었으니까요. 기계가 정교화되고 경영이 효율화될수록 불필요한 인력은 가차없이 제거되었죠. 철강, 정유, 섬유, 자동차, 은행, 보험 등 업종을 가리지 않고 기술 효율화에 따라 대대적인 구조조정이 이루어졌어요. 대규모 실업은 단지 농업과 제조업 부문에만 국한되지 않았으며, 서비스업의 수많은 종사자들 또한 기계에 밀려 직업을 잃고 쫓겨나게 되었죠. 첨단 계산기와 로봇 공학, 통합 전자 네트워크가 더욱 더 많은 경제적 과정에 적용되어, 무언가를 만들고, 움직이고, 팔고, 서비스하는 데 있어 직접적으로 인간이 참여할 여지를 더욱 더 적게 만들고 있다는 점을 리프킨은 지적하고 있어요.

빈익빈부익부와 양극화의 심화

리프킨은 기술이 노동력을 대체하는 시대가 유토피아일지 혹은 디스토피아일지 확언할 수 없다고 주장하면서, 기술 혁신이 가져올 미래를 낙관적으로 전망하는 입장에 대해 우선 검토합니다. 이러한 낙관적 입장을 내세우는 이들은 사실상 모든 기업의 경영인들과 대부분의 주류 경제학자들로, 제3차 산업혁명의 극적인 기술 진보가 확산 효과(trickle-down effect)를 지녀 제품의 원가를 낮추고 소비자의 수요 증대를 촉진하는 한편 새로운 시장을 만들어 냄으로써 보다 많은 사람들로 하여금 더 나은 보수를 받으며 새로운 하이테크 직종에서 일하게 만들

것이라 주장하죠. 이러한 주장에 대해 리프킨은 소비자의 상당수가 임금을 받는 노동자임을 잊지 말아야 한다고 강조하면서, 실업이 필연적으로 구매력의 약화를 야기할 것이며, 만약 새로운 시장이 만들어진다 하더라도, 하이테크 직종에서 일할 능력을 '가진 자'와 '못 가진 자'로 양분함에 따라 빈익빈부익부와 사회 양극화를 가속화시킬 것이라고 경고합니다.

우리가 21세기로 진입함에 따라 두 개의 매우 다른 미국이 나타나고 있다. 새로운 첨단 기술 혁명은 가진 자와 가지지 못한 자 간의 긴장을 고조시키면서 미국을 두 개의 양립할 수 없고 더욱 더 적대적인 진영으로 양분할 것이다. 사회적 붕괴의 징후는 어느 곳에서나 찾아볼 수 있다. 심지어 보수적이라 할 수 있는 정치 예언가들조차 일어서서 주목하기 시작했다. 작가이자 정치 분석가인 필립스(Kelvin phillips)는 '이중 경제'의 출현을 우려하면서, 필라델피아와 더햄과 같은 첨단의 우편 서비스 도시가 새로운 세계 경제 구조 속에서 번영하고 있는 펜실베니아와 북캐롤라이나와 같은 주가 있는 반면 다른 지역의 주들은 제철소 및 섬유 공장을 잃고 수천의 노동자들이 구조 수당을 받고 있음을 지적한다.

사포(Paul Saffo)는 필립스의 우려에 동의를 표한다. '콜로라도의 텔루라이드와 같은 첨단 기술 지역에서는 뉴욕만큼 봉급을 받으면서 전자식 별장에 거주하는 사람이 있는가 하면 바로 옆에는 지방의 패스트푸드점에서 햄버거를 뒤집으며 시골의 콜로라도 봉급을 받는 사람이 있다'라고 주목한다. 사포는 '아주 부자인 사람과 가난한 사람이 얼굴

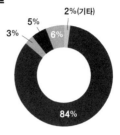

기술 개발로 인한 빈익빈부익부 심화 사례:
반도체 칩의 이윤 분배 비율

84% : 전문 설계인, 엔지니어링 서비스 종사자

6% : 일반 노동자

5% : 기자재 및 설비 소유주

3% : 원료 및 에너지의 소유주

기술 개발로 인한 빈익빈부익부 심화 사례: 반도체 칩의 이윤 분배 비율

을 맞대고 있을 때 … 그것은 완전한 정치적 다이너마이트와 같아 …
사회혁명으로 갈 수도 있다'고 말한다.

이처럼 리프킨은 기술 혁신이 실업을 일으키는 데에만 그치지 않고
사회의 응집력을 와해시키는 심각한 문제를 야기할 수 있다고 경고합
니다. 비숙련 노동자의 노동 가치는 갈수록 하락하는 반면, 고도의 지적
능력과 전문성을 보유한 집단의 노동 가치는 큰 폭으로 상승하게 되면
서 계층 간 경제적 격차가 벌어질 뿐만 아니라, 상대적 박탈감으로 인한
여러 사회 문제가 뒤따를 수 있기 때문이죠. 기술 개발로 인한 빈익빈부
익부 현상을 극명하게 보여주는 사례로 리프킨은 반도체 칩의 이윤 분
배 비율을 제시하고 있어요. 그에 따르면 통상적으로 반도체 칩에서 발
생하는 이윤 중 무려 84%가 전문 설계인과 엔지니어링 서비스 종사자
에게 돌아가게 되고, 원료 및 에너지의 소유주가 3%, 기자재 및 설비 소
유주가 5%, 일반 노동자들이 6%를 배분받게 되죠. 이처럼 전문 지식

보유자 및 기술자들의 노동 가치가 단순 노동자들의 노동 가치를 압도적으로 상회하게 되면서 계층 간 격차가 갈수록 심화될 것이고, 이에 따라 사회적 무기력증과 좌절감, 불법 문화의 확산과 같은 부정적인 요소들이 사회 혼란을 야기할 수 있다는 점을 리프킨은 지적하고 있어요.

하이테크 스트레스(High-Tech Stress)

이뿐만 아니라 인간이 기계와 경쟁해야 하는 사회구조 속에서 극심한 '하이테크 스트레스'가 유발되어 사회 구성원들의 건강과 행복을 저해하고 있다는 점 또한 그는 지적하죠. 생산 자동화가 노동자들로 하여금 노동 강도와 속도를 높일 것을 재촉하면서 그들이 만성적인 피로로 고통받게 만들고, 경영 효율화가 노동자들을 정신적·육체적으로 착취하면서 그들이 불안과 압박에 시달리게 만드는 현상은 어제오늘의 일이 아니며, 앞으로 갈수록 심해질 것이라고 그는 보고 있어요. 이처럼 심리적으로 불건전한 작업 관행이 계속적으로 반복되어 노동자의 정상적인 작업 및 생체리듬이 깨지고, 비인간적인 작업 조건으로 인해 극도의 피로가 누적되어 급기야 과로사에 이르는 안타까운 사례들이 점차 늘고 있는 작금의 현실이 그의 주장의 설득력을 높여주죠.

오늘날 많은 직장인들이 '번아웃 증후군(burnout syndrome)'을 호소하고 있죠. '번아웃 증후군'이란, 의욕적으로 업무에 몰두하던 사람이 극도의 신체적, 정신적 피로감을 느끼면서 무기력해지는 증상을 의미해요. 리프킨에 따르면 이 '번아웃'이라는 표현은 현대인들이 기계의 리듬에 얽매여 있다는 방증이죠. 그는 점점 더 많은 노동자들이 새로운 기계나 컴퓨터 문화의 리듬에 통합되면서, 스트레스를 받을 때 '닳아 빠졌다(worn-out)', '고장이 났다(break-down)', '과부하(overload)가 걸렸다', '작동이 중지되었다(shut-down)', 혹은 '연료가 다 소모되었다(burn-out)' 등의 완곡한 표현을 쓴다는 점을 지적하면서, 현대인들이 컴퓨터 기술로 정해진 속도에 스스로를 끼워 맞추려 애쓰고 있음을 알 수 있다고 주장하죠. 더불어 노동의 유연화 추세와 더불어 더이상 풀타임의 일자리와 장기적인 직업 안정을 얻기 어려운 노동 환경에 처해 있는 노동자들이 감내해야 하는 스트레스가 어마어마함을 상기시키며, 리프킨은 다음과 같이 현실을 진단하고 있어요.

> 침체된 임금, 작업장에서의 미쳐 날뛰는 듯한 작업 속도, 파트타임 조건부 노동자의 증가, 장기적인 기술 실업의 증가, 가진 자와 가지지 못한 자 간의 소득 불균형, 중산층의 극단적인 축소 등은 미국의 노동자들에게 유례가 없을 정도의 스트레스를 주고 있다. 인생에 있어 자신의 몫을 좀 더 챙기고 자식들의 미래도 밝게 할 수 있다는 신념으로 이민 세대들을 열심히 일하도록 한 전통적인 낙관주의가 산산이 깨어져 왔다. 그 대신 그곳에는 기업 권력에 대한 냉소주의와 세계 시장에서 거의 완전한 통제를 휘두르는 사람들에 대한 의혹이 자리잡았다. 대부분의 미국인들은 언젠가 리엔지니어링 운동이 그들의 사무실이나 작업장에 도달해, 한때 안정성이 있다고 생각한 일자리에서 자신들을 끌어내어 그들을 조건부 노동자 대열에 집어넣거나 더 나쁘게는 실업자의 대열에 밀어 넣을 것을 알지 못한 채, 새로운 '린 생산(lean

production: 각 생산 단계에서 인력이나 생산설비 등 생산능력을 필요한 만큼만 유지하면서 생산효율을 극대화하는 방식)' 관행과 고도의 새로운 자동화 기술에 의해 사로잡혀 있다.

이처럼 생산 자동화 시대에 노동자들의 행복과 복지 지수는 현저히 감소해 있는 게 사실이죠. 기계 때문에 도태되어 일터에서 쫓겨날 수 있다는 불안과 공포에서 비롯된 좌절감과 소외감이 정신건강을 해치고, 컴퓨터에 밀리지 않기 위해 스스로를 쥐어짜면서 신체 리듬이 깨지고 과부하가 걸려 쇠약하고 피폐해지게 되니까요. 이러한 추세에 제동을 가하지 않는 한 경제 논리에 따른 기술 혁신과 노동 대체 현상은 더욱 가속화될 것임을 어렵지 않게 짐작할 수 있어요. 바로 그러한 과정에 적절한 브레이크를 걸지 않으면 인간성이 상실되고 사회가 붕괴되어 인류 문명이 끝을 향해 치달을 수 있음을 리프킨은 경고하고 있는 거죠.

후기 시장 시대(Post-Market Era)를 향하여

자, 그렇다면 대안은 무엇일까요? 어떻게 하면 노동의 종말, 나아가 문명의 종말이라는 비극을 피할 수 있을까요? 리프킨은 산업화된 국가들이 21세기 후기 시장 시대로 성공적으로 이행하기 위한 방안으로 크게 다음의 두 가지 행동 경로를 제시하고 있어요.

첫째, '노동 시간의 리엔지니어링(re-engineering)', 즉 노동 시간을 줄이고 임금을 인상하는 방안입니다. 여기에는 새로운 노동 및 시간 절약 기술의 도입으로 발생하는 생산성 향상을 수백만의 노동자와 함께 나눈다는 취지가 깃들어 있죠. 리프킨은 기술 진보의 과실을 공정히 나누어 먹기 위해서 생산성의 극적인 향상이 근로 시간의 감소와 급료 및 임금의 지속적인 인상으로 연결되어야 한다고 주장하면서, 인당 노동 시간을 줄이고 더 많은 일자리를 더 많은 사람들에게 공유할 것을 촉구하고 있어요. 그는 생산성이나 이윤의 감소 없이 노동 시간 단축을 성공적으로 실시한 유수 기업들의 사례를 들면서 바람직한 방향성을 제안하고 있죠.

> 휴렛패커드(Hewlett-Packard)와 디지털 이퀴브먼트(Digital Equip-ment) 같은 회사에서 실시한 노동 시간 단축 실험은 노동 시간 단축에 대한 업계의 회의적인 시각을 불식시키는 데 훌륭한 근거가 되고 있다. 휴렛패커드의 그레노빌 공장은 주 4일 근무제를 채택했다. 회사는 매일 24시간 주 7일 가동된다. 250명의 노동자들 중 야간 근무조는 주 26시간 50분, 오후 근무조는 주 33시간 30분, 오전 근무조는 주 34시간 40분을 근무한다. 노동자들은 주당 평균 여섯 시간쯤 덜 일하지만 주 37.5시간 근무하던 이전과 동일한 임금을 받는다. 경영자는 이 초과 보상을 유연 노동 시간 제도에 대한 노동자의 자발적 참여의 대가로 간주한다. 이 공장의 생산성은 대략 세 배나 증가했다. 이전에는 주 5일 가동하던 것을 현재는 주 7일 쉼 없이 가동하기 때문이다. 프랑스 민주노련(French Confederation of Democratic Labor)의 간부인 푸니에(Gilbert Fournier)는 다음과 같이 말한다. "노동자들은 휴렛패

커드와 같은 실험에 만족하고 있다. 우리는 기계의 작동 시간을 단축시키지 않거나 오히려 더 연장시키는 노동 시간 단축이 유럽에서 고용을 창출하는 데 열쇠가 된다는 사실을 확신한다."

리프킨은 이처럼 노동 시간 단축이 생산성 이득의 공정한 재분배를 위한 매력적인 방안이라고 평가하는 한편, 이것이 실업자에게 일자리를 부여하기 위한 적극적인 프로그램과 결합되어야 한다고 주장하면서 두 번째 대안을 제시하고 있어요.

그가 제안하는 두 번째 대안은 바로 제3부문인 비시장 경제를 확충하는 방안입니다. 제3부문이란, 기업도 정부도 아닌 제3의 영역으로, 자원봉사나 비영리적 사회 활동과 같이 이윤 창출과는 거리가 먼 것으로 여겨져 왔던 사회서비스 사업을 예로 들 수 있어요. 빈민 구호, 기초 의료 서비스 제공, 청소년 교육, 임대 주택의 건설, 환경 보호 등 제3부문은 사회 전(全) 영역에 걸쳐 있죠. 리프킨은 제3부문을 '새로운 세기의 사람들이 새로운 역할과 책임을 탐색하고 그들의 인생에 있어 새로운 의미를 발견하는 장(場)'이라 해석하며 그 가능성을 높이 평가하고 있어요. 그에 따르면 제3부문은 사회적 책임이 가장 강한 영역으로, 기업과 정부에 의해서 고려되지 않거나, 배제되거나, 적절한 관심이 주어지지 않는 수백만 개인들의 욕구와 열망을 관장하는 보살핌의 영역이죠. 그는 기술향상으로 인해 밀려난 잉여 노동력을 사회적 경제(social economy)로 이끌어 그들에게 사회적 임금(social wage)을 지급하고, 이와 같은 고용 창출을 통해 기술 발달에 따른 혜택을 사회 전체가 나눔으로써 사회의 복지 수준을 높일 수 있다고 주장하고 있어요.

이를테면 국가에서 실업자들로 꾸려진 교육 사업을 유치하고, 이에 대한 투자를 민간으로부터 받아 운영하되 사업을 통해 발생한 이익의 일부를 공공 목적으로 사용할 수 있도록 하는 방식을 떠올려 볼 수 있죠. 이를 통해 실업자들은 재취업을 해서 임금을 받고, 민간은 영리를 취하고, 국가는 국민의 노동권을 보장하게 되면서 모두가 윈윈(win-win)할 수 있을 거예요. 또 다른 방식으로는 자원봉사에 참여한 이들에게 소득세 등 세금을 감면해 주는, 이른바 '그림자 임금(shadow wage)'을 부여하는 방식도 떠올려 볼 수 있죠. 리프킨은 자원봉사 시간에 대한 세금 공제가 레저 시간을 제3부문에 자원 봉사 형식으로 헌납하도록 시민들을 유도하며 박애주의 정신을 고양시킨다는 긍정적인 측면을 부각하고 있어요.

프랑스의 경제학자 티에리 장테(Thierry Jeantet, 1948~)의 설명대로, 사회적 경제는 전통적 경제학에서 측정법을 몰랐거나 측정을 원하지 않았던 결과물을 계산에 포함시키는 것으로 이해할 수 있어요. 이를테면 자원봉사를 통해 창출되는 간접적인 경제적 이득이나, 증대된 세대 간 연대감과 같은 다양한 사회적 결과들을 사회적 경제가 포괄한다는 거죠. 리프킨은 이러한 사회적 경제의 특성을 주지시키면서 제3부문이 사회적 결속과 책임의 영역이라는 점을 강조하고 있어요. 그는 인류가 노동의 위기를 극복하고 후기 시장 시대로 무사히 안착하기 위해서는 제3부문에서 새로운 가능성을 탐색해야 한다는 것을 강력히 주장하고 있습니다.

시장 부문의 세계화와 정부 역할의 감소로 인하여 사람들은 자신들의 미래를 보증할 이해 공동체를 형성하도록 강요당하게 된다. 후기 시장 시대에로의 성공적인 이행은 생산성 향상의 보다 많은 부분을 시장으로부터 제3부문으로 이전시켜서 공동체의 결속력과 지역적인 사회 기반 시설(infrastructure)의 강화 및 심화를 이루어낼 수 있는 각성된 유권자들의 연합 및 운동 능력에 의존한다. 모든 나라의 사람들은 강력하고 자립적인 지역 공동체의 수립에 의해서만 인류의 생계와 생존을 위협하는 기술 대체와 시장 세계화의 물결에 저항할 수 있다.

다가오는 하이테크 시대에 정부는 상업적 경제의 이해보다는 사회적 경제의 이해에 부합되는 새로운 역할을 수행할 것이다. 사회적 경제를 재구축하기 위한 정부와 제3부문 간의 새로운 파트너십 강화는 모든 국가에 있어서 시민적 생활을 회복시키는 데 도움이 될 것이다. 향후 가장 긴급한 과제들은 빈민 구호, 기초 의료 서비스 제공, 청소년 교육, 임대 주택의 건설, 환경 보호다. 이 모두는 시장 부문이 무시하거나 또는 충분한 주의를 기울이지 못했던 영역들이다. 오늘날 공식 경제가 국가의 사회적 생활로부터 퇴각하고 정부가 최후의 보호자라는 전통적인 역할로부터 후퇴하고 있다. 제3부문의 선봉 부대로서의 역할이 공공 부문의 적절한 지원에 의해서 보장될 때만 기초적인 사회 서비스의 제공과 사회적 경제의 부흥이 가능하게 될 것이다.

미래는 우리의 손에 달려 있다

결국 노동은 기계가 하는 일이 될 것이기에, 사람들은 노동 이외의 영역에서 새로운 가능성을 찾아야 한다는 것이 리프킨의 핵심적인 주장이죠. 인간이 단지 효용만을 지향하는 노동으로부터 해방되어, 내재적인 가치를 창출하고 공유된 사회 공동체 의식을 재활성화시킴으로써 새로운 세기의 도약을 이루어낼 수 있을 것임을 그는 강조하고 있어요. 효율성 이외의 소중한 가치, 이를테면 창의성, 연대 의식, 친교, 신뢰, 박애정신, 공동선, 환경 보호 등 인간만이 현실화할 수 있는 가치를 구현하기 위해서는 서로 돕고 의지하고 뭉쳐야 한다는 거죠. 기계가 사람 간의 거리와 격차를 벌려놓을지라도, 의식적인 노력과 체계적인 정책을 통해 사회 구성원 간의 결합과 결속을 기하며 '인간다운 세상'을 만들어 나가야만 희망을 찾을 수 있다는 점을 리프킨은 강조합니다.

이러한 과정에서 핵심적인 역할을 수행해야 하는 주체가 바로 정부죠. 리프킨은 모든 나라가 제3부문으로 젊은 세대의 적극적인 참여를 유도하기 위해 그들을 교육시키고 훈련시켜야 한다고 주장하며 정부의 적극적인 재정 지출을 촉구합니다. 특히 그가 선호하는 방식은 바로 '세금 전가(tax shifting)'로, 환경 파괴적 관행 및 그 활동에 세금을 부과하여 제3부문에서 고용 기회를 활성화시키자는 아이디어죠. 환경 정화, 지속적인 상거래 방안의 고안, 효율적이며 경쟁력 있는 기업의 창출, 개인의 건강과 삶의 질을 저해하는 사회적 행위의 억제, 제3부문 재건의 활성화, 사회 공동체에 사회적 선을 제공하는 수백만 개의 일자리 창출 등의 방안들은 환경과 경제, 그리고 민간 사회에 있어 '윈-윈-윈(win-win-win)' 전략이 될 수 있다고 리프킨은 목소리를 높여 강조합니다.

그는 다음과 같이 양자택일의 선택지를 제시하며 논의를 마무리하고 있어요.

우리는 지금 세계 시장과 생산 자동화라는 새로운 시대로 진입하고 있다. 노동자가 거의 없는 경제로 향한 길이 시야에 들어 오고 있다. 그 길이 우리를 안전한 천국으로 인도할 것인지 또는 무서운 지옥으로 인도할 것인지의 여부는 문명화가 제3차 산업혁명의 바퀴를 따라 갈 후기 시장 시대를 어떻게 준비하느냐에 달려 있다. 노동의 종말은 문명화에 사형 선고를 내릴 수도 있다. 동시에 노동의 종말은 새로운 사회 변혁과 인간 정신의 재탄생의 신호일 수도 있다. 미래는 우리의 손에 달려 있다.

바야흐로 4차 산업혁명이 한창 진행되고 있는 지금에도 리프킨의 논의는 여전히 설득력이 있죠. 인공지능, 빅데이터, 클라우드, 3D프린팅, 사물인터넷, 가상현실 등 디지털 기술의 발달에 따라 산업의 지형도가 획기적으로 변화하고 경제사회 패러다임이 전혀 새롭게 구축되는 시대적 전환기에 우리는 당도해 있어요. 신기술의 도입으로 새로운 산업과 직종이 출현해 일자리가 늘어날 것인가, 혹은 기술 수준과 무관하게 자동화 추세가 노동을 소멸시킬 것인가의 문제는 여전히 뜨거운 논쟁거리지만, 시장과 자본의 논리에만 노동의 흐름을 맡겨둘 수 없다는 사실만은 분명해 보입니다. 고도의 지식 기반 사회에서 일자리가 아무리 늘더라도 노동의 과실은 더욱 불평등한 비중으로 배분될 것이기 때문이죠. 정부가 나서서 뒤처진 자들의 삶을 돌보고, 그들의 노동력이 좀 더 의미 있게 쓰일 수 있도록 유기적인 시스템을 구축하는 것은 사회 양극화의 문제를 시정하고 지속 가능한 경제를 만들기 위해 참고할 만한 해답이라고 여겨집니다.

자동화와 비대면 추세에 따라 개인주의가 더욱 심해지고 사회 구성원들의 원자화·개체화가 빠르게 진행되어 가는 지금, 연대 의식과 봉사 정신을 화두로 던지는 리프킨의 논의는 우리에게 잠시 멈춰 생각해 볼 기회를 던져 줍니다. 부의 축적과 효율성에 경도되어 공동체가 무너져 가는 현실을 방치해 두고 있지는 않았는지, 또 기술 발전이 초래하는 실업의 증가와 그에 따른 문제에 대해 우리가 얼마나 진지하게 고려하며 대비하고 있는지 등의 중요한 이슈에 대해 고찰해 볼 소중한 계기를 제공해준다는 측면에서 이 책은 의의가 큽니다.

여러분도 이 책『노동의 종말』을 읽으면서 인류가 나아갈 바람직한 방향에 대해 생각하는 소중한 시간 가져보시는 것 어떨까요?

18. 재러드 다이아몬드, 『총, 균, 쇠』(1997)

우리가 살아가는 이 세계는 다양한 국가와 민족들로 구성되어 있죠. 그런데 '왜 누군가는 잘나가고, 또 누군가는 못나가는가', 그 이유에 대해서 생각해 보신 적 있나요? 어째서 어떤 국가와 민족들은 늘 승승장구하며, 많은 부(富)를 축적하고, 문명을 이끌며 지배자로 군림해 온 반면, 어떤 국가와 민족들은 늘 빈곤에 허덕이고, 착취와 지배에 시달리며 살아올 수밖에 없었던 걸까요? 역사 속의 승자들이 주장하는 바대로 소위 '이기는 유전자'가 따로 있는 걸까요? 그들의 타고난 인종적·민족적 우월성에 따른 당연한 귀결인 걸까요?

여기, 어떤 국가가 '잘나가느냐, 혹은 못나가느냐'를 결정짓는 것은 순전히 '운(運)'이라는 도발적인 주장을 펼치는 학자가 있습니다. 바로 미국의 지리학자이자 생리학자인 재러드 다이아몬드(Jared Mason Diamond, 1937~)입니다. 그는 자신의 대표 저작 『총, 균, 쇠(Guns, Germs, and Steel: The Fates of Human Societies)』(1997)를 통해 '운'이 국가의 운명에 어떠한 영향을 미치는가에 대해 풍부한 역사학·지질학·진화생물학적 근거와 함께 서술하고 있습니다.

재러드 다이아몬드(Jared Mason Diamond, 1937~)

총, 균, 쇠: 인간 사회들의 운명을 결정짓는 핵심 요인

다이아몬드에 따르면, '운' 좋은 국가와 민족들이 앞서서 장착하게 된 도구가 바로 이 책의 제목이기도 한 '총, 균, 쇠'입니다. 이 책의 부제인 '인간 사회들의 운명', 즉 현실에서 각양각색의 형태로 나타나는 사회들의 운명을 결정짓는 핵심적인 요인들을 '총, 균, 쇠'라는 세 단어로 집약할 수 있다는 것이죠.

'총'은 무기와 군사력, '균'은 병원균과 면역력, '쇠'는 금속과 기술을 상징합니다. '총, 균, 쇠', 이 세 가지 요인이 문명 간의 불평등을 초래해 인류의 운명을 결정지어 왔다고 이 책은 역설합니다. 국가 간의 전쟁이 일어났을 때 좋은 무기와 금속, 자국민에게만 면역력이 있는 치명적인 병균을 가진 국가가 승리하여 다른 국가들을 약탈하고 지배해 왔기 때문이죠. 역사 속에서 강자와 패자의 운명을 가른 결정적인 요인이 바로 '총, 균, 쇠'라는 것입니다.

이 책을 관통하는 핵심적인 주장을 한 마디로 집약하면, 어떤 민족이 먼저 우월한 '총, 균, 쇠'를 보유하게 된 건 순전히 '운'이 좋아서라는 거예요. 즉 민족마다 역사가 다르게 진행된 것은 각 민족의 생물학적 차이 때문이 아니라, 우연히 그곳에 태어나 살게 됐다는 환경적 차이 때문이라는 것이죠. 쉽게 말해 유럽이 아프리카를 식민지로 삼을 수 있었던 까닭은 백인 인종 차별주의자들이 생각하는 것처럼 유럽인과 아프리카인의 인종적 차이 때문이 아니라, 유럽인들이 환경적으로 유리한 지역에서 살게 된 '우연' 때문이라는 거예요. 그는 구체적으로 생물지리학적 우연, 이를테면 두 대륙의 면적이나 축의 방향, 야생 동식물과 같은 요소들이 문명 발달에 차이를 일으켰다는 점을 지적합니다. 이처럼 그는 아프리카와 유럽의 역사적 궤적이 달라진 것은 궁극적으로 '부동산의 차이'에서 비롯된 것이라는 파격적인 견해를 제시하고 있죠.

다이아몬드는 서문에서 이 책을 집필하게 된 저술 동기에 대해서 다음과 같이 적으며 논의를 시작하고 있어요. 그의 뉴기니인 친구 얄리가 어느 날 그에게 "당신네 백인은 그렇게 많은 화물(貨物)을 발전시켜 뉴기니까지 가져왔는데, 어째서 우리 흑인은 그런 화물을 만들지 못한 겁니까?"라는 질문을 던졌다고 하죠. 얄리의 질문은 뉴기니인과 유럽 백인의 대조적인 생활 양식에 국한되어 있었지만, 이 문제를 확대함으로써 현대 세계에 존재하는 더 큰 규모의 현저한 불균형에 대한 문제의식으로 발전시킬 수 있었다고 다이아몬드는 술회하고 있어요. 유라시아에서 발원한 여러 민족, 특히 유럽과 동아시아에 살고 있는 사람들과 북아메리카로 이주한 사람들이 오늘날 세계의 부와 권력을 독점하고 있죠. 반면에 대부분의 아프리카인을 포함한 다른 민족들은 비록 유럽의 식민 통치에서 벗어나기는 했지만 부와 힘에 있어서는 여전히 훨씬 뒤처져 있는 상태고요. 다이아몬드는 얄리의 질문으로부터 생각을 발전시켜 '세계의 부와 권력이 왜 지금과 같은 모습으로 분포하게 되었는가'를 규명하고자 시도하게 된 거예요.

문명의 차이는 각 지역의 환경적 특성의 차이에서 비롯된다

이에 대해 기존의 학자들이 주로 채택했던 방식은 여러 민족들 사이에 생물학적 차이가 존재한다고 가정하는 것이었죠. 1500년 이후 수 세기에 걸쳐 유럽의 탐험가들은 세계의 여러 민족 사이에 존재하는 과학 기술 및 정치 조직의 차이를 발견하였고, 그와 같은 차이가 선천적 능력의 차이에서 비롯되었다고 믿었어요. 다윈(Charles Robert Darwin, 1809~1882)의 이론이 대두하며 그러한 설명들은 다시 자연선택(natural selection)과 진화적 유전 등의 개념으로 재구성되었죠. 그 결과 산업화된 사회의 이주민들이 원시인들을 쫓아내는 것은 적자생존 원리의 실현이라 여겨졌고, 유럽인이 유전적으로 아프리카인이나 오스트레일리아 원주민보다 지능이 높다는 주장이 기정사실화되기도 했어요.

하지만 다이아몬드는 그러한 설명 방식이 인종차별주의를 암묵적으로 인정하는 것이라고 비판하면서, 문명의 차이를 낳는 요소는 인종의 생물학적 차이가 아니라 각 지역의 환경적 특성의 차이라는 가설을 내세우고 있죠. 구체적으로는 지리적·기후적인 차이 때문에 식량의 생산량에 차이가 생기면서 생존이나 종족번식 등 각 지역의 전반적인 문명 발달의 수준에 격차가 생기게 되었음을 그는 입증하고 있어요. 경제력이나 문명 발달 수준의 차이는 지리나 기후 등의 환경적인 요인에 의한 것이지, 인종별 선천적 능력의 차이에 의한 것이 아니라는 주장이 바로 이 책의 핵심적인 메시지예요.

이를 증명하기 위해 다이아몬드는 수천 년간 석기시대 수준의 문명을 유지해오다 갑자기 서구 문명에 내던져진 파푸아뉴기니 원주민의 사례를 소개하고 있어요. 요약하자면, 원주민인 아버지는 돌도끼만 차고 다녔지만, 그의 아들은 현대적인 교육을 받고 자라서 비행기 조종사가 되었다는 거죠. 즉 원시적인 부족사회의 후손이라 할지라도 유전적으로 지능이 떨어지는 것은 아니며, 교육 기회와 환경만 충분히 주어진다면 얼마든지 발달된 문명사회의 일원으로 적응하며 살아갈 수 있음을 보여주는 실례라고 그는 설명하고 있어요.

식량 생산의 차이가 결정적 변수

그렇다면 '총, 균, 쇠'의 발달에 결정적인 영향을 미친 요인은 무엇일까요? 다이아몬드는 지리적, 기후적 차이에 따른 식량 생산의 차이를 가장 결정적인 요소로 보고 있어요. 식량 생산은 총기, 병원균, 기술이 만들어지는 데 필요한 선행 조건이라는 거죠. 그에 따르면 수렵 채집의 사회에서 농경 사회로의 이행에 따라 식량 생산력을 갖추게 되면서 공동체는 정착촌으로 발전하게 되었어요. 공동체의 정착은 인구 증가로 이어졌고, 곧 늘어난 인구를 효율적으로 통치하기 위해 중앙집권화된 정치 체제가 나타나면서 다른 공동체로부터의 침략을 방어하기 위한 금속과 무기, 그리고 총이 만들어지게 되었죠. 한편 식량 생산을 위해 길들여진 가축들은 본래 야생 동물들이었기 때문에 이 과정에서 병원균이 나타나게 되었고, 이러한 병원균에 의한 대중성 전염병들은 인구 밀도가 높은 공동체에서 창궐하게 되었던 거죠. 이처럼 '총, 균, 쇠'의 발전에 결정적인 영향을 미친 요소는 바로 지리적·기후적 우연에 따른 식량 생산 능력이었다고 다이아몬드는 주장하고 있어요.

그 다음으로 그가 중시하는 요소는 바로 식량 생산의 전파 과정이에요. 그가 제시하는 핵심적인 변수는 대륙의 가로축의 길이죠. 대륙의 가로축이 길 경우 유사한 위도상에 대륙의 많은 면적이 분포하기 때문에 동식물 종의 전파에 유리하다는 논리예요. 식량 생산의 전파가 가장 원활하게 이루어졌던 유라시아 대륙의 경우 가로축이 무려 13,000km에 달하는 반면, 남북아메리카의 동서 폭은 가장 넓은 곳이 4,800km 밖에 안 되고, 파나마 지협의 경우엔 64km에 불과하다는 점을 다이아몬

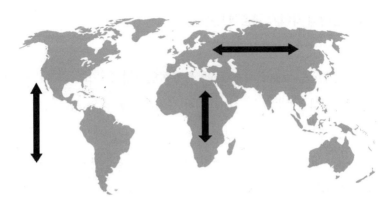

대륙의 세로축이 긴 아메리카·아프리카에 비해 상대적으로 가로축이 긴 유라시아 대륙

드는 지적하고 있어요. 유라시아 대륙과 달리 남북아메리카나 아프리카의 경우에는 주요 축이 남북 방향이어서 식량 생산의 전파에 불리한 특성을 지니고 있다고 그는 설명하고 있죠.

비옥한 초승달 지대의 농작물은 왜 그렇게 전파 속도가 빨랐을까? 이 문제에 대한 해답의 일부분은 바로 이 장의 도입부에서 이야기했던 유라시아의 동서 축이다. 같은 위도상에 동서로 늘어서 있는 지역들은 낮의 길이도 똑같고 계절의 변화도 똑같다. 그리고 일치하는 정도는 좀 덜하지만 질병, 기온과 강우량의 추이, 생식지나 생물 군계 등도 서로 비슷한 경향이 있다.

식물의 발아, 성장, 질병에 대한 저항력 등은 바로 기후의 그 같은 특성들에 적응하고 있다. 철따라 달라지는 낮의 길이, 기온, 강우량 등은 종자가 발아하고, 묘목이 성장하고, 다 자란 식물이 꽃, 종자, 과일 등을 발육시키도록 자극하는 신호가 된다. 각각의 식물은 자기가 처한 환경 속에서 진화되었으므로 그 환경에서 발생하는 여러 가지 계절적 추이의 신호에 반응하도록 자연선택을 통해 유전적 프로그램이 입력되어 있기 때문이다. 그리고 그 같은 추이는 위도에 따라 크게 달라진다. 예를 들자면 적도 지방에서는 낮의 길이가 일년 내내 일정하지만 온대성 위도에서는 동지에서 하지로 다가갈수록 점점 길어졌다가 나머지 반년 동안은 다시 짧아진다. 생장철(기온과 낮의 길이가 식물의 성장에 적합한 기간)은 고위도 지방일수록 짧고 적도에 가까울수록 길다. 그리고 식물은 각 위도에서 많이 생기는 질병에도 적응하고 있다.

유라시아 문명은 기회와 필요성의 산물

각 대륙에 따라 달랐던 축의 방향은 식량 생산의 확산뿐만 아니라 기타 기술이나 발명품의 확산에도 영향을 미쳤다고 다이아몬드는 강조하고 있어요. 이를테면 B.C. 3000년경 서남아시아 또는 그 부근에서 발명된 바퀴는 동서로 신속하게 전파되어 불과 수세기 동안 유라시아의 많은 지역으로 퍼졌죠. 반면 선사 시대에 멕시코에서 독립적으로 발명되었던 바퀴는 안데스까지 남하하지 못했고요. 마찬가지로 B.C. 1500년 이전에 비옥한 초승달 지대의 서부에서 개발된 알파벳의 원리도 약 1000년 동안 서쪽으로는 카르타고까지, 동쪽으로는 인도 아대륙까지 전파되었지만, 선사 시대에 중앙아메리카에서 꽃을 피웠던 문자 체계들은 그로부터 적어도 2000년 동안은 안데스 일대에 도달하지 못했다는 점을 그는 지적하고 있어요. 즉 역사의 수레바퀴는 대륙의 가로축을 따라 전진했다는 주장이죠. 가로축이 길었던 유라시아 대륙은 문명 발달을 위한 천혜의 자연 조건을 타고 났기에 다른 대륙에 비해 농경 사회와 정치 사회를 빠르게 발전시킬 수 있었다는 논리예요.

즉 유라시아 문명은 인종적 우월성의 산물이 아니라 기회와 필요성의 산물이라는 거죠. 가축화와 작물화를 통한 농경사회로의 전환은 인구 증가와 기술 혁신의 축적으로 이어졌고, 관료제 발달과 계급 분화를 거쳐 중앙집권화와 제국주의로 나아가게 되었다고 다이아몬드는 설명합니다.

유라시아 대륙이 신대륙을 정복하는 데 중요한 역할을 한 것이 바로 병원균이었죠. 유라시아의 대중성 질병들은 유라시아의 가축화된 군거 동물이 지니고 있는 각종 질병으로부터 진화된 것인데, 이러한 질병에 노출된 적이 없었던 신대륙의 인디언들에게는 이러한 병원균에 대한 면역성이나 유전적인 저항력이 없었기 때문에 속수무책으로 당할 수밖에 없었던 거예요. 천연두, 홍역, 인플루엔자, 발진 티푸스, 디프테리아, 말라리아, 볼거리, 백일해, 페스트, 결핵, 황열병 등 병원균이 보인 파괴력은 가공할 만한 것이었고, 신대륙 인디언들의 수를 급감시키는 데 결정타를 가했죠. 다이아몬드는 무기류, 기술, 정치 조직 등에서 유럽인들이 피정복민에 비해 우월했던 것은 맞지만, 병원균이라는 '사악한 선물'이 아니었다면 대대적으로 그토록 많은 원주민들을 물갈이할 수 없었을 것이라고 언급하며 병원균의 역할을 강조하고 있어요.

유럽이 남북아메리카를 정복한 배후에 감춰져 있는 또 하나의 직접적인 요인이자 병원균에 버금가는 요인으로 다이아몬드가 제시하는 것은 바로 기술적 측면에서의 차이죠. 기술 측면에서 그는 특히 다음과 같은 다섯 가지 차이를 제시합니다. 첫째, 금속(구리, 청동, 철)이 유라시아의 모든 복잡한 사회에서 1492년에 이미 도구로 사용되고 있었던 반면, 아메리카에서는 여전히 돌과 나무와 뼈가 도구의 주재료로 이용되고 있었다는 점, 둘째, 유럽의 주된 무기가 강철로 만든 칼, 창, 단검, 대포, 소화기였던 데 비해 아메리카 원주민들은 돌이나 나무로 만든 곤봉과 도끼, 헝겊 갑옷 등을 사용하고 있었다는 점, 셋째, 유라시아 사회에서 소, 말, 당나귀 등 인간의 근력보다 나은 동력으로 쟁기를 끌고 수력이나 풍력을 활용했던 데 반해, 아메리카에서는 여전히 인간의 근력만으로 근근이 작업하고 있었다는 점, 넷째, 유라시아에서 육상운송에 바퀴를 활용해서 무거운 짐을 운반하고 토기나 시계 제작에 활용했던 반면, 아메리카에서는 바퀴를 이용할 줄 몰랐다는 점, 다섯째, 유라시아의 많은 사회가 대형 범선을 만들어 역풍을 받으면서도 항해할 수 있었던 반면, 아메리카는 순풍을 받아야만 항해할 수 있는 뗏목만을 가지고 있었다는 점을 그는 지적하고 있어요.

유라시아 사회와 아메리카 원주민 사회는 병원균과 기술뿐 아니라 정치 조직에서도 차이가 났다고 다이아몬드는 설명합니다. 중세 말기나 르네상스 시대에는 이미 유라시아의 대부분 지역이 조직화된 국가 통치 체계를 갖추고 있었어요. 그중에서 합스부르크 제국, 오스만 제국, 중국의 여러 국가, 무굴 제국, 몽골 제국 등은 다른 국가들을 정복, 합병함으로써 여러 언어를 사용하는 거대한 복합 국가로 성장했죠. 아메리카 대륙에도 아스텍과 잉카 두 제국이 존재하긴 했지만 대부분이 부족 또는 무리 사회의 수준으로 조직되어 있었던 반면, 유럽에서는 스페인, 포르투갈, 영국, 프랑스, 네덜란드, 스웨덴, 덴마크의 7개국이

1492년부터 1666년에 이르기까지 아메리카 대륙에 식민지를 건설할 수 있는 자원을 갖고 있었다는 점을 다이아몬드는 지적합니다.

　한편 근대로 접어들며 정복에 힘을 가한 것은 바로 문자였다고 다이아몬드는 설명합니다. 무기, 세균, 중앙 집권적 정치 조직 등과 함께 신대륙을 원정하고 제국을 통치하는 데에 문자가 지대한 역할을 하게 되었다는 거예요. 군주나 상인들이 식민지 개척을 위한 선단(船團)을 조직할 때에도 문서로 명령을 시달했고, 이들 선단은 종전의 원정에서 작성된 해도와 항해 지시서에 의거해 항로를 잡았죠. 원정에 대한 보고서들은 정복자들을 기다리고 있는 기름진 땅과 그곳의 풍요로움을 묘사함으로써 새로운 원정의 동기가 되었고, 그 이후의 탐험가들에게 어떤 상황을 예상해야 하는지 알려줌으로써 미리 준비를 갖추도록 도와주었어요. 그렇게 해서 정복한 식민지를 통치하는 일도 문자의 도움으로 이루어졌고요. 이처럼 문자는 정치적 행정 및 경제적 교환 등을 도왔으며, 탐험 및 정복의 동기를 부여하고 실행 과정에서의 길잡이가 되었죠. 또한 머나먼 시대나 장소에 대한 각종 정보와 사람들의 경험을 알 수 있게 해줌으로써 유럽 사회에 힘을 부여했습니다.

남북아메리카의 발전이 늦었던 까닭

　이처럼 다이아몬드는 정복을 가능케 한 궁극적인 원인이 식량 생산과 각 사회 사이의 경쟁 및 문물의 확산이었다고 주장하면서, 거기서 시작된 인과 관계의 사슬에 의해 병원균, 문자, 기술, 중앙 집권적 정치 조직 등 정복의 직접적 요인들이 발생하게 되었음을 강조하고 있습니다. 그는 "이러한 모든 핵심적 발전의 궤적에서 왜 남북아메리카가 예외 없이 유라시아보다 뒤처졌을까?"라는 의문을 제기하면서 다음의 네 가지 이유를 들어 답하고 있어요.

첫째, 남북아메리카에서 식량을 생산하는 촌락의 발생이 유라시아에 비해 5000년이나 뒤졌다는 점이죠. 약 백만 년 전부터 유라시아 대륙에서 살기 시작한 유라시아인들이 상대적으로 그 지역에 적합한 기술을 빠르게 발전시켰던 데 비해, 겨우 B.C. 12000년 경 아메리카 대륙에 발을 들여 놓은 아메리카 정착민들은 새로운 생식지를 만날 때마다 그곳에 알맞은 장비를 새로 발명해야 했다는 점에서 기술의 지체를 겪게 되었다는 거예요.

둘째, 남북아메리카에 가축화·작물화에 적합한 야생 동식물이 적었다는 점이죠. 유라시아의 비옥한 초승달 지대와 중국에 비해 남북아메리카에서는 가축화할 만한 야생 포유류가 거의 없어 수렵 채집을 겸해야 했고, 야생 식물도 종자가 작아 작물화에 오랜 세월이 걸렸다고 그는 지적하고 있어요. 아메리카 원주민들에게서 농경의 의미는 오랫동안 수렵 채집으로 획득한 먹거리를 약간 보충하는 정도에 불과했으며 촌락이 형성되기 전까지는 많은 인구를 뒷받침할 만큼의 생산력을 결여하고 있었다는 거죠.

셋째, 남북아메리카의 경우 확산의 장애물이 많았다는 점이에요. 유라시아의 경우 주요 축이 동서 방향이어서 위도 변화와 그에 따른 환경 변화를 겪지 않고도 각종 문물이 확산될 수 있었던 반면, 아메리카는 지형상 분열이 심해 난항을 겪었다는 거죠. 파나마 지협은 중앙아메리카 사회와 안데스 및 아마존강 유역 사회 사이를 갈라놓았고, 멕시코 북부 사막들은 중앙아메리카와 미국 동남부 및 서남부 사회 사이를, 텍사스 주의 건조 지역은 미국 동남부와 서남부 사이를 각각 갈라 놓았어요. 미국의 태평양 연안 지방은 식량 생산에 적합한데도 사막이나 높은 산에 가로막혀 접근할 수가 없었고, 결과적으로 신세계의 중심지였던 중앙아메리카, 미국 동부, 안데스 및 아마존강 유역 사이에서는 가축, 문자, 정치적 단위 등의 확산이 이루어지지 못했으며 농물이나 기술의 확산도 제한적이거나 매우 느리게 이루어졌다고 다이아몬드는 설명하고 있어요.

넷째, 남북아메리카의 경우 인구가 조밀한 지역들이 좁거나 고립되어 있었다는 점이죠. 유라시아에 비해 남북아메리카의 지리적 분열이 심했던 결과로 남북아메리카에는 언어학자들이 널리 인정하는 대규모 언어 팽창의 사례가 별로 없었다는 점이 근거로 지적되고 있어요. 유라시아에서 식량 생산자들이 사용하는 언어가 팽창하면서 여기저기서 분화되어 여러 개의 관련 언어로 이루어진 어족(語族)이 형성된 것과 달리, 아메리카의 경우 뚜렷한 다수 언어군의 존재가 거의 발견되지 않는다는 거죠.

결국 종합하면 대륙 간 환경의 차이가 문명 발달의 차이를 낳았다는 거예요. 가장 중요한 요소는 뭐니뭐니해도 가축화·작물화의 재료인 야생 동식물의 대륙 간 차이죠. 다이아몬드에 따르면 식량 생산이야말로 잉여 식량을 축적하는 데 있어, 그리고 순전히 그 숫자만으로 군사적 우위를 갖는 대규모 인구로 성장하는 데 있어 결정적인 요인으로 작용하기 때문이에요. 인간 사회가 초기 추장 사회 수준을 넘어 경제적으로 더 복잡하고 사회적으로 계층화되고 정치적으로 중앙 집권화된 사회로 발전할 때에는 언제나 식량 생산이 그 기반이 되었다는 이유로 그 중요성이 특히나 강조되고 있어요.

그 다음으로 중요한 것이 바로 확산과 이동의 속도에 영향을 미치는 요인으로서 대륙의 축의 방향이죠. 유라시아의 경우 주요 축이 동서 방향이며 생태적·지리적 장애물도 비교적 적어서 작물과 기술 혁신의 확산 속도가 빨랐다고 제시되죠. 그 밖에 언급되는 요소는 각 대륙의 면적 및 전체 인구 규모의 차이로, 면적이 넓거나 인구가 많다는 것은 곧 잠재적인 발명가의 수도 많고, 서로 경쟁하는 사회의 수도 많고, 도입할 수 있는 혁신의 수도 많다는 의미이기 때문에 문명 발달에 유의미하게 작용한다고 다이아몬드는 설명합니다.

다각적인 견지에서 지역별 문명의 발달 과정을 탐구

다이아몬드는 다음과 같은 언명으로 논의를 종합하면서 자신의 이론에 대한 세간의 비판에 응수합니다.

> 이상과 같은 네 가지 요인들은 환경과 관련된 크나큰 차이점들로, 객관적인 측정이 가능하며 여기에는 논쟁의 여지도 없다. 뉴기니인들이 대체로 유라시아인들보다 똑똑하다는 나의 주관적인 생각에 대해서는 이의를 제기할 수도 있겠지만 뉴기니가 유라시아에 비해 면적도 훨씬 좁고 대형 동물의 수도 훨씬 적다는 사실은 아무도 부인할 수 없

을 것이다. 그러나 역사학자들 틈에서 이 같은 환경의 차이들을 언급하기만 하면 당장 '지리적 결정론'이라는 딱지가 붙는데, 그러면 화를 내는 사람들이 생긴다. 이 명칭 속에는 어떤 불쾌감이 내포되어 있는 듯하다. 가령 인간의 창의성은 아무 소용도 없다는 뜻이냐, 우리들 인간이 기후, 동물군, 식물군 따위를 통하여 정해진 대로 움직이는 수동적인 로봇에 불과하다는 것이냐, 하는 식으로 말이다. 물론 이런 걱정들은 기우에 지나지 않는다. 인간의 창의성이 없었다면 우리 모두는 오늘날까지도 수백만 년 전의 선조들처럼 석기로 고기를 썰어 먹어야 했을 것이다. 모든 인간 사회에는 창의적인 사람들이 있다. 다만 어떤 환경은 다른 환경에 비해 더 많은 재료를 구비하고 있으며 발명품을 이용할 수 있는 제반 여건도 한결 유리하다는 점이 다를 뿐이다.

'환경의 차이에 의해 문명 간 차이가 발생했다'라는 가설을 체계적으로 검증해 내는 과정을 면밀히 살펴 본다면, 그의 이론을 '지리적 결정론'으로 도매금 취급하지 못할 것이라는 자신감이 깃들어 있는 대목이죠. 다이아몬드의 이론은 환경을 주요한 변수로 설정하고 있지만, 그것으로 모든 것을 설명하고 있지는 않아요. 다이아몬드는 역사학도 자연과학처럼 체계적이고 분석적으로 연구해야 한다는 철학을 가지고, 지리학·생태학·식물학·동물학·유전학·병리학·역사학·문화인류학·생리학·언어학 등 다각적인 학문적 견지에서 지역별 문명의 발달 과정을 탐구하며 기존의 환경결정론에서 탈피하고자 노력했어요. 그는 과거와 현재를 면밀히 분석하여 인류가 나아갈 길을 제시하겠다는 학자적 사명 하에, 여러 분야를 넘나드는 방대한 자료를 근거로 가설을 검증하는 과학적 연구의 모범을 보였죠. 특히 그의 이론은 제국주의 시대부터 만연했던 유럽 우월주의 역사관에서 벗어나 신대륙의 역사를 바라보는 새로운 패러다임을 제시하고, 나날이 심각해지는 세계 불평등의 문제에 대해 고찰해 볼 계기를 부여해 준다는 측면에서 의의가 큽니다.

　도입부에서 제기했던 문제, '왜 어떤 나라는 잘나가고 왜 어떤 나라는 못나가는가?'에 대해서는 그 누구도 모두를 만족시킬 만한 설명을 제시하기 어려운 게 사실이에요. 정답이 없는 문제이기 때문이죠. 하지만 이러한 이유로 날이 갈수록 심각해지는 세계 불평등과 양극화의 문제에 대해서도 체념적으로 대응하는 것은 문제로 지적할 수 있어요. 우리가 당면한 불평등한 현실에 그 어떤 필연성도 없다면, 그리고 불공정과 부정의의 문제가 다수의 인류에게 고통을 가하고 있다면, 그 원인에 대해서 다각도로 분석해 보는 작업은 반드시 필요한 일이 아닐 수 없기 때문이죠. 재러드 다이아몬드의 이론이 유일하고 완결적인 해답은 아닐지라도, 기존에 득세해 온 인종주의적 설명에 반문을 제기하며 새로운 사고의 방향성을 열어준다는 견지에서 연구의 가치는 충분하다고 볼 수 있죠.

　여러분도 이 책『총, 균, 쇠』를 읽으며 역사의 흐름을 다각도로 분석하고 인류가 나아갈 바람직한 방향성을 모색하는 의미 있는 시간 가져 보셨으면 합니다.

19. 장 지글러,
『왜 세계의 절반은 굶주리는가』(1999)

　여러분은 굶주린 아이가 배고픔에 지쳐 진흙빵을 먹는 영상을 본 적이 있나요? 세계 곳곳에서 빈곤과 기아로 신음하는 이들의 참상을 직시하게 만드는 안타까운 장면이죠. 지구 한쪽에서는 비만이 사회 문제로 여겨지고 풍요롭다 못해 음식물 쓰레기가 넘쳐나는 반면, 다른 한쪽에서는 먹을 것이 없어 영양실조로 죽어가는 사람들이 넘쳐나는 비극은 도대체 왜 사라지지 않는 걸까요?

　세계의 많은 이들이 기아로 고통받는 이들의 모습을 보며 가슴 아파하고 연민을 느끼면서도, 그들의 고통이 왜 끝없이 반복되는지에 대해서까지는 생각이 미치지 못하죠. 그들이 단지 운이 나빠서, 게을러서, 불리한 자연 조건을 타고나서, 식민 지배를 받았던 선조들의 자손이라는 등의 이유로 지옥 같은 가난과 굶주림의 희생양이 되어야 하는 걸까요? 아니면 그 배후에 빈곤과 기아를 존속시키는 체계적이고 구조적인 원인이 존재하는 걸까요?

장 지글러(Jean Ziegler, 1934~)

여기, 저개발국의 빈곤과 기아 문제가 철저히 구조적인 현상이라고 주장하는 학자가 있습니다. 바로 스위스 출신의 사회학자 장 지글러(Jean Ziegler, 1934~)입니다. 그는 자신의 대표 저작 『왜 세계의 절반은 굶주리는가(La Faim Dans Le Monde Expliquée A Mon Fils)』(1999)에서 심각한 굶주림의 문제를 존속시키는 체계적인 원인에 대해 다각도로 분석하고 있죠. 그는 특히 강대국들의 이기적인 국익 추구로 인해 부(富)와 권력의 불평등 구도가 갈수록 심화되고, 이에 더해 이윤 추구에 혈안이 된 다국적 기업들의 횡포로 피해를 입는 기아 인구가 갈수록 늘어간다는 점을 지적하고 있습니다. 그는 2000년부터 2008년까지 UN 인권위원회(United Nations Commission on Human Rights) 식량특별조

사관으로 활동한 경험을 바탕으로, 세계 기아 문제의 실태와 근본 원인에 대해 그의 아들에게 조목조목 설명해 주는 문답 형태로 논의를 전개합니다.

우선 그는 기아에 대한 잘못된 인식을 바로잡는 것에서부터 논의를 시작합니다. 누군가는 굶어죽는 것이 '자연의 섭리'라거나, 혹은 '운 나쁜 이들의 어쩔 수 없는 운명'이라고 세뇌시키려 하는 인종차별주의자들의 주장을 언급하면서 그는 이러한 주장이 왜 잘못되었는가에 대해 논박합니다. 지구에 현재보다 두 배나 많은 인구도 먹여 살릴 수 있는 식량이 생산되고 있음에도 불구하고, 식량이 제대로 분배되지 않아 부당하게 기아에 시달리는 이들이 늘어나고 있는 현실을 지적하면서 말이죠.

인종차별주의자들의 비인간성

이와 관련해 지글러가 강력하게 비판하고 있는 영국의 성직자 맬서스(Thomas Robert Malthus, 1766~1834)는 1798년의 저작 『인구론(An Essay on the Principle of Population)』에서 자연도태설을 내세운 바 있죠. 세계 인구는 기하급수적으로 성장하여 25년마다 두 배가 되지만, 식량은 산술급수적으로 증가하여 인구의 증가 속도를 따라잡지 못하므로, 가난한 가정은 자발적으로 산아제한을 해야 하며, 가난한 사람들에 대한 사회보조나 지원을 중단해야 한다는 것이 맬서스의 핵심적인 주장이에요. 질병과 배고픔은 가슴 아픈 일이기는 해도 지구상의 인구를

토머스 맬서스(Thomas Robert Malthus, 1766~1834)

조절하는 자연적인 수단이라는 거죠. 지글러는 맬서스의 이러한 주장을 다음과 같이 강력하게 비판하고 있어요.

서구의 부자 나라 사람들을 사로잡고 있는 신화가 있어. 그것은 바로 자연도태설이지. 이것은 정말 가혹한 신화가 아닐 수 없단다. 이성을 가진 대부분의 사람들은 인류의 6분의 1이 기아에 희생당하는 것을 너무도 안타까워해. 하지만 일부의 적지 않은 사람들은 이런 불행에 장점도 있다고 믿고 있단다. 그러니까 점점 높아지는 지구의 인구밀도를 기근이 적당히 조절한다고 보는 거야. 너무 많은 인구가 살아가고 소비하고 활동하다 보면 지구는 점차 질식사의 길을 걷게 될 텐데, 기근으로 인해 인구가 적당하게 조절되고 있다고 믿는 것이지. 그런 사람들은 기아를 자연이 고안해 낸 지혜로 여긴단다. 너무 많아진 인구로 인해 나타날 치명적인 영향과 산소 부족으로 우리 모두가 죽지 않도록 자연이 스스로 과잉 생물을 주기적으로 제한한다는 거야.

맬서스 이론은 근본적으로 틀렸지만, 심리적 기능을 충족시키거든. 날마다 기아에 시달리는 사람들과 구호시설에서 웅크린 채 죽어가는 아이들, 수단의 덤불 속을 비쩍 마른 몸으로 뛰어다니는 아이들을 보는 것은 일반적인 감성을 가진 사람들에게는 참을 수 없는 일이거든. 그래서 양심의 가책을 진정시키고, 불합리한 세계에 대한 분노를 몰아내기 위해 많은 사람들이 맬서스의 신화를 신봉하고 있어. 끔찍한 사태를 외면하고 그에 대해 무관심하게 만드는 사이비 이론을 말이야.

경제적 기아와 구조적 기아

지글러는 기아를 '경제적 기아'와 '구조적 기아'로 구분하고 있어요. 우선 '경제적 기아'란, '돌발적이고 급격하며 일시적인 경제적 위기로 인해 발생하는 기아'를 의미하죠. 예를 들어 가뭄이나 허리케인이 덮쳐 마을과 경작지, 도로, 수원지가 파괴되거나, 혹은 전쟁으로 집들이 불타고, 사람들이 거리로 내몰리고, 상점들이 파괴되고, 다리가 폭파되는 등의 재해가 발생할 경우, 갑작스럽게 식량이 바닥나고 수백만의 인구가 금세 굶어 죽을 위기에 처하게 되죠. 이런 상황에서 국제적인 도움의 손길이 재빨리 미치지 않으면 많은 사람들이 굶주려 사망하게 되는데, 이것을 '경제적 기아'라고 지칭하고 있어요.

다음으로 '구조적 기아'란, '장기간에 걸쳐 식량 공급이 지체되는 경우' 발생하는 기아를 의미하죠. 쉽게 말해 '구조적 기아'란, 외부적인 재해로 발생하는 것이 아니라 그 나라를 지배하는 사회구조로 인해 빚어지는 필연적인 결과라고 할 수 있어요. 이를테면 어떤 나라의 저조한 경제발전 속도로 인해 누적적으로 발생하는 생산력 저하, 급수설비나 도로 등 인프라의 미정비, 혹은 극빈층의 증가와 같이 단기간에 뿌리 뽑히기 어려운 원인들로 인해 발생하는 기아가 바로 '구조적 기아'죠. 이런 경우에 사람들은 비타민 결핍이나 단백질 부족에 따른 소아 영양실조 등의 다양한 질병을 앓으며 서서히 죽어가게 된다고 지글러는 설명하고 있어요.

　지글러에 따르면 '경제적 기아'와 '구조적 기아' 모두 해결이 쉽지 않죠. 우선 '경제적 기아'의 경우, 긴급구호 등의 조치를 통해 신속하게 충분한 식량을 배급하면 해결될 것 같아 보이지만, 현실은 녹록지 않다고 그는 설명해요. '경제적 기아'의 희생자들이 적시에 구호단체의 도움을 받지 못하는 까닭은 다양하죠. 제3세계의 많은 정부들이 사태파악을 소홀히 하거나 쓸데없는 자존심을 부리며 자국의 상황을 외부에 알리지 않는 경우가 많고, 설령 국제지원조직이 뒤늦게나마 기아의 실태를 파악했다고 해도 실제로 구호품과 해당 인력이 현지에 도착하기까지 상당한 시간이 걸리는 경우가 많으며, 굶주림에 오랫동안 시달린 주민들을 회복시키기 위해서는 대단히 전문적이고 신중한 처방과 치료가 행해져야 하는데 잘못된 진단과 무분별한 영양공급이 오히려 그들에게 해가 되는 경우가 빈번하게 발생하기 때문이죠.

　다음으로 '구조적 기아'의 경우 상황은 훨씬 더 복잡하다고 지글러는 설명합니다. '경제적 기아'와 달리 '구조적 기아'는 굶주린 사람들이 먹을 것을 찾아 헤매거나 난민 캠프 앞에 길게 줄을 늘어서는 등의 눈에 띄는 현상으로 드러나지 않기 때문이죠. '구조적 기아'로 인해 체력과 면역력이 약해진 탓에 아프리카, 아시아, 라틴아메리카에서 수십만 명의 아이들이 비타민A 부족으로 시력을 잃고 있고, 특히 아프리카에서는 매년 16만 5,000명의 여성이 출산 중에 사망하고 있다는 점을 그는 지적하고 있어요. '구조적 기아'는 또 선진국에는 없거나 이미 오래전에 퇴치된 전염병이나 질병이 창궐하는 것으로도 그 모습을 드러낸다고 그는 다음과 같이 설명하고 있어요.

> 예를 들어 쿼시오커(Kwashiorkor: 단백질 결핍 쇠약증)나 기생충 감염증 같은 것도 그런 거야. 쿼시오커는 사람의 신체를 서서히 손상시키는 질병으로 주로 어린아이들에게 찾아오는데, 이 병에 걸리면 성장이 멈추게 되지. 처음에는 머리카락이 붉어지다가 나중에는 점차 빠지면서 배도 불러오고, 이가 흔들리다가 빠지게 되고, 이런 식으로 서서히 죽어가게 된단다. 또 다른 문제는 제3세계의 많은 사람들을 속에서 갉아먹는 기생충들이야. 혹시 남아시아나 아프리카, 페루, 브라질 등의 대도시 주변에 쌓여 있는 쓰레기 더미를 사진으로라도 본 적이 있니? 도시의 부자들이 내다 버린 쓰레기 더미들 말이야. 날이 밝으면 굶주린 사람들이 그 위로 몰려가 날카로운 곡괭이로 쓰레기를 뒤진단다. 고기 조각이나 동물의 시체, 빵조각, 반쯤 썩은 채소, 말라 비틀어진 과일 등을 발견하면 가지고 다니는 비닐봉지에 담아. 이렇게 구한 먹을거리를 빈민가에 사는 가족들에게 가지고 가는 거야. 그들은 이

런 식으로 하루하루를 연명하고 있단다. 하지만 그런 것들이 곧 그들의 몸을 공격하지. 무엇보다도 기생충이 주범이야.

기아를 존속시키는 정치와 경제의 비정한 논리

이어 지글러는 '경제적 기아'와 '구조적 기아'의 해결을 어렵게 만드는 다양한 요인들을 지적하고 있어요. WFP(세계식량계획: United Nations World Food Programme)와 같은 국제기구는 본질적으로 강제력을 갖고 있지 않기 때문에, 아무리 효율적으로 운영되더라도 종종 그들의 영향권 밖에 있는 일들로 인해 활동이 실패로 돌아가게 되는 등의 한계를 내포하고 있죠. 이를테면 세계시장에서 거래되는 농산품 가격이 일부 곡물 메이저회사와 투기꾼들의 농간에 인해 인위적으로 부풀려지는 일이 자주 발생하는데, 이 때문에 UN이나 WFP와 같은 국제기구는 물론이고 인도적 지원단체, 그리고 만성적 기아에 시달리는 가난한 나라의 정부들이 곤욕을 겪을 수밖에 없다는 점을 그는 비판합니다.

그렇다면 "소위 '부자 나라'에서 남아도는 곡물과 육류를 가난한 나라의 굶주리는 아이들에게 보내면 되지 않는가?"라는 질문에 대해, 지글러는 다음과 같이 답하고 있어요. 결국 국가들은 자국의 이익을 최우선시하기 때문에, 국내의 농산물 생산자들을 살리기 위해 최저가격을 보장하는 행위를 우선적으로 취하지 않을 수가 없다는 거죠. 이 때문에 각국에서 농산물이 남아돌아서 가격이 폭락하기 전에 건강한 소들을 도살하여 불태우고 곡물을 폐기처분하는 행위가 일어나고 있는 현실을 지글러는 지적해요. 세계정부가 존재하지 않기에 각 국가의 내정에 누구도 간섭할 수 없고, 식량의 가격이나 생산량의 결정, 그리고 식량의 공평한 분배 등에 대해 FAO(식량농업기구: Food and Agriculture Organization of the United Nations)나 WFP와 같은 국제기구가 힘을 쓸 수 없는 비정한 국제정치의 논리가 적나라하게 드러나는 대목이죠.

이어 지글러는 국가들뿐만 아니라 다국적기업들도 기아의 확대 재생산에 일조하고 있다는 점을 비판합니다. 이와 관련해 그는 세계 제2위의 식품회사인 스위스의 네슬레(Nestlé)와 관련한 유명한 일화를 언급하고 있죠. 1970년 칠레의 대통령으로 선출된 살바도르 아옌데(Salvador Guillermo Allende Gossens, 1908~1973)는 심각한 영양실조 문제를 해결하기 위해 15세 이하의 모든 어린이들에게 하루 0.5리터의 분유를 무상으로 배급하겠다는 공약을 이행하고자 했어요. 그런데 당시 네슬레가 이 지역의 분유시장을 독점하고 있었기 때문에, 아이들에게 분유를 무상으로 배급하기 위해서는 네슬레와의 원활한 관계가 필요했죠. 이에 아옌데가 네슬레에 분유 거래를 제안했으나, 1971년 스위스의 네슬레 본사는 칠레와의 협력을 거부했어요. 그 까닭은 네슬레가 강대국이자 거대 시장인 미국의 눈치를 보았기 때문이죠. 당시 미국의 닉슨(Richard Milhous Nixon, 1913~1994) 대통령과 보좌관 헨리 키신저(Heinz Alfred Kissinger, 1923~)는 아옌데 정권의 반미정책과 다국적 기업에 대한 강제적인 국유화 조치를 못마땅해 하고 있던 차에 아예 칠레 경제를 고사시키고자 했어요. 키신저는 칠레에 대한 지원을 끊거나 운수업계의 파업을 배후에서 조종하고, 광산이나 공장의 태업을 부채질하는 식으로 갖가지 방법을 동원해 아옌데 정권을 괴롭혔죠. 이에 서구

칠레의 수도 산티아고에 세워진 살바도르 아옌데
(Salvador Guillermo Allende Gossens, 1908~1973)의 동상

의 많은 다국적은행이나 기업들처럼 네슬레 역시 아옌데 정권의 개혁
정책에 반기를 들고 나서면서 결국 칠레의 기아를 방조하는 결과가 초
래됐다는 거예요.

근본적인 기아 문제 해결을 위한 과제

한편 어떤 나라가 자급자족을 하기에 충분한 식량을 생산할 수 있
게 되더라도 실질적인 자주성과 독립성을 갖추지 못하면 아무런 소

용이 없다는 점 또한 지글러는 강조합니다. 이와 관련해 그는 부르키나파소의 5대 대통령을 역임한 상카라(Thomas Isidore Noël Sankara, 1949~1987)의 비극적인 사례를 들고 있어요. 1983년 대통령에 취임한 그는 철도건설 사업, 인두세 폐지, 개간 가능한 토지의 국유화 등 대대적인 개혁을 통해 농업 생산량 증대를 촉진하는 한편, 도로나 상수도 등의 인프라 투자와 농업교육 보급 및 지역 수공업 촉진 사업 등에 재정지출 비중을 확대했어요. 그 결과 부르키나파소는 4년 만에 식량을 자급자족하는 쾌거를 달성할 수 있었죠. 극도의 가난에 시달리던 부르키나파소의 국민들은 상카라의 개혁이 성공하면서 인간다움과 자부심을 되찾고 희망에 불타올랐지만, 이러한 고무적인 상황이 안타깝게도 오래 지속되진 못했어요. 여전히 정치부패에 시달리고 있던 이웃나라들, 이를테면 코트디부아르, 가봉, 토고 등 프랑스의 꼭두각시 정권들이 상카라의 개혁을 아니꼽게 여겼고, 결국 외국세력의 조종을 받은 자국 군부에 의해 상카라가 살해당했기 때문이죠. 그의 죽음과 함께 사람들의 희망도 무참히 깨져버렸고, 결국 만연한 부패, 외국에 대한 극단적 의존, 북부 지방의 만성적 기아, 방만한 국가재정, 기생적인 관료들, 신식민주의적 수탈과 멸시에 시달리던 과거로 되돌아갈 수밖에 없었어요.

결국 기아를 근본적으로 해결하기 위해서는 각국이 자신의 손으로 자신의 나라를 바로 세우고, 자립적인 경제를 스스로의 힘으로 이룩하는 과정이 반드시 선결되어야 한다는 것을 지글러는 목소리를 높여 강조합니다. 이윤 극대화에 골몰하는 극단적인 신자유주의 세력과 폭력적인 금융자본 등이 세계를 더욱 불평등하고 비참하게 만들고 있는 상황에서, 자국의 운명을 각자 스스로 책임져야 하는 것이 인정하기 싫더라도 엄연한 현실이기 때문이죠. 국제기구나 구호단체가 때때로 도움의 손길을 내밀더라도 결국은 헛수고로 끝나버릴 응급조치에 불과하다는 점을 그는 지적해요. 결국 근원적인 해결책은 국가 스스로가 주체적이고 독립적으로 바로 서는 것이라고 지글러는 강조합니다.

다만 저개발국들이 외부의 아무런 도움 없이 무(無)에서 유(有)를 창조해내기란 불가능하기 때문에, 선진국 및 국제기구의 적절한 지원이 이루어져야 하며 나아가 세계적인 연대 의식이 형성되어야 한다는 점을 그는 덧붙입니다. 기아 문제를 비정한 국제정치의 논리와 자유분방한 시장 원리에만 내맡길 수는 없다는 문제의식을 드러내며 그는 모두가 기아와 투쟁할 것을 다음과 같이 촉구하고 있어요.

우리 모두는 기아와 투쟁해야 한다. 기아문제를 시장의 자유로운 게임에만 방치할 수는 없다.

이에 세계경제의 모든 메커니즘은 한 가지 명령에 복종해야 한다. 한 가지 대전제는 바로 기아는 극복되어야 하며 지구에 거주하는 모든 사람은 충분한 식량을 확보해야 한다는 것이다. 이런 목표에 도달하기 위해서는 국제적 구조를 갖추고 규범과 협약을 마련해야 한다.

장 자크 루소(Jean-Jacques Rousseau, 1712~1778)는 『사회계약론』에서 "약자와 강자 사이에서는 자유가 억압이며 법이 해방이다."라고 썼다. 시장의 완전한 자유는 억압과 착취와 죽음을 의미한다. 법칙은 사회 정의를 보장한다. 세계시장은 규범을 필요로 한다. 그리고 이것은 민중의 집단적인 의지를 통해 마련되어야 한다.

이 시대의 급박한 과제는 경제에 대한 잘못된 인식에 맞서 싸우는 것이

다. 그것은 경제의 유일한 견인차는 이윤지상주의라는 입장과 신의 보
이지 않는 손에 맡겨두면 유토피아가 도래할 것이라는 생각이다.

시카고의 곡물거래소는 문을 닫아야 하고, 협의 등을 거쳐 제3세계에
대한 식량 공급로가 확보되어야 하며, 서구 정치가들을 눈멀게 만드
는 어리석은 신자유주의 이데올로기는 폐지되어야 한다.

인간은 다른 사람이 처한 고통에 아파할 수 있는 유일한 생물이다.

인간을 살리는 것은 인간이어야 한다

지글러가 이 책을 통해 진지하게 촉구하는 것은 정치와 경제 논리
에 대한 성찰과 반성이죠. 약육강식의 냉혹한 국제정치 질서와 무한경
쟁을 부추기는 신자유주의적 경제 원리가 세계를 지배할수록, 모두의
생존을 위해 인류는 좀 더 인간다워져야 한다고 그는 부르짖고 있어요.
미국이 생산할 수 있는 곡물 생산만으로도 전 세계 사람들이 먹고 살 수
있고, 프랑스의 곡물 생산으로 유럽 전체가 먹고 살 수 있는 시대에, 지
구 한편에선 먹을 것이 없어 굶어 죽는 사람들이 이토록 많다는 것은 상
식적으로 납득하기 어려운 문제라는 거죠.

UN에서 수년 간 발로 뛰며 현장을 누빈 경험자로서 국제기구의 한
계에 대해 누구보다 잘 알고 있을 그이기에, '이대로는 안 된다'라는 절
실한 문제의식, 그리고 '모두에게 이 문제를 알려야 한다'는 사명감이
행간에서 더욱 뚜렷하게 읽힙니다. 그가 FAO의 실상에 대해 다음과 같
이 언급하는 부분은 특히 눈여겨 볼 필요가 있죠.

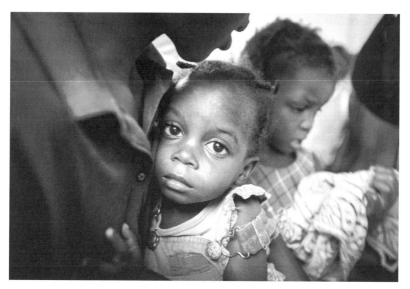

호주의 사진작가 알렉스 프로이모스(Alex Proimos)의 작품 「기아의 눈(Eyes of Hunger)」(2012)

FAO 역시 어쩔 수 없는 정치적 조직이야. 되도록 자기네 직원들의 전문적인 능력을 키워주고 싶어 하거든.

FAO는 UN이 창립총회를 가진 지 6개월 만인 1945년 10월에 창설되었어. 오늘날 세계 191개국이 이 기구에 가입되어 있지. FAO는 회원국, 특히 선진국들의 지원으로 운영되고 있어. 1999년을 기준으로 미국이 25퍼센트, 일본이 18퍼센트, 프랑스와 독일이 각각 약 10퍼센트를 지원했고, 스페인과 캐나다가 각각 3퍼센트, 스위스, 오스트레일리아, 브라질이 각각 2퍼센트를 부담했지. FAO는 「World Food Surveys」라는 세계적으로 잘 알려진 자료를 공표하고 있는데, 기아의 실태를 조금은 덜 심각하게 보거나 약간의 낙관주의를 확산시키려 한다는 사실을 알아둘 필요가 있어.

대규모 지원국은 대체로 민주주의 국가들이야. 그런 나라들에서 여론은 아주 결정적인 역할을 하지. 그래서 FAO는 미래를 낙관적으로 전망하는 수밖에 없단다. 그렇게 하지 않으면 FAO에 지원하는 것이 쓸데없는 일로 여겨져, 부유한 국가들이 좀처럼 상당한 액수의 자금을 지원하려 들지 않을 테니까 말이야. 그러니까 그런 식으로 현실을 미화할 수밖에 없단다.

지글러는 기아 문제를 해결하는 일이 단지 관료나 전문가들의 영역에 한정되지 않음을 분명히 하면서, 기아에 대해 정규 수업을 편성하여 가르치지 않는 학교 교육에 대해서도 쓴소리를 가합니다. 그는 기아 상황을 파악하고, 그 원인이 무엇인지 분석하고, 문제를 어떠한 방법으로 해결할 수 있을지에 대해 토론하는 수업 등을 통해 학생들에게 기아 문제에 대한 비판의식을 조기에 심어주어야 한다고 주장해요. 모호한 이상을 설파하거나 현실과 동떨어진 인류애를 주입하는 등의 뜬구름 잡는 정서적 접근은 아무런 도움이 되지 않는다는 거죠. 기아를 초래하는 구체적인 원인과 결과에 대한 세부적이고 정확한 분석과 고찰을 유도하는 체계적인 교육이 반드시 필요하다고 그는 강조합니다.

자, 어떠신가요? 기아 문제가 생각보다 복잡하고 난해한 문제라는 점이 와닿지 않으시나요? 하지만 그렇다고 해서 이 문제를 전문가들의 손에만 맡겨두고 도외시한다면 더욱 해결이 요원해진다는 사실 또한 명확하죠. 결국 지글러가 촉구하듯이 지구상의 빈곤과 기아 문제는 모두의 관심을 필요로 한다는 점은 자명합니다. 비정한 정치와 경제 논리를 넘어서 배고픔 없는 세상을 만들기 위해서는 모두의 숙고와 토의를 통해 바람직한 방향을 찾아가는 것이 중요하겠죠. 결국 인간을 살리는 것은 인간이어야 한다는 진리를 이 책은 우리에게 말해주고 있습니다.

　여러분도 이 책 『왜 세계의 절반은 굶주리는가』를 읽으며 기아의 원인과 해법에 대해 나름의 생각을 정립해 보는 소중한 시간 가져보시기를 권합니다.

20. 앨빈 토플러, 『부의 미래』 (2006)

여러분은 10년, 20년 후의 미래를 상상해 본 적이 있나요?

세상이 변화하는 속도가 점차 빨라지면서 당장 1,2년 후의 변화상도 쉽사리 예측하기 힘든 요즈음이죠. 이처럼 미래를 예견하기가 어려워지는 만큼, 양질의 정보를 습득하고 미래상을 정확히 예측하는 능력이 곧 부(富)와 권력으로 연결되는 시대에 우리는 살고 있습니다. 예전에는 "시대를 너무 앞서갔다."라는 표현에 아쉬움이나 비판과 같은 부정적인 의미가 깃들어 있었던 반면, 오늘날에는 시대를 선도하는 '트렌드 세터(trend setter)'를 선망하고 지향하는 사회 분위기가 자리잡혀 있죠. 서점의 베스트셀러 코너에서 유독 미래를 예측하는 서적들, 특히 경제의 흐름과 산업의 변화상을 분석하고 예견하는 책들을 가장 흔하게 접할 수 있는 이유도 바로 여기에 있는 거고요.

앨빈 토플러(Alvin Toffler, 1928~2016)

수많은 미래 예측이 여기저기서 쏟아져 나오고 있는 정보 홍수의 시대, 눈여겨 봐야 할 미래학의 고전이 있습니다. 바로 미국의 미래학자이자 사회학자인 앨빈 토플러(Alvin Toffler, 1928~2016)의 『부의 미래(Revolutionary Wealth: How It Will Be Created and How It Will Change Our Lives)』(2006)입니다. 책의 제목이 매우 직관적이고도 심플하죠? 이 책은 지식 기반 경제가 고도화됨에 따라 부의 창출 시스템이 어떻게 변화할지, 그리고 그것이 우리의 삶을 어떻게 변화시킬지에 대해 경제학·경영학·정치학·사회학·인류학 등 사회과학 분야를 비롯해 물리학·공학·의학 등 다양한 부문의 사례들을 들어 구체적으로 제시하고 있는 방대한 분량의 서적입니다.

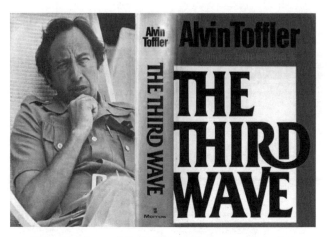

앨빈 토플러가 1980년 출간한 『제3의 물결(The Third Wave)』 초판

혁명적 부의 원천: 시간, 공간, 지식

이 책의 저자인 앨빈 토플러는 1980년 출간한 『제3의 물결(The Third Wave)』이라는 책으로 전 세계적인 유명세를 얻은 미래학자죠. 그는 이 책에서 20세기 후반의 정보혁명과 21세기 정보사회를 예견하여 선풍적인 화제를 일으킨 바 있어요. 그는 제1의 물결인 농업혁명, 제2의 물결인 산업혁명에 이은 제3의 물결로서 정보혁명을 예측했고, 그것이 차츰 현실화되자 대대적인 주목을 받게 되었죠. 그는 1950년대 후반부터 산업사회에서 정보사회로의 변혁이 일어나기 시작했다고 분석하면서, 20세기 후반의 탈대량화, 다양화, 지식 기반 생산의 트렌드를 예측했어요. 그리고 그는 1990년에 펴낸 『권력 이동(Power Shift)』에서 앞으로는 권력의 본질 자체가 변화할 것이며 그 궁극적인 수단으로

서 지식을 보유한 사람들이 세계를 지배할 것이라는 혁명적인 주장을 펼치기도 했죠.

그로부터 16년 후에 쓰여진 이 책『부의 미래』에서 토플러는 기존에 제시한 이론의 연장선상에서 한 걸음 더 나아간 미래를 예측하고 있어요. 이제까지의 흐름은 제3의 물결의 서막에 불과했으며, 향후 더욱 광범위하고 거대한 변화가 도래할 것이라는 전제 하에 부문별 변화상을 면밀히 분석하고 있죠. 앞으로 지식 기반 경제의 급진전이 가속화될 것이며, 지식이 미래를 이끌 부를 창출할 핵심적인 요인으로 작용할 것이라고 주장하고 있는 책이 바로 이 책,『부의 미래』입니다.

토플러는 구체적으로 '시간, 공간, 지식'이 앞으로 미래 사회를 주도할 혁명적인 부를 만들어낼 근본 요인이 될 것이라고 주장하고 있어요. 이 세 가지 핵심축을 기반으로 다양한 변수들이 절묘하게 조합되어야만 폭발적인 부를 창출해 낼 수 있는 발화점에 도달할 수 있다는 거죠. 그럼 구체적으로 시간, 공간, 지식의 구체적인 요건에 대해 토플러가 어떻게 설명하고 있는지 하나씩 짚어 보도록 할게요.

사회 시스템의 속도

우선 시간과 관련하여, 토플러는 부의 창출 시스템과 그를 뒷받침하는 사회 시스템의 속도가 맞아떨어져야 한다고 주장하고 있어요. 실제로 사회 제도나 정책과 같은 사회 시스템은 기업의 변화 속도보다 현저히 느린 경우가 많기 때문에 부와 지식의 창출이 방해받고 여러 사회

문화적 갈등이 발생하게 된다는 점을 그는 지적하죠. 일례로 미국의 경우, 기업은 시속 100마일로 신속히 변화에 적응하지만, 노동조합은 30마일, 정부관료조직은 25마일, 정치 시스템은 시속 3마일, 법체계는 시속 1마일의 속도로 움직이면서 기업의 바짓가랑이를 잡고 늘어진다고 비유되고 있어요. 이처럼 경제 발전의 속도를 사회 제도나 정책 등이 따라가지 못하면 부의 창출에 심대한 지장이 발생할 수밖에 없다고 주장하면서 토플러는 시간 요소의 중요성을 강조하고 있어요.

> 수십 년간 각종 비판으로부터 자기 자신을 방어하고 변화를 지체시키는 데 능력을 발휘해 온 피라미드식 정부 관료조직이 세계 각국의 일상사를 관리하고 있다. 정치인들은 아무리 진부하고 무익한 것이라 해도 새로운 관료제를 수립하기보다 구(舊)관료제를 타파하는 일이 훨씬 어렵다는 사실을 안다. 그들은 스스로 천천히 변화할 뿐만 아니라 빠르게 바뀌는 시장 조건에 반응하는 기업의 속도마저 떨어뜨린다.
>
> 진보된 경제에 직접적인 영향을 미치는 저작권, 특허권, 사생활 보호와 같은 분야의 주요 법들 또한 한심하게도 시대에 뒤처져 있다. 그야말로 지식 경제는 이런 법 때문에 생겨나는 것이 아니라 이런 법률에도 불구하고 생겨나고 있다. 이는 안정성도 부동성도 아니다. 법조계 사람들은 일하는 방식을 바꿔 가고 있지만 법 자체에는 거의 변화가 없다.
>
> 이러한 조직과 그들의 상호 작용을 살펴보면 오늘날 당면한 문제는 급격하게 가속화되는 변화만이 아니라, 빠르게 성장하는 신(新)경제의 요구와 구(舊)사회의 타성적인 조직구조가 일치하지 않기 때문에

생겨났음을 알 수 있다. 초스피드의 21세기 정보-생물학적(info-bio-logical) 경제가 지속적으로 발전할 수 있을까? 아니면 기능 불량을 일으키는 진부한 느림보 조직들이 그 전진을 멈춰 서게 할 것인가?

아마 관료주의, 정체된 법원, 근시안적인 입법, 규제에 의한 방해와 병적인 점진주의는 그 대가를 지불해야 할 것이다. 즉 무엇인가를 내주어야 하는 상황이 나타날 것이다. 너무나 많은 부분에 관련되어 있으면서도 비동시화되어 있는 조직들의 시스템적인 역기능은 가장 까다로운 난제로 다가올 것이다.

지식기반 경제의 지각변동

다음으로 공간과 관련하여, 지식 기반 경제에서 물리적 거리의 중요성이 감소하여 부의 창출이 세계 무대를 기반으로 이루어진다는 점을 토플러는 강조합니다. 이는 그간 국경의 제약에서 자유롭지 못했던 개인과 기업, 또는 시민단체의 활동범위가 비약적으로 확장된다는 점을 의미하죠. 여기서 중요한 사실은, 이 과정에서 국가별로 적응 속도에 차이가 생기게 되고, 이 때문에 국가 간 이해관계의 충돌과 갈등이 빚어지게 된다는 거죠. 이 과정에서 특정 국가에 대한 반감이 생기기도 하고, 기존의 패권과 부의 중심축이 다른 대륙으로 이동하는 '지각변동' 현상이 발생하기도 하고요. 구체적으로 토플러는 세계 곳곳에서 반미(反美)감정이 점증하고 있다는 점을 지적하면서, 향후 부의 중심축이 중국과 인도를 중심으로 한 아시아 대륙으로 이동하는 지각변동이 이루어질 것이라고 예견하고 있어요.

새로운 경제 네트워크가 부상하면서 공간적 단위와 상호 관계도 변화하고 있다. 지방정부와 중앙정부의 관계보다 상호 연계된 공항 생태계가 더욱 더 중요해지고 있다. 그레그 린제이(Greg Lindsay)는 『광고시대(Advertising Age)』에서 쇼핑 센터, 컨퍼런스 센터, 24시간 연중 무휴로 운영되는 체육관, 교회, 우체국, 치과, 병원, 옥상 수영장, 고급 호텔로 둘러싸인 공항 생태계에 대하여 항공세계(Airworld)라고 칭하기도 했다.

고부가가치 장소를 창조하려는 경쟁은 미국에서만이 아니라 모든 지역에서 발생한다. 이들 지역은 지식 집약적이고 부가가치가 높은 상품을 생산할 수 있는 똑똑하고 창의적인 노동력을 유인하고, 세계 각지의 비즈니스를 끌어들일 수 있는 장소를 창출하기 위해 경쟁한다. 이렇듯 아시아를 향한 부의 역사적인 이동, 다양한 경제 기능의 디지털화, 국경을 넘어서는 지역의 출현, 장소와 위치의 가치를 판단하는 기준의 변화와 같은 모든 현상들이 심층 기반인 공간과 관계된 커다란 변화의 일부분이다.

지식의 취사선택 능력

마지막으로 지식과 관련하여, 토플러는 지식을 '미래의 석유(To-morrow's Oil)'라고 칭하면서 지식이 미래 세계를 굴러가게 만들 핵심

동력이라는 점을 강조하고 있어요. 산업사회에서 석유가 기계와 운송 수단 등의 작동에 핵심적인 기능을 수행하듯, 지식 기반 사회에서는 지식의 창출과 저장, 효율화와 확산의 메커니즘이 부의 창출에 지대한 역할을 맡게 된다는 거죠. 오늘날 지식을 창출하고 저장하는 방식이 컴퓨터, 위성, 휴대전화, 인터넷, 기타 디지털 기술의 확산으로 급격하게 변화하고 있고, 지식이 쇠퇴하는 속도, 지식의 정당성을 판단하는 방식, 지식을 더욱 유용하게 사용하는 도구, 지식이 표현되는 언어, 지식이 조직되는 특수성과 추상성의 정도, 지식에 대한 유추, 수치화되는 양, 이를 확산시키는 대중매체까지 빠르게 바뀌고 있다는 점을 그는 지적하면서, 사상 초유의 속도로 동시다발적으로 변화하며 부를 창출하는 새로운 방법을 제시하는 지식을 선점하는 것이 관건임을 강조하고 있어요.

그는 부를 창출하는 지식의 영향력이 그간 과소평가되어 왔음을 지적하면서 석유와 지식의 근본적인 차이점에 대해 서술하고 있어요. 직관적으로 말해 석유는 쓸수록 줄어들지만 지식은 사용할수록 더 많이 창조된다는 결정적인 차이가 존재한다는 거죠. 지식은 본질적으로 무한하며, 이 차이 하나만으로도 주류 경제학의 많은 부분이 무용지물이 되어 버린다고 그는 단언해요. 지식은 '누가 어떻게 부를 손에 넣느냐'하는 중대한 문제에 막대한 영향을 미치기 때문에, 세금, 회계, 사생활 보호 및 지적재산권에 대한 법규는 끊임없이 수정되고, 경쟁이 치열해지고 혁신이 가속화되며, 규제를 가하던 법규들은 진부해지고 시장, 경영 방법은 끊임없는 혼란 속에서 변화하게 된다는 점을 그는 지적합니다. 모든 산업과 부문들이 대량생산, 대량소비 사회에서 벗어나 고부가가치를 지닌 개인화된 상품, 서비스, 경험으로 이동해 가고 있고, 무엇보다 지식 측면에서의 이러한 변화는 복잡한 혼란 상황에서 더 민첩하게 영리한 의사결정을 내릴 것을 요구한다고 토플러는 강조하고 있어요.

그는 이러한 흐름 속에 특히 '쓸모 없는 지식(obsoledge)'을 걸러내고 진실을 취사선택할 수 있는 능력의 중요성을 강조하고 있어요. 정보 기술의 발달과 미디어의 폭증이 야기한 정보 홍수의 시대, 가짜 뉴스와 선동이 판치는 요즘 세상에서, 정확한 지식과 정보에 대한 선별 능력을 갖는 것은 부의 창출에 영향을 미칠 뿐 아니라 생존의 문제로도 직결된다고 그는 지적해요. 옳고 그름을 판별하는 가치 기준이 모호해지고 객관적인 팩트조차도 정확히 파악하기 어려워지는 불확실성의 시대에, 개인과 사회, 그리고 국가가 미래의 부를 거머쥐기 원한다면 유용한 지식을 선별해낼 수 있는 능력을 갖추는 것이 무엇보다 중요하다는 거죠.

> 디지털 데이터베이스건 두뇌 속이건, 지식이 저장된 곳은 어디나 무용지식으로 가득 차 있다. 흡사 필요 없는 물건으로 가득 차 있는 에밀리 아줌마네 다락방 같다. 사실이나 아이디어, 이론, 이미지, 통찰은 변화에 의해 뒤처지거나 나중에 더 정확한 진실이라 여겨지는 것으로 대체되기 마련이다. 무용지식은 모든 사람, 기업, 조직, 사회의 지식 토대에서 큰 부분을 차지한다.
>
> 변화가 더욱 빨라지면서 지식이 무용지식으로 바뀌는 속도 역시 빨라지고 있다. 끊임없이 지식을 갱신하지 않는 한 직장 생활을 통해 쌓은 경력의 가치도 줄어들고 만다. 어떤 데이터베이스를 완성할 때쯤이면 그것은 이미 시대에 뒤떨어진 것이 되고 만다. 책도 마찬가지로 출판될 때쯤에는 이미 구식이 된다. 0.5초가 지날 때마다 투자, 시장, 경

쟁사, 기술과 고객 욕구에 대한 우리의 지식은 정확성이 감소한다. 결과적으로 오늘날 기업과 정부, 개인은 알게 모르게 전보다 더 쓸모없어진 지식, 즉 변화로 인해 이미 거짓이 되어 버린 생각이나 가정을 근거로 매일 의사 결정을 내리고 있는 것이다.

부문 간 경계를 허무는 융합(convergence)

급변하는 흐름 속에서 지식의 지도는 끊임없이 변화하는 패턴을 담은 불안정한 모음집이 될 것이라고 강조하면서 토플러가 제시하는 해법은 바로 '융합'이에요. 철학, 수학, 과학 등 학문 간 경계가 모호했던 고대와 달리, 중세를 넘어 현대로 올수록 지식의 각 부문은 분화되고 특화되어 왔죠. 수십 개의 단과대학과 학과들로 나누어진 현 대학교육 시스템이 이러한 지식의 분화와 특화를 대변합니다. 하지만 지식 기반 사회에서는 다방면에 걸친 지식에 대한 수요가 늘어날 것이며, 이러한 지각 변동이 교육, 보건, 직업, 관료 체계 전반을 변화시킬 것이라고 토플러는 지적하고 있어요. '밥그릇 싸움'의 결과로 기존의 전문화된 지식 조직화의 혜택을 누려왔던 이들의 저항과 반발에도 불구하고, 이미 전 세계적으로 통섭(Consilience)과 융합의 트렌드가 거스를 수 없는 대세로 자리잡았다는 거죠.

심층적으로 특화된 분야들이 그간 많은 연구성과와 이득을 낳기는 했지만, 반면에 놀라움과 상상력을 없애버렸다는 점을 지적하며 토플러는 융합의 필요성에 힘을 싣고 있어요. 그는 이전에 없던 아이디어와 개념, 데이터와 정보, 지식을 새로운 방식으로 결합할 때 상상력과 창의력이 생겨날 수 있다고 주장하면서, 지식 노동자들이 폭넓고 다양한 개인의 경험과 노하우를 끌어모아 일시적이면서도 새로운, 기존과는 다른 유추 방법을 사고와 의사결정 체계로 가져올 것을 촉구하고 있어요. 그동안 과도하게 전문화된 지식으로 인해 잃어버린 것들을 새로운 융합 시스템을 통해 향상된 창의력과 상상력으로 보상받게 될 것이라고 부연하며 말이죠.

> 연관성이 없어 보이던 새로운 사실이나 아이디어, 통찰력을 새롭게 결합하는 것이 창의력이라면, 이러한 발굴과 조합은 기술 혁신의 근본적인 부분이다.
>
> 이와 같은 변화를 한데 모아 데이터, 정보, 지식을 더 작은 덩어리로 분리하고, 더 깨지기 쉬운 형태로 만들어 다른 식으로 분류하고, 경우의 수를 증식시켜 더욱 빠른 속도로 새로운 모델을 도입하여 보다 차원 높은 추상적인 수준으로 이어나가게 된다. 이는 단순히 많은 지식을 축적하는 것과는 분명히 다르다.
>
> 여기에 경제적 사고와 과학에서 일어날 수 있는 위기를 추가하면 경제뿐만 아니라 문화, 종교, 정치, 사회에 이르기까지 우리가 역사상 가장 빠른 지식의 대량 재조직화의 한가운데 있음이 자명해진다. 동시에 세계적 지식 기반에 의존하여 개인과 국가의 부를 형성하고 있는 것이다.
>
> 확장하는 유기체로서 경제가 어떤 지름길 또는 가시밭길을 택하게 될지, 그리고 궁극적으로 우리를 어디로 이끌어 갈지는 알 수 없다. 인

류의 시간, 공간, 지식과 다른 심층 기반들과의 관계에서 벌어지는 변화를 모두 합해도, 우리는 오늘 벌어지는 놀라운 혁명의 윤곽만을 어렴풋이 읽어 낼 수 있을 뿐이다. 그 너머를 보기 위해서 우리는 단순히 눈앞에 보이는 경제만이 아니라 부상하는 부 창출 시스템의 숨어 있는 절반에서 벌어지는 놀라운 변화를 바라보아야 한다. 이 탐험의 첫발을 떼지 않으면 우리 개개인과 사회는 손에 쥐고 있는 엄청난 잠재력을 알지 못한 채 비틀비틀 내일로 들어서게 될 것이다.

미래 경제의 이름 없는 영웅, 프로슈머(prosumer)

부문 간 경계를 허무는 융합화의 연장선상에서 토플러가 제시하고 있는 또 하나의 개념은 바로 '프로슈밍(prosuming)'이죠. 프로슈밍이란 개인 또는 집단이 스스로 생산(produce)하면서 동시에 소비(consume)하는 행위로서, 이로부터 '프로슈머', 즉 판매나 교환을 위해서가 아니라 자신의 사용이나 만족을 위해 제품, 서비스 또는 경험을 생산하는 이들을 지칭하는 개념어가 파생되죠. 교통수단, 커뮤니케이션, IT의 발달로 세계가 가까워지고 공간과 관계 지형이 변화하면서, 지구 반대쪽에 사는 타인과 경험과 가치를 공유하기 위해 대가를 받지 않고 가치를 창조하는 행위가 활발히 일어나고 있음을 토플러는 지적하고 있어요. 그의 예측이 옳았음을 우리는 현실에서 확인할 수 있죠. 인스타그램, 블로그, 유튜브 등 각종 소셜 네트워크 서비스(SNS)를 통해 제품 리뷰, 북리뷰, 영화 감상 후기 등이 활발하게 공유되고 있고, 온라인 상에서 화

제가 된 일반인들의 예술 창작물이 NFT(Non-Fungible Token: 대체 불가
능 토큰)화 되어 거액에 거래되기도 하는 등 전례 없는 거대한 시장이 창
출되고 있어요. 앞으로 또 어떤 형태의 새로운 플랫폼과 프로슈밍 유형
이 등장할지 예측하기조차 어려울 정도로 시장은 빠르게 확대되며 변
화하고 있죠.

공간, 지식의 심층 기반과 우리의 관계를 혁명적으로 바꾸어 놓은 인
터넷의 사용으로 과학자들 역시 무보수 시간을 들여 프로테오믹스
(Proteomics: 단백질체학)에서 플라스틱까지 모든 분야의 최신 연구 결
과를 놓고 논쟁을 벌인다. 야금학자, 경영자, 잡지 기고가와 군사 전문
가들도 인터넷을 통해 수십억 페이지에 달하는 정보를 캐고 자유롭게
자신의 정보를 더한다. 수백 수천 명에 달하는 시민기자들은 자신의
웹 로그, 혹은 개인 블로그에 그날의 뉴스를 올리고 의견을 낸다.
설사 이 모든 인터넷 웹 사이트의 정보 중 95퍼센트를 과도하게 상업
적이거나 무의미하고, 부정확하고, 무분별하고, 소수의 관심사에 불
과하다는 이유로 가차 없이 삭제한다고 해도 수많은 방식으로 검색,
연결, 재배열할 수 있는 콘텐츠가 담긴 1억 5,000만 개의 사이트가 남
는다. 이 사이트만으로도 부의 창출 및 삶과 관련된 거의 모든 분야에
서 신선하고 창의적인 사고방식을 충분히 생산해 낼 수 있다.
끊임없이 확장하는 인터넷 콘텐츠는 부분적으로 인류 역사상 가장 큰
자발적 프로젝트이다. 프로슈머들은 그 구조와 내용에 기여함으로써
가시적인 시장의 혁신을 가속화한다. 일하는 방식, 시간과 장소, 기업
이 소비자와 공급자에 연결되는 방식, 가시 경제의 모든 분야에서 나

타나는 변화에 영향을 미치고 있다.

토플러는 '돈과 관련 없이 하는 행위가 돈과 관련 있는 행위에 점점 더 커다란 영향을 미치게 될 것'이라고 강조하며 프로슈머를 '미래 경제의 이름 없는 영웅'으로 추켜세우고 있어요. 프로슈머들은 취미를 비즈니스로 바꿀 뿐 아니라 산업 자체를 창출하고 전개시키는 막강한 잠재력을 보유하고 있다는 거죠. 유보수와 무보수 노동의 경계, 즉 생산자가 산출한 측정 가능한 가치와 프로슈머가 산출한 측정할 수 없는 가치의 경계는 허구에 불과하며, 미래를 대비하기 위해서는 화폐 경제와 비화폐 경제의 경계를 넘나드는 부 창출 시스템 전체를 파악할 수 있어야 한다고 토플러는 강조합니다.

미래는 그냥 오는 게 아니라, 만들어 가는 것

이어 토플러는 자본주의의 현주소와 미래에 대해서 진지하게 검토합니다. 그는 대체로 자본주의에 대해 낙관적인 전망을 가지면서도 자본주의의 어두운 부분을 '데카당스(Décadence)'라 명명하며 관심을 기울이고 있어요. 그는 인류의 삶이 물질적으로 풍요로워졌음에도 불구하고 사람들이 더욱 불행하다고 느끼는 까닭에 대해 면밀히 분석하죠. 그는 산업화의 과정에서 뿌리내린 향락주의, 퇴폐주의, 극단주의, 폭력에 대한 미화, 전통 윤리의 와해 등은 구제도가 내부적으로 폭발하여 발생한 결과물이라고 지적하며, 이제 새로운 시대에 적합한 가치관을 추구해야 한다는 미래 지향적인 방향성을 제시하고 있어요.

토플러는 문명이 고도화될수록 인류의 공포와 불안을 자극하는 요소들이 끝도 없이 생겨난다고 지적하며, 대공황식 경제 붕괴, 핵무기나 탄저균, 핵심 비즈니스와 정부 컴퓨터 네트워크에 대한 사이버 공격, 식수 부족, 국가 간의 무력 충돌, 새로운 질병, 사생활의 종말, 격화된 종교적 광신과 폭력, 인간 복제 등의 예를 열거하고 있죠. 그는 이 모든 것들은 충분히 걱정해야 할 가치가 있다고 인정하면서도, 오늘날의 비관주의가 대부분 일종의 유행병에 지나지 않는다는 점을 분명히 지적하고 있어요. 역사를 되짚어보면 산업혁명과 같은 시대 전환기에는 대중 사이에 공포감과 적대감, 염세주의와 무정부주의가 언제나 횡행했다는 점을 발견할 수 있는 만큼, 또다시 거대한 변환의 시기에 놓여 있는 지금도 예외가 아니라는 거죠.

시대말적 비관주의와 종말론적 반(反)유토피아주의가 희망을 잠식하려 할지라도, 중요한 것은 인류가 낙관적 사고와 미래에 대한 준비를 끊임없이 이어나가는 노력을 멈추지 않는 것이라고 토플러는 강조합니다. 그는 앞으로 다가올 시대에 온갖 종류의 놀라운 일들이 벌어질 것이며, 그것들은 결코 이분법적 흑백논리로는 판단이 불가능할 것이라 내다보고 있어요. 마냥 좋기만 한 것도, 마냥 나쁘기만 한 것도 없다는 거죠. 그러면서 그는 혁명적 부의 창출 시스템과 문명이 그 모든 역효과에도 불구하고 수십억의 인류가 더 부유하고 건강하게, 더 길고 사회적으로 유용한 삶을 살 수 있도록 무수한 기회를 열어줄 것이라는 점을 강조해요. 결국 모든 것은 자본주의를 우리의 삶에 도움이 되는 방향으로 현명하게 이끌어가는 능력에 달려 있다는 거죠. 새로운 시대 정신에 발맞추어 획기적인 부의 창출을 이루어냄으로써 모두가 더욱 행복해지는 방향으로 역사를 진전시킬 수 있다는 낙관주의와 인류에 대한 믿음을 엿볼 수 있는 대목이에요.

토플러는 '미래는 그냥 오는 게 아니라, 만들어 가는 것'이라 말했죠. 그는 빠르게 변화하는 세상 속에서 능동적이고 적극적인 자세로 오늘을 살면서 현명하게 내일을 준비하는 자세를 가질 것을 우리에게 촉구합니다. 단지 부와 권력을 손에 넣는 단편적인 방법을 알려주는 게 아니라, 주체적으로 미래를 개척해 나갈 혜안과 통찰력을 불어넣어주는 그의 저작은 여전히 전 세계의 많은 독자들에게 꾸준히 읽히며 사랑받고 있습니다.

여러분도 토플러의 『부의 미래』를 찬찬히 읽으며 미래를 대비하는 현명하고 실천적인 자세를 내 것으로 만들어 보셨으면 합니다.

임수현의 친절한 사회과학

고전 20권 쉽게 읽기

발행일 1쇄 2023년 5월 30일

지은이 임수현
펴낸이 여국동

펴낸곳 도서출판 인간사랑
출판등록 1983. 1. 26. 제일-3호
주소 경기도 고양시 일산동구 백석로 108번길 60-5 2층
물류센타 경기도 고양시 일산동구 문원길 13-34(문봉동)
전화 031)901-8144(대표) | 031)907-2003(영업부)
팩스 031)905-5815
전자우편 igsr@naver.com
페이스북 http://www.facebook.com/igsrpub
블로그 http://blog.naver.com/igsr
인쇄 인성인쇄 **출력** 현대미디어 **종이** 세원지업사

ISBN 978-89-7418-872-6 03300